D0227279

FEBO
presenta
CARLOS GARDEL
CON
ILDE PIROVANO
DIEGO FIGUEROA
A. GOMEZ
CELESTINO PETRAY
"FLOR DE DURAZNO"
SEGUN LA VERSION DE HUGO WAST
DIRECCION FRANCISCO DIFILIPIS NOVOA
PASARAN LOS AÑOS- PERO SU RECUERDO SERA INMORTAL
VEALO EN SU PRIMERA Y UNICA PELICULA ARGENTINA
SONIDO ALFREDO MURUA
PRESENTADA
POR E
POPULAR
ACUARELISTA
LOPECITO

BIBLIOTHÈQUE DU VOYAGEUR

ARGENTINE

Traduit de l'anglais et adapté par Anne Prost, Philippe Beaudoin
et Marie-Hélène Albertini-Viennot

Aucun guide de voyage n'est parfait. Des erreurs, des coquilles se sont certainement glissées dans celui-ci, malgré toutes nos vérifications. Les informations pratiques, adresses, numéros de téléphone, heures d'ouverture, peuvent avoir été modifiés ; certains établissements cités peuvent avoir disparu. Nous serions très reconnaissants à nos lecteurs de nous faire part de leurs commentaires, de nous suggérer des corrections ou des compléments qui pourront être intégrés dans la prochaine édition.

1er dépôt légal : mai 2004
Dépôt légal : janvier 2005
N° d'édition : 134524 (1re réimpression)
ISBN : 2-74-241407-X

Imprimé à Singapour

CEUX QUI ONT FAIT CE GUIDE

Par sa superficie, l'Argentine est le deuxième pays du monde latino-américain et pourtant, peu de choses ont été publiées à son sujet.

La responsabilité du présent guide a été confiée à **Deirdre Ball**, qui a résidé dix-huit mois à Buenos Aires, où elle a vécu de sa plume tout en enseignant l'anglais. Diplômée de l'université de Yale, rédactrice et journaliste, elle se partage entre les États-Unis et le Brésil. Pour concevoir ce guide, elle a fait appel à une solide équipe de photographes et d'écrivains argentins, en se réservant les chapitres sur la géographie, la population, le Cuyo et les gauchos.

Le chapitre intitulé « l'Argentine préhispanique » a été écrit par l'archéologue argentine **Elena Decima**, qui a travaillé sur de nombreux sites d'Amérique du Sud dont celui de Tunel, en Terre de Feu. On lui doit également le chapitre sur le passé colonial de Córdoba.

Philip Benson, diplômé en histoire de l'université de Harverford, a été chargé de démêler l'histoire postérieure à la conquête espagnole. Il a d'autre part rédigé le chapitre sur les récits de voyages.

Au chapitre intitulé « L'Argentine contemporaine », le journaliste **Tony Perrottet** a apporté son érudition et son professionnalisme. Formé en Australie, il a travaillé comme correspondant pour divers journaux et a contribué à l'élaboration d'autres *Grands Guides* sur l'Amérique du Sud (Chili, Équateur, Venezuela).

Écrivain, **Patricia Pittman** ne s'est pas découragée par une mission périlleuse : décrire l'extraordinaire pieuvre qu'est Buenos Aires. Après des études à l'université de Yale, elle a travaillé pour un organisme chargé de la défense des droits de l'homme en Argentine.

Les pages consacrées au tango et à l'économie sont dues à **Judith Evans**. Journaliste, titulaire d'une maîtrise en histoire de l'université de Californie (Berkeley), elle vit de façon plus ou moins permanente à Buenos Aires depuis 1972. Elle y est actuellement la correspondante du *Wall Street Journal* et collabore également à *The Independent* (R.U.) et au *New York Times*.

Le critique gastronomique **Dereck Foster**, qui réside à Buenos Aires, s'est chargé des chapitres sur la cuisine et le vin. Ancien chroniqueur au *Buenos Aires Herald*, il édite son propre magazine, *Aromas y Sabores*. Il a publié plusieurs ouvrages, dont un livre sur la vie quotidienne des Argentins et un autre sur les vins du pays.

Les chapitres sur le littoral balnéaire et le Noroeste ont été écrits par **Federico Kirbus**. Journaliste, explorateur et éditeur, il dirige l'agence de tourisme Adventurismo et rédige régulièrement des articles de voyages pour différents magazines.

C'est à **Maurice Rumboll**, qui connaît très bien le pays, qu'on doit les pages sur la nature argentine et celles sur la Mésopotamie. Il a longtemps travaillé comme naturaliste pour les parcs nationaux argentins dont celui d'Iguazú.

Ball

Benson

Pittman

Foster

Kirbus

Trois auteurs résidant à Bariloche, **Hans Schulz**, **Carol Jones** et **Edith Jones**, nous entraînent en Patagonie. Schulz est anthropologue et dirige l'agence de tourisme Polvani. Carol Jones, petite-fille d'un texan installé en Patagonie au XIXe siècle, tient un ranch près de Bariloche. Quant à sa mère, Edith, elle a dirigé l'école locale durant plusieurs années.

La communauté galloise de Patagonie a suscité l'intérêt d'un autre Gallois, **Parry Jones**, qui vit à Bucks County, en Pennsylvanie. En 1986, cet enseignant retraité a décidé de s'envoler pour la Patagonie afin d'aller l'étudier.

On découvrira la Terre de Feu en compagnie de **Rae Natalie Prosser Goodall** qui vit en Argentine depuis 1963. Spécialiste des mammifères marins, cette scientifique travaille comme chercheur au Centro Austral de Investigaciones Cientificas d'Ushuaia et a mené à terme plusieurs études sur la faune et la flore des îles. Elle est également l'auteur d'un guide, *Tierra del Fuego*.

Rédacteur sportif au *Buenos Aires Herald*, **Eric Weil** a cosigné le chapitre sur le sport. Son *alter ego*, **Doug Cress**, réside à Los Angeles et a exercé ses talents au *Washington Post* pendant de nombreuses années.

Hazel McClery a longtemps travaillé à l'agence de tourisme Cosmopolitan de Buenos Aires, ce qui lui a été très utile quand elle s'est attelée à la compilation des renseignements pratiques.

La cartographie a trouvé une spécialiste en la personne d'**Isabel Juárez de Rosas**. Née à Quilmes, dans la banlieue de Buenos Aires, elle travaille au Servicio de Hydrografia Naval et a déjà édité plusieurs cartes.

Près d'un quart des photographies ont été fournies par l'agence The Photoworks, dirigée par le photographe **Alex Ocampo**. Plusieurs d'entre elles, et non des moindres, ont été prises par le cofondateur de l'agence, **Roberto Bunge**. C'est à **Fiora Bemporad**, photographe professionnelle installée à Buenos Aires, qu'on doit la plupart des photographies anciennes et des reproductions de gravures, ainsi que de nombreuses vues de la capitale. Beaucoup d'autres photographies, dont celles de la faune argentine, ont été prises par **Roberto Cinti** et **Carlos Passera**, qui dirigent l'agence Photohunters. Fondée par **Marcello Brodsky**, l'agence Focus a été, elle aussi, une précieuse source d'images. La série sur le Noroeste est l'œuvre de **Jorge Schulte**. D'autres photographes argentins ont également apporté leur contribution : **Eduardo Gil** (Buenos Aires), **Pablov Cottescu**, **Arlette Neyens**, **Gabriel Bendersky** et **Ricardo Trabucco** (établis à Bariloche), ainsi que **Natalie et Thomas Goodall** (établis à Ushuaia). On doit enfin citer deux photographes new-yorkais, **Don Boroughs** et **Joe Hooper**.

Les éditions APA tiennent à remercier différents organismes de l'aide qu'ils lui ont apportée : l'Office du tourisme argentin (et son précédent directeur, **Francisco Manrique**), la compagnie Aerolineas Argentinas, le département philatélique de la Poste centrale argentine, la Cervecería Cuyo y Norte de Mendoza, et l'École supérieure de São Paulo.

Pour l'édition française, la traduction et l'adaptation du présent ouvrage ont été menées à bien par **Anne Prost**, **Philippe Beaudoin** et **Marie-Hélène Albertini-Viennot** ; ils remercient tout particulièrement **Yecid Espinosa Lozano** de sa précieuse collaboration.

Rumboll

C. Jones

P. Jones

Goodall

Weil

TABLE

TABLE

TABLE

CARTES

TABLE

BIENVENUE EN ARGENTINE

Si les pays sud-américains ont le même passé – culture indienne multimillénaire anéantie par l'arrivée des Européens au XVIe siècle et domination coloniale suivie d'âpres guerres d'indépendance – chacun possède pourtant une personnalité bien marquée, forgée par les aléas de l'histoire et par les caprices de la géographie. Au sud, l'Argentine, l'Uruguay et le Chili sont les trois États du « cône méridional » (*El Cono Sur*), les plus européanisées et les plus prospères des républiques sud-américaines. Leurs étendues sauvages s'étalent des contreforts de la cordillère des Andes jusqu'à la Terre de Feu, dernière étape avant les glaces de l'Antarctique.

Tango, gauchos, pavé de bœuf, Diego Maradona, Carlos Gardel, Eva Perón, Terre de Feu… l'Argentine fait rêver jusque dans son nom. Mais on ne saurait s'en tenir à ces stéréotypes fort éloignés de la réalité d'un pays qui compte parmi les plus méconnus de la planète. Dès que l'on quitte l'élégante capitale, Buenos Aires, commence une autre Argentine, celle des espaces infinis : l'immense pampa, les cataractes perdues dans la jungle de Misiones, les grands lacs de Patagonie, l'Aconcagua, le plus haut sommet des Amériques, Ushuaia, la ville la plus australe de la planète, les anciennes villes coloniales du centre et du nord-ouest, les communautés de manchots du Grand Sud ou les vignes à perte de vue du Cuyo…

L'Argentine est depuis longtemps une destination particulièrement prisée des alpinistes désireux de repousser leurs limites ou des ornithologistes en quête de nouvelles espèces à répertorier mais elle a échappé au tourisme de masse. Pourtant, les distractions ne manquent pas, depuis les randonnées équestres dans les Andes à une soirée au casino d'une élégante station balnéaire en passant par la découverte d'un parc national, les rencontres de polo, les compétitions de ski, ou diverses festivités comme les fêtes de la bière allemandes ou les *Eisteddfodau*, concours de musique et de poésie galloises.

Enfin, même si la démocratie fait aujourd'hui partie du paysage politique argentin, la crise économique dissimule mal une crise de confiance et d'identité où la nostalgie, comme pour le tango, est toujours d'actualité.

Pages précédentes : affiche du seul film argentin tourné par le chanteur de tango Carlos Gardel ; la vallée du Río Pinturas ; les chutes de l'Iguazú ; fin d'après-midi sur la pampa ; le Fitz Roy, dans la province de Santa Cruz. A gauche, couple de danseurs de tango.

IMMENSITÉ ET DIVERSITÉ

Par sa superficie, l'Argentine occupe le huitième rang mondial et, après le Brésil, le deuxième en Amérique latine. Le pays compte 22 provinces et un « territoire national » qui inclut une partie de la Terre de Feu, dont l'autre partie appartient au Chili. Pour Buenos Aires sont également considérés comme argentins les territoires de l'Atlantique Sud où s'étirent de nombreux archipels dont le plus célèbre, celui des Malouines, est contrôlé par le Royaume-Uni. Sans compter les territoires qui sont source de litiges – 1,2 million km^2 au total – l'Argentine couvre une superficie de 2,8 millions km^2. Du nord au sud, elle s'étire sur 3 500 km et, d'est en ouest, sur un maximum de 1 400 km.

Un pays aussi immense offre forcément une grande diversité de climats et, si la majeure partie de l'Argentine s'inscrit dans la zone tempérée de l'hémisphère sud, il n'en reste pas moins que de la frontière brésilienne à la Terre de Feu, on passe d'un climat tropical à un climat subantarctique. Dans l'ensemble, les océans Atlantique et Pacifique adoucissent les températures de ces régions. La cordillère des Andes, qui s'étend du nord au sud dans la partie occidentale du pays, a également un impact important sur le climat, car elle réduit considérablement les précipitations venues du Pacifique.

La grande pluralité de reliefs et de climats a pour corollaire un paysage particulièrement varié. On peut ainsi diviser le pays en six zones géographiques : les fertiles pampas au centre, la Mésopotamie marécageuse au nord-est, les forêts de la région du Chaco au centre-nord, les hauts plateaux arides au nord-ouest, les sommets désertiques à l'ouest et, enfin, la Patagonie et la Terre de Feu au sud-est.

Le cœur du pays

La pampa a beaucoup contribué à la renommée de l'Argentine. De nos jours, l'économie du pays est très largement redevable à ces plaines alluviales extrêmement fertiles qui furent jadis le royaume des légendaires gauchos. Le centre du territoire argentin est en grande partie recouvert de ces vastes étendues herbeuses qui s'étirent au sud, à l'ouest et au nord de Buenos Aires dans un rayon de 970 km.

Si la végétation de la pampa est très réduite, elle n'est pas pour autant uniforme. Des étendues d'herbe fine et rase alternent avec des zones couvertes de broussailles ou d'une herbe plus haute et plus vigoureuse. Quant aux arbres, ils sont quasi inexistants : le seul « arbre » autochtone, l'*ombu*, est en fait une graminée dont le bois, trop aqueux, ne peut être utilisé comme combustible. Au fil des ans, de nombreux végétaux importés ont été acclimatés dans la pampa et de grandes rangées d'arbres rompent l'horizontalité du paysage

et forment des haies qui coupent le vent pour protéger les cultures.

L'immense plaine de la pampa se divise en deux zones distinctes : la *pampa seca* (« pampa sèche ») et la *pampa humeda* (« pampa humide »). La pampa sèche est localisée à l'ouest, où le climat est aride en raison de la présence de la chaîne andine. Plus à l'est, la pampa humide s'étend principalement dans la province de Buenos Aires. Elle est morcelée et cultivée dans sa quasi-totalité. Nombreux sont les grands propriétaires terriens qui y possèdent une *estancia* dont la superficie atteint parfois des centaines de milliers d'hectares. Cette région est capitale pour la production agricole du pays. On y cultive du blé, du

Pages précédentes : iceberg sur le lac Argentino. A gauche, couple de paysans du Noroeste ; à droite, colonie de manchots de Magellan

maïs et du lin, mais aussi de la luzerne, car c'est là que l'élevage a vu le jour.

En plusieurs endroits, la monotonie de la pampa est rompue par des sierras de faible altitude. Les plus importantes sont la sierra de Tandil et la sierra de la Ventana à l'est, ainsi que plusieurs chaînes parallèles dans les provinces centrales de San Luis et de Córdoba. En raison de la fraîcheur qui y règne en été, ces montagnes abritent des stations très prisées des habitants de la capitale. Autrefois arides, certaines zones montagnardes ont pu être mises en culture grâce à la construction de barrages.

Le Río de la Plata, le plus grand estuaire du monde, voit converger les eaux des deux plus grands fleuves argentins : le Paraná et l'Uruguay. Le premier se forme à la jonction du haut Paraná et du Paraguay, qui prennent tous deux leur source en territoire brésilien et se rejoignent au niveau de Corrientes. Jusqu'à son embouchure, le Paraná a 1 200 km de long. Également né au Brésil, le Río Uruguay coule sur 1 612 km, formant d'abord la frontière entre l'Argentine et le Brésil, puis entre l'Argentine et l'Uruguay. Le régime des deux fleuves dépend essentiellement des pluies tropicales qui alimentent leur cours supérieur. Lorsqu'il atteint le Río de la Plata, le Paraná forme un delta aux multiples branches qui alimente une région extrêmement marécageuse et alluviale.

La forêt subtropicale

Au nord-est du pays, une région marécageuse s'étend entre le Paraná et l'Uruguay, d'où son nom de Mésopotamie – *mesos* signifiant en grec « milieu » et *potamos* « fleuve ». De faible altitude, elle est quadrillée par un grand nombre de cours d'eau, et le taux de précipitations annuelles y est très élevé.

La partie méridionale de la Mésopotamie, où alternent marais et collines arrondies, est une région d'élevage de chevaux et de bovins. De surcroît, en raison de la présence d'un important cheptel ovin, elle fournit un fort pourcentage de la production lainière du pays.

Plus au nord, le climat devient subtropical, donc très humide. L'élevage disparaît au profit des cultures fruitières et de la culture du maté, variété de houx dont les feuilles pulvérisées et infusées produisent la boisson nationale argentine. Les zones couvertes par la forêt vierge sont percées de gigantesques saignées, conséquences de l'extraordinaire essor du commerce du bois de charpente.

Vers la pointe nord de la province de Misiones, un plateau de basalte et de grès s'élève des basses terres ; les rivières tulmultueuses se fraient un chemin dans ce relief accidenté. Les spectaculaires chutes de l'Iguazú – inscrites parmi les merveilles naturelles du monde par l'Unesco – sont non loin de la frontière brésilienne : au beau milieu de la luxuriante forêt subtropicale, plus de 275 cataractes se jettent d'une hauteur qui excède parfois 80 m.

Le « terrain de chasse »

Chaco est le nom de la région qui s'étend au centre-nord de l'Argentine. C'est la partie méridionale du Gran Chaco qui couvre aussi la Bolivie, le Paraguay et le Brésil, où il jouxte le Mato Grosso. Le terme signifie « terrain de chasse » dans le dialecte local et il est vrai que la grande variété faunique de cette vaste contrée légitime cette appellation.

Les plaines sont recouvertes par la jungle, et les zones plus sèches par la savane. Quant au climat, il varie du tropical au subtropical. Le Chaco est bordé au nord par le Río Pilcomayo et au sud par le Río Salado, qui se jettent respectivement dans le Paraguay et le Parana. S'ils sont à sec la plus grande partie de l'année, ils subissent toutefois de fortes crues en été (janvier et février), à la saison des pluies.

Les forêts locales abritent quantité de bois durs d'excellente qualité, et l'industrie du bois de charpente y est considérablement développée. Dans les secteurs défrichés, on cultive le coton et l'on pratique un peu d'élevage. L'exploitation du *quebracho* est l'une des principales activités économiques de la région. Très riche en tanin, la résine de cet arbre est utilisée pour le tannage des peaux. Depuis toujours, la peausserie fine est en effet un sous-produit important de l'élevage argentin.

A gauche, arc-en-ciel sur la pampa ; ci-dessus, remontée d'un fleuve de Mésopotamie.

Le haut désert

A l'ouest du Chaco se déploie une région de plateaux bordés au nord-ouest par la chaîne andine. Le relief s'y élève régulièrement jusqu'à l'*altiplano* (« haut plateau ») de la frontière bolivienne. C'est à ce niveau que les Andes se scindent en deux *cordilleras* (« chaînes ») : la Salta Jujeña à l'ouest et la Sierra Subandina à l'est. En raison de la présence des montagnes, le climat de cette région est aride ou semi-aride.

La Puna est un désert froid qui s'étire du nord de la province de Catamarca jusqu'à la Bolivie. Cet ensemble de hautes vallées et de hauts plateaux s'étend également sur une partie du nord du Chili. Essentiellement issue d'un métissage d'Indiens et de colons espagnols, sa population vit de l'élevage des chèvres, des moutons et des lamas.

La province de Tucumán et la partie orientale des provinces de Salta et de Jujuy bénéficient d'un climat tropical de montagne, que caractérisent des hivers doux et humides. En altitude, on pratique l'élevage bovin et la culture de la vigne, des oliviers, des agrumes, du tabac et de la canne à sucre. Les vallées et les piémonts sont occupés par des exploitations maraîchères.

Du vin et du pétrole

La région du Cuyo, au centre-ouest de l'Argentine, comprend les provinces de San Juan, de Mendoza et de San Luis. A l'ouest de la ville de Mendoza, les majestueuses montagnes de la chaîne andine sont dominées par

le plus haut sommet d'Amérique, l'Aconcagua (6 959 m). Au sud de ce sommet, le col d'Upsallata culmine à 3 800 m. Ce *Camino de los Andes* («chemin des Andes») donne accès à la route de Valparaíso et de Santiago du Chili.

Par endroits, le paysage désertique qui borde les montagnes s'étire à l'intérieur des plaines orientales. Érodée par le vent et couverte de broussailles, la majeure partie de la région est très aride, malgré la présence de cours d'eau alimentés ponctuellement par la fonte des neiges des sommets andins.

Sans ces rivières et l'importante irrigation qu'elles permettent, l'agriculture de la région n'aurait pu se développer comme elle l'a fait. Grâce à son climat sec, son sol sablonneux et son ensoleillement permanent, le Cuyo est propice à la culture des agrumes, et, surtout, à celle de la vigne qui a fait sa célébrité.

Par ailleurs, les richesses minières abondent : on y exploite le cuivre, le plomb et l'uranium. Les gisements de pétrole assurent pratiquement – avec ceux de Patagonie – l'indépendance énergétique du pays.

Le pays du vent

Au sud du Río Colorado, la Patagonie s'étend sur plus d'un quart du territoire argentin. Elle se présente comme une succession de plateaux arides qui s'abaissent de la cordillère vers la côte déchiquetée de l'Atlantique. Les Andes de Patagonie, moins élevées que les Andes septentrionales, abritent des glaciers, des lacs, des prairies et des forêts.

Les steppes centrales de Patagonie sont battues par des vents violents qui soufflent en permanence dès qu'on se dirige vers le sud. Leur action, conjuguée à celle des glaciers et des rivières, a fortement érodé le relief. Dans les vallées basses et larges de la Patagonie septentrionale, l'irrigation a permis de développer les cultures de primeurs. Il n'en va pas de même en Patagonie méridionale où les rivières qui coulent dans des gorges profondes interdisent toute mise en valeur des sols. Bien que le taux annuel des précipitations soit élevé dans l'ensemble de la contrée, les températures sont trop basses pour que la végétation naturelle y soit abondante. Dans les plaines croissent des herbes, des broussailles et quelques arbres particulièrement résistants. Faute d'agriculture, la région trouve sa principale ressource économique dans l'élevage ovin.

L'archipel de la Terre de Feu essaime ses innombrables îles à l'extrémité sud du continent américain, entre le détroit de Magellan et le canal de Beagle. Compte tenu de la latitude, son climat subantarctique pourrait être encore plus rigoureux, mais il est tempéré par les eaux de l'Atlantique et du Pacifique. Dans certaines parties de l'archipel, la relative douceur du climat et l'abondance des précipitations favorisent la présence de prairies verdoyantes.

A gauche, le cardon, cactus géant du Noroeste ; à droite, le Cerro Torre, dans le parc national des Glaciers.

L'ARGENTINE PRÉHISPANIQUE

Les territoires couverts par l'Argentine et le Chili ont été les derniers à accueillir les peuplades primitives qui, au cours d'un long périple, avaient traversé du nord au sud l'intégralité du continent américain. Si, dans leur grande majorité, les chercheurs s'accordent à penser que le peuplement de l'Amérique s'est effectué par immigration en provenance d'Asie, ils restent divisés quant à l'origine précise des immigrants. Selon toute vraisemblance, les premières peuplades sont arrivées par le détroit de Béring et l'archipel des îles Aléoutiennes à des époques où la glaciation rendait la jonction entre les deux continents plus aisée.

Les premiers Américains

Il est certain que plusieurs vagues de peuplement se sont succédé, dont la plus ancienne aurait amené l'élément dolichocéphale (à la boîte cranienne allongée) qu'on rencontre du Brésil à la Patagonie. Au vu des fouilles menées en Alaska, dans la vallée du Yukon, les archéologues pensent que cette première vague est arrivée entre 29000 et 24000 av. J.-C. Elle serait parvenue à l'extrême sud du continent en 9000 av. J.-C., comme l'atteste la datation de la grotte de Fells, à quelques kilomètres du détroit de Magellan. Une autre vague aurait amené l'élément mongoloïde, de petite taille, aux pommettes saillantes, qui est de loin majoritaire en Amérique. Les brachycéphales (au crâne arrondi) de haute stature, qu'on rencontre chez les populations du continent nord-américain, seraient issus d'une troisième vague.

Les linguistes ont toujours insisté sur l'incroyable diversité des parlers amérindiens. Cent cinquante familles linguistiques ont été répertoriées, à l'intérieur desquelles les écarts sont parfois tels que des individus parlant deux langues d'une même famille ne se comprennent pas. On compte même plusieurs langues qui n'ont pu être rattachées à aucun groupe. Si certaines ressemblances ont été constatées entre des langues nord-asiatiques et amérindiennes, elles ne touchent que la structure et ne révèlent aucune concordance lexicale.

La fin de l'ère glaciaire

Lors de la dernière avancée glaciaire (9000-8000 av. J.-C.), les paysages de l'Amérique du Sud étaient assez différents de ce qu'ils sont aujourd'hui. Certes, la pampa argentine et les jungles du Brésil échappèrent au refroidissement, mais la chaîne des Andes en subit grandement les effets. Dans les zones montagneuses, les glaciers et les lacs étaient beaucoup plus nombreux et le niveau de la mer était nettement inférieur, comme le prouve la découverte de sites actuellement immergés, anciennes étapes pour les peuplades de chasseurs. Aujourd'hui faiblement submergée, la plate-forme continentale de la côte Atlantique devait prolonger les vastes étendues de la pampa et de la Patagonie pour former une immense plaine. Au cours du paléolithique, les précipitations étaient différentes et certaines régions arides, comme la Patagonie, étaient alors entièrement couvertes d'herbe et devaient ressembler à la prairie nord-américaine.

De cette période jusqu'à l'arrivée des Espagnols, au XVIe siècle, l'Argentine n'a connu aucune des brillantes civilisations qui suscitèrent ailleurs l'admiration et la convoitise des conquérants. Sur le vaste territoire qui s'étend de la Puna à l'extrémité de la Terre de Feu, la population était restée relativement peu nombreuse et clairsemée.

Par ailleurs, les singularités géographiques des différentes zones de peuplement avaient contribué à créer de fortes inégalités de culture et de développement.

Les agriculteurs sédentaires

La région qui présentait le niveau de civilisation le plus achevé est celle du nord-ouest. Au fil du temps, sa proximité avec de puissants voisins lui a valu de bénéficier d'apports considérables. Entre 700 et 1300, elle avait été située dans la zone d'influence de l'empire de Tiahuanaco dont l'épicentre se trouvait dans l'actuelle Bolivie. Puis, de 1480 à 1550, elle a été incluse dans l'Empire inca, au même titre que les civilisations des Andes méridionales du Chili.

Au début du XVIe siècle, les habitants de cette région vivaient dans de simples maisons de pierre regroupées en agglomérations ; la population, qui comptait parfois jusqu'à trois mille individus, faisait de cette contrée la plus peuplée du territoire. De nombreuses cités étaient édifiées sur des élévations et entourées de murs d'enceinte à des fins défensives. Elles disposaient de lieux de culte. La pratique de l'agriculture intensive et de l'irrigation s'était généralisée, de même que l'élevage d'animaux domestiques, notamment des camélidés comme le lama et l'alpaga.

La production artistique découverte dans cette région témoigne d'un bon niveau de développement. La céramique et la sculpture sur bois sont de qualité, le travail du métal – principalement le bronze et le cuivre – se révèle excellent, et l'on a également exhumé de belles sculptures de pierre.

Les habitants des montagnes du centre et de la province de Santiago del Estero n'ont pas connu le même développement. Ils se regroupaient dans de petits villages où l'habitat était parfois semi-souterrain. En dépit de la place prise par l'agriculture dans leur vie quotidienne, le rôle de la chasse et de la cueillette restait important. La facture des céramiques qu'ils ont laissées est assez primaire et il semble qu'ils ignoraient presque totalement le travail du métal.

Pages précédentes : mains négatives, réalisées au pochoir, de la Cueva de las Manos. A gauche, vestiges de la culture quilmes, dans la province de Tucumán ; ci-dessus, exemples de l'industrie lithique préhispanique.

Les pêcheurs et les nomades

Les cultures du Nord-Est argentin présentaient de nombreuses ressemblances avec celles des montagnes du centre. Cependant, les deux grands cours d'eau qui arrosent la région, le

Paraná et l'Uruguay, leur offraient une ressource supplémentaire : la pêche. Si ces communautés pratiquaient l'art de la poterie, elles ignoraient en revanche celui de la métallurgie.

Les occupants de la moitié sud du pays, qui s'étend des actuelles villes de Santa Fe et Córdoba aux îles les plus méridionales, ne connaissaient pratiquement pas la construction en dur. Dans leur grande majorité, ces nomades dressaient des huttes de branchages et de peaux qu'ils regroupaient en campements temporaires. Ils ignoraient également l'agriculture et leur économie était essentiellement fondée sur la cueillette et la chasse. Lorsqu'ils en maîtrisaient la technique, ils produisaient une poterie plus que rudimentaire. Quant au travail du métal, il leur resta inconnu jusqu'à l'arrivée d'Araucans en provenance du Chili. Ils se servaient principalement d'outils de pierre ou d'os, dont le travail révèle toutefois une certaine habileté.

Les grottes et la peinture rupestre

A l'extrême sud de la Patagonie, les grottes de Pali-Aike et de Fells ont permis à l'archéologue Junius Bird de mettre au jour cinq niveaux d'habitat surperposés, dont le premier correspond aux Indiens Onas modernes. La plus profonde de ces couches renfermait des restes de guanacos (lamas à l'état sauvage), de paresseux géants et de chevaux, ainsi que des restes humains incinérés. La reconstitution d'un crâne laisse penser que les premiers occupants du site se rapprochaient du type de Lagoa Santa, au Brésil. Dans la région de Santa Cruz, Los Toldos regroupe plusieurs grottes dans lesquelles d'autres restes de chevaux ont été exhumés. Dans plusieurs sites, on a retrouvé des outils d'os et de pierre – pointes de javelines et grattoirs – d'une facture assez fruste, ainsi que des objets cylindriques en lave dont l'usage est inconnu.

La Cueva de las Manos (« grotte des Mains ») de Los Toldos est célèbre pour ses peintures pariétales réalisées sans doute vers 9000 av. J.-C. Les peintures représentent surtout des mains, exécutées selon la technique du pochoir, dite aussi des « mains négatives » : on pose la paume sur le fond et l'on peint tout autour. Ce style, qui reproduit parfois à des centaines d'exemplaires la main gauche d'un adulte, est le plus répandu en Patagonie.

Les recherches menées dans le sud du pays ont permis de distinguer d'autres styles de peintures rupestres. On trouve notamment de véritables tableaux figuratifs – représentant des danseurs, des pasteurs ou des chasseurs de guanaco – sur les parois rocheuses qui bordent le cours supérieur du Río Pinturas, dans la province de Santa Cruz. Un autre style se caractérise par la reproduction d'empreintes de pieds, et un dernier par des motifs géométriques.

Les pointes de pierre

Pendant des millénaires, et sur l'ensemble du territoire, les premiers occupants ont pratiqué la chasse ; dans certaines régions, cette activité était encore prépondérante à l'arrivée des

Espagnols. Ce phénomène est attesté par la récurrence de certaines caractéristiques dans tous les sites archéologiques : absence de céramiques et d'objets métalliques, inexistence de traces d'agriculture – à l'exception de meules en pierre de 2500 av. J.-C. –, présence d'outils de pierre et d'os ainsi que d'objets destinés à la décoration du corps humain. Parmi les outils dont la facture varie avec le temps, les pointes de pierre témoignent le mieux de l'évolution de ces sociétés. Elles permettent d'évaluer le degré de développement technologique de leurs utilisateurs, leur degré de spécialisation dans l'art de la chasse et leur capacité à découvrir des matériaux plus performants.

Les amateurs de gibier marin

Les peuplades implantées en Patagonie et en Terre de Feu n'ont jamais dépassé le stade de la chasse, comme l'atteste le site de Tunel, aux environs du canal de Beagle. Les fouilles y ont révélé plusieurs niveaux d'occupation humaine, dont le plus ancien a livré des traces de chasse au guanaco. Les autres niveaux prouvent que les sociétés ultérieures s'orientèrent vers une économie plus maritime que terrestre. Pendant six mille ans, jusqu'à ce qu'ils entrent en contact avec les Européens, à la fin du XIXe siècle, ces peuples tiraient leur subsistance de la pêche et de la récolte d'algues, la chasse au guanaco et la cueillette ne jouant qu'un rôle secondaire. La permanence de ce mode de vie révèle paradoxalement une réelle capacité d'adaptation à l'environnement, une excellente connaissance des ressources du milieu et une totale maîtrise de leur exploitation.

Les débuts de l'agriculture

En 5000 av. J.-C., le Mexique et la région andine devinrent les foyers de sédentarisation de l'Amérique. Peu à peu, les fruits et légumes produits dans ces contrées furent introduits dans la plupart des sociétés précolombiennes. Dans la partie nord de l'Argentine, la chasse fit place à l'agriculture. Les sociétés qui vivaient de la cueillette de fruits, de graines et de plantes – en fonction de leur disponibilité saisonnière et de leur localisation géographique – se tournèrent vers la culture organisée de fruits sur des zones plus restreintes et vers un mode de vie sédentaire. Au XVIe siècle, le maïs, la pomme de terre, la courge, les haricots et les piments sont devenus la base de l'alimentation des premiers colons européens.

A gauche et ci-dessus, pierres dressées aux motifs géométriques et anthropomorphiques, dans la province de Tucumán.

Les pierres levées

Le besoin de stocker les récoltes a incité les populations à concevoir des récipients réservés à cet usage. Si la poterie a fait son apparition en Amérique au IVe millénaire av. J.-C., les objets les plus anciens exhumés à ce jour en Argentine remontent seulement aux environs de 500 av. J.-C. La période qui sépare les cultures de la chasse et de la cueillette des cultures sédentaires est dite période de l'agriculture naissante ou, quand elle a suscité la production de céramique, période de la céramique. On divise la période de la céramique en « ancienne », « moyenne » et « tardive », en fonction des styles qui se sont succédé dans les différentes régions. La majorité des cultures de la céramique ont vu le jour dans le nord de l'Argentine.

La période la plus ancienne (500 av. J.-C.-600 ap. J.-C.) est marquée par plusieurs cultures établies sur un arc de cercle qui relie le centre de la province de Jujuy à l'est de San Juan. Parmi les vestiges les plus antiques, ceux de la culture tafi de Tucumán sont célèbres pour leurs pierres sculptées. Certains monolithes, qui peuvent atteindre 3 m de haut, sont ornés de lignes en bas relief qui représentent des traits humains extrêmement stylisés.

Les occupants de la région avaient conçu un habitat formé de plusieurs bâtiments autour d'une cour centrale et ils édifiaient des tertres dont on ne sait s'ils étaient réservés à un usage funéraire ou destinés à supporter d'autres constructions. Ils pratiquaient d'autre part l'élevage de lamas.

A la limite des provinces de Tucumán et de Catamarca, les vestiges de la culture alamito ont également révélé de beaux exemples de pierres sculptées. Le style abstrait de ces représentations est d'un raffinement particulier et d'une grande puissance expressive.

La culture condorhuasi se démarque nettement des sociétés des « pierres levées ». Avec elle, l'art de la céramique atteint son apogée : les objets, ornés de représentations mi-humaines mi-animales, assises ou allongées, aux corps et aux jambes sphériques, sont peints dans des tonalités duelles et fortement contrastées : rouge et blanc, rouge et blanc cassé, rouge et noir.

La période intermédiaire

La période de la céramique moyenne (de 600 à 850) est marquée par le développement des cultures antérieures et par l'apparition de communautés exclusivement tournées vers l'agriculture et l'élevage de lamas ou d'alpagas. Le complexe d'Aguada, qui s'étend principalement dans la région de La Rioja et de Catamarca, est le site le plus représentatif de cette civilisation.

L'habitat, assez rudimentaire, se limitait parfois à de simples murs d'argile supportant un toit de paille ou de bois. L'art de la céramique progressait constamment, au détriment du travail de la pierre. L'artisanat du bronze et du cuivre atteignit son apogée. Dans les tombes, on a exhumé des objets utilitaires – haches, aiguilles ou pinces à épiler – et des bijoux – bracelets et torques richement ouvragés – dont la quantité variable indique clairement qu'une stratification sociale était établie. Toutefois, l'organisation politique restait sommaire, comme le laisse deviner l'absence d'ouvrages monumentaux.

L'invasion inca

La période de la céramique tardive (de 850 à 1480) a été la plus riche en bouleversements. De plus vastes cités furent édifiées sur des élévations et entourées d'épaisses murailles défensives en pierres rondes. L'élevage du lama et de l'alpaga se développa considérablement. A cette époque sont apparus des voies, des nécropoles, des ouvrages d'irrigation et ce qu'on pense être des sanctuaires religieux.

L'une des cultures sur laquelle on est le mieux renseigné est celle des Diaguites. Ils étaient établis dans la vallée de Calchaquí, à l'est de la province de Tucumán, et habitaient des villages aux rues étroites bordées de maisons rectangulaires ou circulaires, généralement dominés par un fort. Aux alentours, des canaux parcouraient des cultures en terrasses aux soubassements de pierre. On a retrouvé des cimetières d'enfants qui recelaient des urnes funéraires en grand nombre. Hauts d'environ 50 cm, ces vases présentent un long col et une panse assez basse, sur laquelle deux anses sont fixées. Ils sont richement décorés de motifs anthropomorphes et géométriques, noir et rouge sur fond clair. Les Diaguites, passés maîtres dans le travail des métaux, ont réalisé de remarquables bijoux d'or et de cuivre, notamment des disques et des pectoraux décorés de visages humains et de motifs de serpents.

En 1480, le nord-ouest de l'Argentine fut conquis par les armées incas et intégré à l'empire. De nos jours, les vestiges des voies, des *pucarás* (« places fortes », en quechua) et des *tambos* (« caravansérails ») témoignent encore de l'influence de cette civilisation. La plupart des objets produits par les populations locales au cours de cette période imitent le style et l'esthétique chers aux Incas.

Tout ceci explique que les Espagnols ont découvert une mosaïque de cultures plus ou moins évoluées en mettant le pied sur le sol argentin. Des communautés qui pratiquaient encore la chasse et la cueillette voisinaient avec des sociétés déjà beaucoup plus civilisées.

A gauche, meule de pierre ; à droite, peinture rupestre de Talampaya.

Cap 13.
TIEMBUS
B. Speranza
Parana fluuius
Corp: Chr

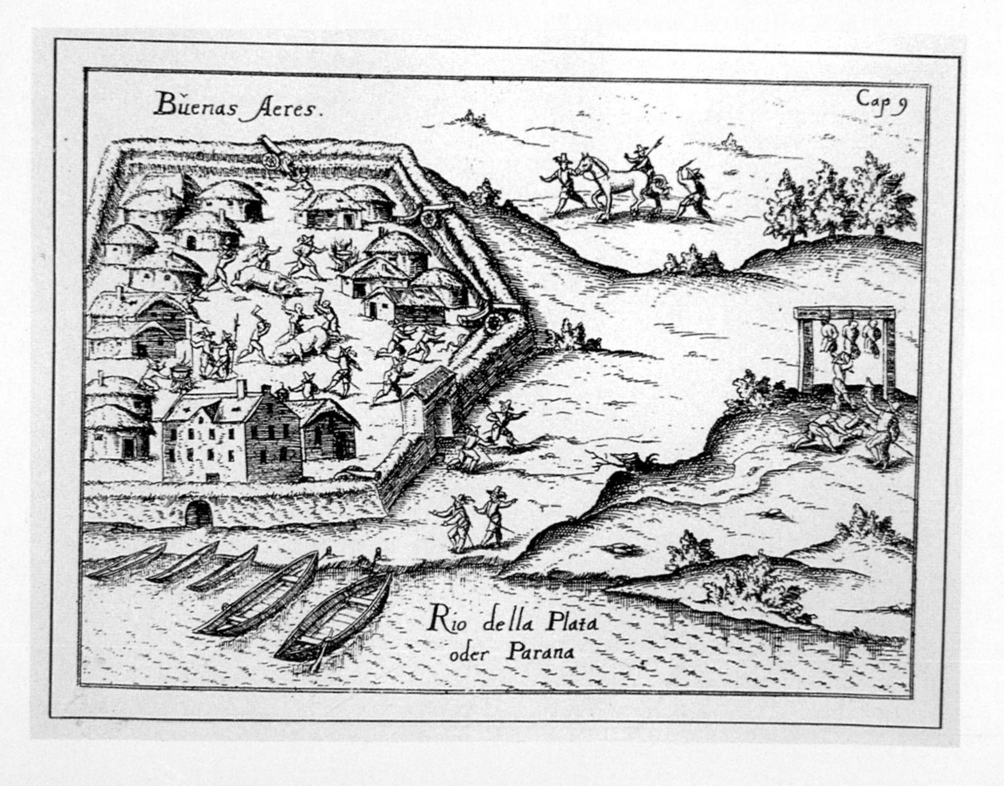
Bŭenas Aeres.
Cap 9
Rio della Plata
oder Parana

L'ARGENTINE MODERNE

Construite dans la violence de la colonisation, l'Argentine a paradoxalement été à l'origine de la libération d'une grande partie de l'Amérique latine. Grâce au combat de certains de ses grands hommes et à son rayonnement intellectuel, les idéaux d'indépendance et de liberté y ont en effet gagné du terrain.

La bipolarisation des conflits est une constante de son histoire : luttes entre la colonie et la mère patrie, entre les régions et Buenos Aires, entre les tyranneaux provinciaux et le pouvoir central, entre les aspirations démocratiques et les tentations totalitaires, tout cela se répercute encore aujourd'hui sur la vie du pays. Comme l'ensemble de ses voisins, l'Argentine est une nation jeune et son histoire est en perpétuel mouvement.

Les découvreurs

Peu après sa découverte, en 1492, le Nouveau Monde a donné lieu à des explorations intensives ordonnées par les souverains espagnols et portugais. En 1500, au nom du Portugal, Pedro Álvares Cabral prit possession de terres vierges que les premiers colons baptisèrent *Braxil*. Pour ne pas être en reste, l'Espagnol Ferdinand II d'Aragon décidait de se tailler un domaine au sud des nouvelles terres portugaises. Il confia cette mission à Juan Díaz de Solis, un des meilleurs navigateurs du royaume, le chargeant également de découvrir un passage entre l'Atlantique et la « mer du Sud » (le Pacifique) dont un dénommé Vasco Nuñez de Balboa avait affirmé l'existence en 1513.

Parti d'Espagne le 8 octobre 1515, Solis gagnait les côtes du Brésil et les longeait vers le sud. En février 1516, il atteignit une vaste étendue d'eau douce qu'il prit pour un détroit menant aux mers du Sud et qu'il nomma *Mar Dulce* (« mer douce »). Au cours d'une expédition à terre, il tomba dans une embuscade tendue par les Indiens Charruas et il fut tué. De retour en Espagne, les survivants, qui avaient remarqué les plaques d'argent arborées par les autochtones, baptisèrent le prétendu détroit *Río de la Plata* (« fleuve de l'argent »).

En 1520, Magellan poursuivit l'exploration du Río de la Plata sans trouver, lui non plus, le passage tant recherché. Après avoir rebroussé chemin, il longea la côte de l'Argentine vers le sud et parvint à gagner le Pacifique par le détroit qui porte son nom. La jonction entre les deux océans étant assurée, les explorateurs ultérieurs s'attachèrent uniquement à trouver l'origine de l'argent aperçu par les compagnons de Solís. En 1527, Sébastien Cabot, un Vénitien naviguant pour le compte de l'Espagne, remonta le Paraná et une partie du Paraguay, fonda le fort de Sancti Spiritus qui fut vite détruit par les Indiens, et rentra bredouille en Espagne.

A gauche, en haut, Indiens des rives du Paraná ; en bas, Buenos Aires à l'époque de sa fondation par Mendoza ; à droite, la seconde fondation de Buenos Aires par Garay.

Les fondateurs

En 1536, Pedro de Mendoza parvenait à son tour aux environs de l'embouchure du Paraná. Le 3 février, il fondait Santa María de los Buenos Aires, afin de pouvoir se replier en lieu sûr si son exploration du fleuve se révélait périlleuse. Les premiers habitants de la ville tombèrent vite dans un grand dénuement et durent faire face aux attaques des Indiens qui détruisirent leur petite colonie. Malade et découragé par cette expédition désastreuse, Mendoza décida de rentrer en Espagne.

Il mourut pendant son voyage de retour, en juin 1537. Son successeur, Martínez de Iralá, voulut conduire la colonie espagnole sur le cours médian du Paraguay où un fort avait été construit depuis peu. En 1541, il y fonda le port d'Asunción, qui devint le quartier général des conquérants.

Au Pérou, la ville de Lima, créée en 1535, était devenue le siège de la vice-royauté. C'est de là que partit une autre vague de colons espagnols qui établirent des villes dans le nord-ouest de l'Argentine : Santiago del Estero en 1553 par Francisco de Aguirre, Mendoza en 1562 par Pedro del Castillo et Córdoba en 1573 par Luis de Cabrera. C'est également au cours de la seconde moitié du XVIe siècle que Catamarca, San Miguel de Tucumán, Salta, La Rioja et Jujuy virent le jour.

Se sentant isolés et menacés, les habitants d'Asunción voulurent s'assurer une position solide sur le Río de la Plata. Ils confièrent cette mission à Juan de Garay, un Espagnol qui vivait en Amérique depuis quinze ans. En 1580, à l'emplacement choisi quarante-quatre ans plus tôt par Mendoza, Garay fonda une ville, La Santísima Trinidad, et son port, Puerto de Santa María de los Buenos Aires.

Charles Quint avait décrété que Mexico et Lima seraient les deux phares du Nouveau Monde hispanique. Depuis 1554, un interdit frappait la navigation sur le Río de la Plata et les produits manufacturés espagnols ainsi que les esclaves africains transitaient essentiellement par Panamá et le Pérou avant d'être acheminés dans les autres colonies d'Amérique du Sud. En Argentine, la région limitrophe du Pérou profita de ce voisinage pour concentrer la majeure partie de l'économie pendant plus d'un siècle et demi. La seconde fondation de Buenos Aires par des colons venus de l'intérieur des terres illustre à merveille le rapport de dépendance et de rivalité qui exista par la suite entre la ville et les régions du Nord-Ouest et du Centre.

Les débuts de l'ère coloniale

Jusqu'à la fin du XVIIIe siècle, l'Argentine resta placée sous l'autorité de la vice-royauté de Lima. Pendant cette période, deux villes de la colonie connurent un développement considérable : Tucumán et Córdoba. La région de Tucumán devint un grand centre de production de blé, de maïs, de coton, de tabac et de bétail, dont une grande partie était exportée vers le Pérou. Córdoba la *docta* (la « savante ») établit sa réputation de centre culturel grâce à la fondation d'une université jésuite en 1613 et, plus au centre, sur un territoire extrêmement fertile, elle développa également une économie agricole prospère.

A ces mêmes jésuites, on avait confié le soin de créer des missions où les Guarani seraient « éduqués » dans la foi chrétienne pour devenir des agriculteurs sédentarisés. Rapidement, des missions étendues et prospères, fermées aux autorités civiles, formèrent un empire jésuite, véritable république théocratique, en marge des colonies de Tucumán et du Río de la Plata.

Parallèlement, la seconde naissance de Buenos Aires fut difficile. Certes, l'élevage, le commerce et l'artisanat y faisaient leur apparition, mais l'économie restait inorganisée et en grande partie tributaire de la contrebande. En effet, les négociants péruviens revendaient à prix d'or leurs produits en Argentine – les étoffes y coûtaient huit fois plus cher qu'à Lima – et, pour une bourgade comme Buenos Aires, le commerce illicite avec les puissances étrangères était une nécessité.

Une nouvelle vice-royauté

Charles III, roi d'Espagne depuis 1759, décida de libérer les provinces atlantiques de la tutelle de Lima en 1776. Il pensait contrer ainsi les visées expansionnistes des Anglais, des Portugais et des Français, dont les incursions sur le Río de la Plata étaient de plus en plus fréquentes. La nouvelle vice-royauté du Río de la Plata fut créée sous la responsabilité de Pedro de Cevallos. Son autorité s'étendait sur les provinces du Paraguay, de Tucumán, du Potosí, de Santa Cruz, et sur toutes celles qui dépendaient de l'audience royale de l'actuelle Sucre, en Bolivie. Buenos Aires en devint la capitale.

Le nombre des habitants de la ville augmenta considérablement : il passa de 2200 en 1726 à 33000 en 1778. Plus d'un quart des sujets de la vice-royauté était composé d'esclaves d'origine africaine. Les métis issus de mariages entre Espagnols et Indiennes constituaient aussi une part importante de la population. L'immigration donna naissance à une classe bourgeoise libérale et, à la fin du XVIIIe siècle, le développement de l'élevage suscita l'émergence d'une nouvelle classe sociale : les gauchos (*cf.* p. 285).

Les jésuites indisposaient le roi d'Espagne autant que le roi de Portugal à cause de leur indépendance et du pouvoir qu'ils avaient acquis dans les territoires dont l'administration leur avait été confiée. Ils furent expulsés du Río de la Plata et du Paraguay en 1766. Paradoxalement, le vice-royaume se retrouva presque sans maître d'école capable de donner une instruction de qualité, à un moment où les livres commençaient à circuler plus facilement dans le pays.

L'importance croissante de la vice-royauté du Río de la Plata ne passait pas inaperçue en Europe. Dès 1796, en raison de la guerre qui l'opposait à l'Angleterre, l'Espagne relâcha son emprise sur ses colonies américaines. Très vite, l'évidente supériorité de la flotte anglaise empêcha tout maintien des liens entre l'Espagne et la vice-royauté : en 1797, redoutant une attaque anglaise, le vice-roi implora l'Espagne de lui envoyer des renforts qu'il ne put obtenir.

L'offensive britannique

En juin 1806, le général Beresford débarquait à proximité de Buenos Aires avec une armée composée de 1 500 hommes seulement. Il s'empara facilement de la ville, provoquant la fuite du vice-roi Sobremonte à Córdoba. C'est un immigré français, Jacques de Liniers, qui prit la tête d'un mouvement de révolte contre l'occupant anglais. Avec l'aide de soldats envoyés par le gouverneur de Montevideo et celle de la population, chez qui se développait une véritable conscience nationale, il parvint à libérer la ville le 12 août 1806.

Après s'être emparés de Montevideo, les Anglais attendirent février 1807 pour renouveler leur attaque sur Buenos Aires. Commandée par John Whitelocke, leur armée de 10 000 hommes fut à nouveau mise à mal. On rapporte que les habitants démunis, toujours menés par Liniers, combattirent les envahisseurs au moyen de simples tuiles arrachées des toits ou d'huile bouillante. Lorsque les Anglais eurent été définitivement chassés, Charles IV décerna à Liniers le titre de comte de Buenos Aires.

La reconquête et la défense de Buenos Aires ont eu de nombreuses conséquences sur l'histoire du pays. Au-delà de la fierté suscitée par leur victoire sur une armée qui comptait parmi les plus redoutables de l'époque, les *criollos* (colons nés sur le sol argentin) ressentaient cruellement leur dépendance vis-à-vis de l'Espagne. Constatant qu'ils avaient pu s'organiser de manière improvisée, ils se mirent à dénoncer les faiblesses d'un système qui ne pouvait même pas assurer leur protection. Par extension, l'idée que leur économie

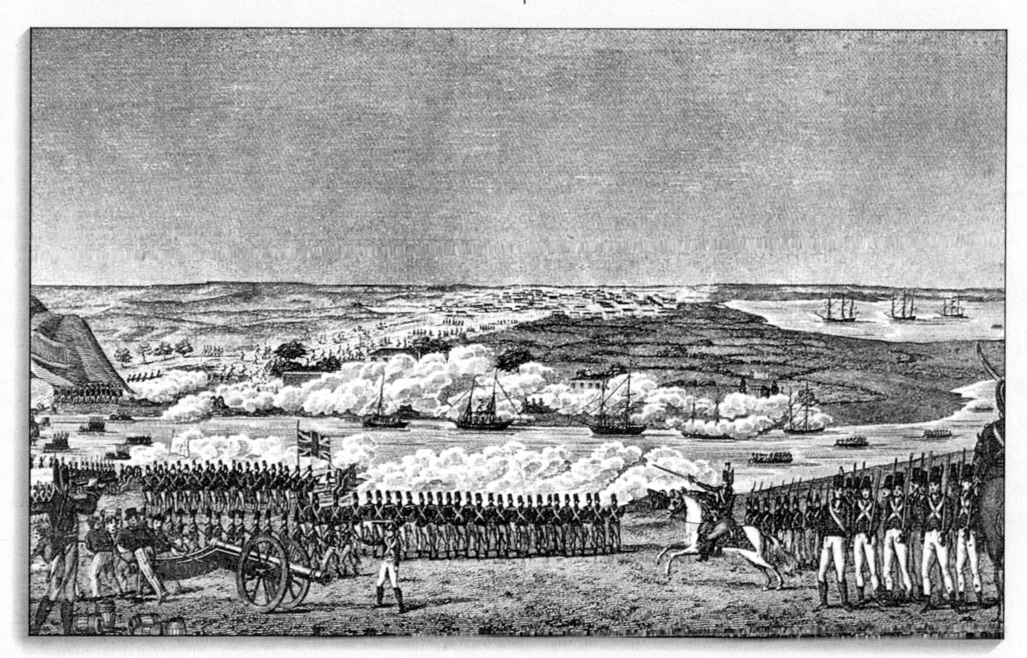

Ci-dessus, en 1806, le général Beresford et ses troupes devant Buenos Aires.

pourrait prospérer loin des entraves espagnoles faisait son chemin.

Vers l'indépendance

L'occupation de l'Espagne par les armées napoléoniennes fournit aux partisans de l'indépendance argentine une occasion de concrétiser leurs aspirations. Le 25 mai 1810, la prise de Séville et la dissolution de la junte qui gouvernait au nom du souverain exilé Ferdinand VII provoquèrent à Buenos Aires la tenue d'une assemblée municipale extraordinaire, le *cabildo abierto*. Tout en affirmant leur loyauté à la couronne espagnole qu'ils voyaient

menacée, 251 délégués décidèrent de déposer le vice-roi, Cisneros, et de constituer un gouvernement révolutionnaire pour le remplacer. Les chefs du mouvement, Saavedra, Moreno, Belgrano et Castelli, étaient des intellectuels *criollos* très réceptifs aux idées libérales européennes. Leur objectif était de restructurer la société coloniale et de provoquer la naissance d'une véritable nation argentine sans rompre totalement avec l'Espagne. Belgrano proposait d'organiser une monarchie libérale qui resterait placée sous la tutelle espagnole. Mais les riches négociants, les grands propriétaires terriens, les ecclésiastiques et les fonctionnaires coloniaux s'opposaient à tout changement de système politique.

Un pays divisé

Les débuts de l'indépendance argentine furent douloureux. Les oppositions ne tardèrent par à surgir entre les chefs du mouvement. Le colonel Saavedra, responsable du gouvernement, tenait à défendre les privilèges de l'aristocratie *criolla*, tandis que Moreno, son secrétaire, révélait une nature véritablement révolutionnaire. Par ailleurs, Buenos Aires dut faire face à de graves difficultés économiques à la suite du blocus espagnol dont elle fut l'objet et elle entra en conflit avec les villes de province. Le pays était désormais divisé entre *unitarios* (« unitaires »), partisans d'un gou-

vernement fort centralisé à Buenos Aires, et fédéraux, désireux de former une confédération de provinces autonomes.

Un homme, José de San Martín (1778-1850), domina cette période troublée de sa forte personnalité. Né sur le sol argentin, il avait passé sa jeunesse en Espagne où il s'était engagé dans la carrière militaire et avait combattu les troupes de Napoléon. En 1812, il décida de rentrer au pays et de se mettre à son service. Selon lui, *« la révolution de 1810*

A gauche, San Martín, héros de la lutte pour l'indépendance de l'Amérique latine ; ci-dessus, la proclamation de l'indépendance argentine à Tucumán, le 9 juillet 1816.

[avait été] *faite pour fonder l'indépendance et la souveraineté nationales »*.

Le 9 juillet 1816, suivant les idées de San Martín, le congrès de Tucumán proclamait solennellement l'indépendance des Provinces unies d'Amérique du Sud et désignait un proche de San Martín, le général Juan Martín de Pueyrredón, comme « directeur suprême ».

Un héros national

Pour consolider l'indépendance récemment acquise, il était nécessaire de débarrasser le continent de la présence militaire espagnole. C'est à San Martín qu'échut cette responsabilité. Il réunit une armée de 5 000 hommes et se rendit à Mendoza, qu'il prit comme point de départ de sa traversée des Andes en janvier 1817. Il écrasa les troupes espagnoles à Chacabuco et, par sa victoire à la bataille de Maipú, il mit un terme définitif à la mainmise de l'Espagne sur le Chili. Le 14 février, San Martín était accueilli en libérateur à Santiago et quelques mois plus tard, le 12 février 1818, l'indépendance du Chili était proclamée.

Confronté à de graves difficultés à Buenos Aires, Pueyrredón demanda à San Martín de venir rétablir l'ordre. Considérant que sa mission n'était pas encore achevée, San Martín refusa, leva une petite armée de 4 000 Argentins et Chiliens, et se lança à l'assaut du Pérou en août 1820.

Soucieuses de se préserver, les forces espagnoles évacuèrent Lima sans combattre. En juillet 1821, le Pérou proclamait son indépendance et offrait à San Martín le titre de protecteur ainsi que les pleins pouvoirs.

De retour à Buenos Aires, San Martín repoussa une fois de plus les avances des unitaires qui voulaient l'entraîner dans la politique. Il quitta l'Argentine pour l'Europe et mourut en 1850 à Boulogne-sur-Mer. Dans une lettre adressée aux Argentins avant son départ, il explique ainsi sa décision : *« Non, le général San Martín ne versera jamais le sang de ses compatriotes ; il ne combattra que les ennemis de l'indépendance de l'Amérique du Sud. »*

Persistance des troubles

Au cours des treize années qui suivirent leur indépendance, les Provinces unies furent déchirées par d'incessantes luttes intestines. Mais, là encore, un homme se distingua par sa personnalité hors du commun. Président d'une république sans constitution, très attaché aux valeurs universelles défendues par les philosophes français, séduit par le régime parlementaire britannique et la constitution des États-Unis, Bernardino Rivadavia se fixa plusieurs objectifs : élaborer une loi fondamentale, former un gouvernement centralisé à Buenos Aires et le faire accepter par les provinces, répartir les terres plus équitablement et encourager l'immigration. Son idéal unitaire suscita l'opposition des caudillos (« gouverneurs provinciaux »), qui voyaient dans le fédéralisme un moyen d'exercer un pouvoir illimité sur le territoire qu'ils administraient.

Lorsque Rivadavia rendit publique la constitution de 1826, les caudillos se sentirent réellement menacés. Le texte prévoyait en effet qu'ils relèveraient directement de l'autorité du président de la République qui les choisirait parmi trois candidats présentés par chaque province. La virulence des réactions des oligarques locaux fut telle que Rivadavia dut présenter sa démission en 1827. La constitution resta lettre morte et Rivadavia fut remplacé par Dorrego, qui appartenait au mouvement fédéraliste. En décembre 1828, à la suite d'une conspiration des partisans de l'union, Dorrego était assassiné et les provinces se soulevaient. Juan Manuel de Rosas conduisit leur mouvement avec succès. En décembre 1829, il était élu gouverneur et se voyait attribuer des pouvoirs extraordinaires.

Juan Manuel de Rosas

D'une famille de grands propriétaires de la région de Buenos Aires, Rosas possédait à vingt-cinq ans un immense domaine qu'il faisait habilement prospérer. Très respecté des gauchos dont il partageait les mœurs rudes, il était devenu l'incarnation même du caudillo, xénophobe et inculte, dont la tyrannie se plaçait sous la protection de l'Église.

Lorsqu'il accéda au poste de gouverneur, Rosas fut confronté d'emblée à une situation extrêmement confuse. Le pays était partagé entre unitaires et fédéralistes qui étaient eux-mêmes très divisés : les provinciaux revendiquaient l'autonomie pour leurs régions, qu'ils souhaitaient voir sur un plan d'égalité avec Buenos Aires, alors que les fédéralistes de Buenos Aires refusaient de remettre leurs prérogatives en question.

Le pacte fédéral de 1831 permit à Rosas de réunir les provinces de Buenos Aires, Entre Ríos, Santa Fe et Corrientes. En juin 1831, la bataille de Ciudadela marquait la défaite des partisans de l'union dont le chef, José María Paz, fut emprisonné. En 1832, l'opposition ne représentait plus qu'une faible menace pour Rosas. Pourtant, au terme de son premier mandat de gouverneur, il refusa d'être reconduit dans ses fonctions car le conseil des représentants des provinces semblait hésiter à lui garantir le maintien de ses pouvoirs quasi absolus. Il fut donc remplacé par Balcarce.

La campagne du Désert – elle avait pour but de « pacifier » les régions méridionales occupées par les Indiens – permit à Rosas, qui brilla par son acharnement à massacrer les populations autochtones, de renforcer son image de combattant. En 1835, la junte rappelait Rosas au pouvoir. Le 13 avril, il était nommé restaurateur de la loi et gouverneur. Cette fois, il bénéficiait d'un très large soutien populaire et de pouvoirs illimités pour défendre la cause fédéraliste.

La dictature de Rosas (1835-1852)

Paradoxalement, la politique de Rosas se révéla plus unitaire que ne l'auraient rêvé ses opposants les plus virulents. En effet, il concentra tous les pouvoirs, élimina les caudillos les plus dangereux, persuada les autres qu'il était de leur intérêt de s'allier à lui et réprima farouchement ses adversaires en utilisant tous les moyens : l'exil, l'incarcération, la torture et les exécutions. Il supprima la liberté de la presse et, soutenu par les gauchos et les petits commerçants de Buenos Aires, il se lança dans une violente campagne contre le petit nombre d'intellectuels que comptait le pays.

Sur le plan international, Rosas tenta à plusieurs reprises de s'immiscer dans les affaires de l'Uruguay sans jamais parvenir à prendre la capitale, Montevideo. Par ailleurs, il adopta une attitude d'extrême fermeté à l'égard des grandes puissances. En 1838, une escadre française vint bloquer le port de Buenos Aires pour répondre à des exactions dont le gouvernement argentin s'était rendu coupable sur des Français et, en 1845, la France et l'Angleterre s'unissaient pour renouveler le blocus et obtenir l'ouverture des fleuves argentins à la navigation internationale. Dans les deux cas, Rosas refusa de céder, ce qui lui valut d'être salué par son peuple comme le champion de la cause nationale.

En dépit des pressions dont ils faisaient l'objet, certains écrivains se mobilisèrent pour dénoncer la dictature et proclamer leur amour de la liberté. Parmi eux, Bartolomé Mitre, poète, historien et philologue, Juan Bautista Alberdi, qui fut plus tard l'artisan de la constitution argentine, et Domingo Faustino Sarmiento, autodidacte *criollo* aux idées progressistes. Ces intellectuels étaient aussi des hommes de terrain dont l'action trouvait un soutien actif chez les opposants exilés au Chili ou en Uruguay. Après plus de vingt ans d'un pouvoir sans partage et presque ininterrompu, Rosas allait connaître une fin brutale.

Certaines provinces ne cachaient pas leur mécontentement face à la suprématie économique de Buenos Aires. Parmi elles, l'Entre Ríos, gouvernée par Justo José de Urquiza, était la plus virulente. Profitant d'un conflit entre l'Argentine et le Brésil, Urquiza conclut un accord avec les autorités brésiliennes selon lequel il recevrait des armes et un soutien militaire en échange de terres. Il souleva ensuite toutes les provinces contre Rosas et engagea les représentants locaux à s'allier au Brésil et à l'Uruguay. Le 3 février 1852, les troupes d'Urquiza écrasaient celles de Rosas à Caseros, non loin de Buenos Aires. Après avoir vaillamment combattu, le dictateur se retira du champ de bataille, rédigea sa démission et quitta l'Argentine pour l'Angleterre. Urquiza put dès lors s'attacher à adapter les idées fédéralistes à la nouvelle situation du pays.

Les fondations de l'État argentin

Jusqu'en 1880, les dirigeants argentins établirent les fondations d'une nation structurée par des institutions appropriées. Urquiza réunit à Santa Fe un congrès qui promulgua, le 1er mai 1853, une constitution libérale inspirée de celle des États-Unis. Désormais, les Argentins et les étrangers installés en Argentine étaient égaux devant la loi et jouissaient des libertés essentielles. L'autonomie des provinces était garantie, le gouvernement ne pouvant intervenir que pour repousser une attaque étrangère, rétablir l'ordre et préserver la république. Le gouvernement fédéral était dirigé par un président qui bénéficiait de pouvoirs politiques, militaires et financiers très étendus et dont le mandat de six ans ne pouvait être renouvelé coup sur coup. Le pouvoir législatif était confié à un Congrès composé de deux Chambres, la Chambre des députés et le Sénat. Le pouvoir judiciaire appartenait à une Cour suprême semblable à celle des États-Unis.

De 1854 à 1860, Urquiza fut le premier président de cette république argentine réellement constitutionnelle. Mais le déséquilibre entre Buenos Aires et les provinces se faisait toujours sentir et la division de l'Argentine persistait. Restée en dehors de la confédération, la puissante cité conservait pratiquement le monopole du commerce avec l'étranger, alors que la confédération, établie dans la petite ville de Paraná, faisait face à d'énormes difficultés économiques. Un conflit armé se déclencha entre les factions ennemies. Urquiza et les troupes confédérales en sortirent vainqueurs. En 1860, le traité de San José de Flores établit l'entrée de Buenos Aires dans la confédération mais ne régla pas le problème ; au contraire, les représentants provinciaux s'inquiétèrent de voir la ville être la capitale d'une province et devenir celle de la confédération.

En mars 1860, Santiago Derquí devenait chef de l'État. Alors qu'il s'entretenait à Paraná avec Urquiza et Mitre – gouverneur de Buenos Aires et partisan de l'unité nationale – éclata une rébellion à San Juan à laquelle participait un ministre de Mitre nommé Sarmiento. Au même moment, le Congrès annulait l'élection des députés de Buenos Aires car elle ne répondait pas aux critères requis par la constitution.

A gauche, portrait de Juan Manuel de Rosas ; à droite, un partisan de Rosas arborant la couleur rouge des fédéraux.

La guerre civile se ralluma, pour s'achever en 1861 avec la bataille de Pavón. Les troupes de Buenos Aires remportèrent la victoire et Mitre fut élu président de la République.

Au cours de son mandat, de 1862 à 1868, Mitre s'efforça de trouver un remède aux graves difficultés économiques du pays. En 1865, il engageait l'Argentine aux côtés de l'Uruguay et du Brésil dans une guerre contre le Paraguay. Le sanglant conflit prit fin en 1870, avec la défaite du dictateur Francisco Solano López. Très éprouvée par le coût de cette guerre, l'Argentine reçut en compensation les provinces de Formosa, du Chaco et de Misiones.

La présidence de Sarmiento, de 1868 à 1874, fut marquée par le développement de l'éducation – à l'occasion du premier recensement effectué en Argentine, les autorités s'étaient aperçues que 80 % de la population était analphabète – et une progression économique jusqu'alors inégalée, qui attira des centaines de milliers d'immigrants. Le réseau ferré argentin s'étendit considérablement et les barbelés firent leur apparition dans la campagne, empêchant les troupeaux de paître librement et entraînant la disparition progressive des gauchos.

Les élections de 1874 furent remportées par un ministre de Sarmiento, Nicolás Avellaneda, qui bénéficia du soutien des gouverneurs de

L'ÉNIGME DES AFRO-ARGENTINS

La disparition complète de la population argentine d'origine africaine constitue une énigme à laquelle chacun, l'Argentin de la rue comme l'historien le plus sérieux, tente de répondre à sa façon. Pour ce faire, le premier dispose d'un large éventail d'explications, plausibles ou extravagantes, et le second se fonde sur des hypothèses dont le nombre n'a d'égal que la variété.

La communauté des Afro-Argentins était fort élevée : de 1778 à 1815, elle représentait jusqu'à 30 % de la population de Buenos

Aires; en 1887, ils n'étaient plus que 8005, soit 1,8 %. Dès les premiers temps de la colonisation, au XVIe siècle, les Espagnols établis en Argentine firent l'acquisition d'esclaves venus d'Afrique. Les dispositions particulières imposées par la couronne espagnole les faisaient transporter par bateau de Panamá au Pérou, puis acheminer par voie de terre à travers le nord du Chili jusqu'en Argentine. Arrivés à Buenos Aires, ils étaient vendus à des prix très élevés qui tenaient compte de ces énormes coûts de transport. Il y eut donc rapidement contrebande d'esclaves importés du Brésil ou directement d'Afrique qui étaient débarqués clandestinement à Buenos Aires.

Les esclaves étaient surtout employés comme domestiques ou artisans. Leurs conditions de travail étaient donc très différentes de celles que subissaient leurs frères ailleurs en Amérique du Sud mais les souffrances étaient identiques : les membres d'une même famille étaient séparés, les fugitifs étaient passibles de châtiments terrifiants et le statut social des Noirs émancipés restait inférieur, en droit comme en fait.

Au lendemain de son indépendance, l'Argentine engagea un processus de libération des esclaves qui connut de fréquentes interruptions. En 1827, les affranchis étaient majoritaires ; certains avaient reçu la liberté en récompense de leurs actions sur le champ de bataille, d'autres avaient bénéficié de la faveur de maîtres compréhensifs ou avaient pu réunir la somme correspondant à leur rachat. On promulgua alors une loi stipulant que les enfants issus d'unions entre esclaves naissaient libres, mais la condition de leur mère restait inchangée. Il fallut cependant attendre 1861 pour que les derniers esclaves soient affranchis.

Dans son ouvrage, *The Afro-Argentines of Buenos Aires, 1800-1900* (« Les Afro-Argentins de Buenos Aires, 1800-1900 »), George Reid Andrews, universitaire nord-américain, propose quatre explications à la disparition si rapide et si radicale de la communauté afro-argentine.

Au XVIIIe siècle, l'armée argentine comptait plusieurs bataillons exclusivement constitués de Noirs ; selon la première hypothèse, les soldats, qui représentaient un fort pourcentage de la population afro-argentine, auraient disparu au cours des affrontements qui accompagnèrent l'indépendance. La deuxième raison, à laquelle de nombreux chercheurs souscrivent, est celle d'un métissage intense qui aurait provoqué la dilution de la race. On suppose en effet que la communauté noire aurait été littéralement submergée par les centaines de milliers d'Européens qui immigrèrent en Argentine dans les deux dernières décennies du XIXe siècle. La grande épidémie de fièvre jaune de 1871, associée à la mauvaise santé des esclaves et à leurs conditions de vie déplorables, serait une troisième explication possible. Enfin, Reid Andrews analyse le déclin de la traite des esclaves à compter de son interdiction, en 1813, et l'impact de cette mesure sur une communauté de plus en plus réduite, qui ne bénéficiait plus de l'apport de forces vives.

A la fin du XIXe siècle, la communauté afro-argentine avait pratiquement disparu en dehors de quelques gauchos, vendeurs des rues ou artisans à Buenos Aires.

l'intérieur. Le 14 octobre, son investiture faillit tourner court : Mitre, vaincu lors de cette consultation, organisa une fronde contre le nouveau président en qui il voyait une menace pour l'avenir de Buenos Aires. Les comploteurs furent vaincus en trois mois et Avellaneda les amnistia.

La guerre du Désert

A la fin du XIXe siècle, la mécanique de la colonisation a obéi en Argentine aux mêmes lois qu'en Amérique du Nord : l'expansion territoriale s'est accompagnée du massacre des populations autochtones. L'établissement de colons dans des territoires préservés avait suscité la révolte des premiers occupants. Plusieurs nations s'étaient regroupées en une confédération commandée par le cacique Namuncurá. Deux autres nations, les Ranqueles et les Pincén, luttaient également contre l'envahisseur. En 1875, à la suite du « déplacement » consenti par les Indiens de la région d'Azul, Namuncurá organisait un soulèvement général. En réaction à la multiplication des raids indiens contre les intérêts des colons, les autorités donnaient l'ordre de repousser les autochtones à l'ouest et au sud. Grâce à l'édification de forts et d'ouvrages défensifs qui protégeaient les terres récemment conquises, les Argentins parvenaient à affaiblir la résistance des Indiens.

Roca, ministre de la Guerre d'Avellaneda, prit la tête de plusieurs expéditions militaires et 6 000 soldats furent chargés de régler définitivement la question indienne. Seuls quelques groupes autochtones purent se réfugier dans les Andes. En 1879, les derniers Indiens de Patagonie, particulièrement touchés par la perte de leurs immenses territoires, durent conclure la paix avec les autorités responsables de l'ethnocide.

A gauche, en 1844, Afro-Argentine vendeuse des rues ; ci-dessus, prisonniers indiens pendant la campagne du Désert.

L'âge d'or

Avec l'élection de Roca, en 1880, le pays vit s'ouvrir la période la plus prospère qu'il ait connue. L'accroissement des territoires argentins jusqu'aux Andes et à la Terre de Feu entraîna le développement de l'agriculture et de l'élevage : la plaine de la pampa se couvrit de céréales et les troupeaux d'ovins refluèrent vers la Patagonie. Les domaines prirent des proportions gigantesques. Des fortunes impressionnantes s'édifièrent, notamment grâce à la spéculation foncière.

Attirée par le mythe d'un Eldorado des temps modernes, l'immigration européenne avait multiplié par deux le chiffre de la

INMORTALIDAD
DO
EL DIA

EL JUICIO

population argentine : de 1869 à 1874, elle était passée de 300 000 à 600 000 habitants.

Deux progrès technologiques ont fait connaître à l'économie du pays un véritable décollage : les progrès de la navigation à vapeur et, surtout, l'invention de procédés de réfrigération qui ont permis à l'Argentine d'exporter massivement de la viande à destination de l'Europe continentale et, surtout, de la Grande-Bretagne. L'élevage des bovins trouvait ainsi des débouchés plus lucratifs que la simple production de peaux.

La vie intellectuelle s'enrichit à la suite de la création de plusieurs journaux et de maisons d'édition qui ont publié les grands auteurs du moment – José Hernández, Estanislao del Campo, Rafael Obligado, Eduardo Guttiérez et Ricardo Güiraldés – et les nombreux hommes politiques qui s'étaient consacrés à la plume : Alberdi, Sarmiento et Mitre.

En 1880, à la suite de la création de la ville de La Plata, qui devint la capitale de la province de Buenos Aires, la ville de Buenos Aires put enfin accéder au rang de capitale fédérale.

Sur le plan politique, l'Argentine restait dominée par une poignée d'individus appartenant à quelques vieilles familles de Buenos Aires. Désireuse de participer à la gestion du pays, la classe moyenne, en pleine expansion, se rallia à la bannière de l'Union civique radicale qui, ne remettant en cause aucun des éléments fondamentaux de la société argentine, se contentait de revendiquer l'établissement d'un système électoral qui lui permettrait d'arriver au pouvoir. Le prolétariat urbain, corollaire du développement de l'industrie, était largement apolitique et inorganisé. Quant aux idées exprimées par le Parti socialiste, fondé en 1896, elles ne trouvaient écho que chez quelques bourgeois et une poignée d'intellectuels.

En 1912, sous la pression du Parti radical, le président Roque Saenz-Peña promulguait une loi instituant le vote secret et obligatoire. Lors des élections présidentielles de 1916, qui virent l'application de ces mesures, le Parti radical remportait une brillante victoire et son candidat, Hipólito Yrigoyen, était porté à la présidence. La nouvelle équipe formée par les dirigeants radicaux était très hétérogène. Elle était formée de membres de l'aristocratie, de la classe moyenne et du prolétariat, dont les intérêts étaient fort différents et souvent contradictoires. Le président Yrigoyen domina le gouvernement de sa forte personnalité.

Tiraillé par des courants opposés, incapable de choisir entre capitalisme et socialisme, miné par la corruption, le radicalisme se décomposa peu à peu. Le second mandat d'Yrigoyen, de 1928 à 1930, fut caractérisé par la dégradation de la vie politique et du pouvoir, considéré comme une source d'enrichissement personnel. Les grèves se succédèrent, causant un préjudice important à l'économie argentine. Cependant, la crise traversée par l'économie mondiale fit des ravages bien plus considérables : les prix des céréales s'effondrèrent et les investisseurs étrangers retirèrent leurs capitaux du pays.

Créant un tragique précédent dans l'histoire de l'Argentine, l'opposition demanda aux militaires d'intervenir dans les affaires civiles et de restaurer l'ordre. Le 6 septembre 1929, la foule de Buenos Aires conspua Yrigoyen et acclama le chef de la conspiration, le général José Félix Uriburu. Impuissant face à ce coup d'État, Yrigoyen présenta sa démission.

Uriburu se proclama président, fit reconnaître son gouvernement par la Cour suprême et instaura la loi martiale. Il s'employa ensuite à anéantir l'opposition par les moyens classiques : suppression de la liberté de la presse, chantage, encouragement à la délation, emprisonnements, tortures et assassinats. En 1932, au plus fort de la crise économique qui terrassait le pays, Uriburu organisa des élections. La *Concordancia*, une coalition de conservateurs, d'anciens radicaux et de socialistes indépendants, fit élire le général Justo.

Sous la présidence de Justo, de 1932 à 1938, la situation économique du pays s'améliora mais la situation politique resta catastrophique. Les élections de 1937 furent faussées et les résultats manipulés en faveur du nouveau candidat de la *Concordancia*, Robert Ortiz. Élu par des moyens frauduleux, Ortiz lutta pour faire disparaître cette pratique et se révéla attaché aux règles élémentaires de la démocratie. Il présenta sa démission pour raisons de santé en 1940. Ramón Castillo, le vice-président, gouverna jusqu'à ce que cette démission soit acceptée, en juin 1942. Le 4 juin 1943, il fut renversé par un coup d'État militaire auquel participa l'homme qui reste aujourd'hui encore la référence absolue de la vie politique argentine : Juan Domingo Perón.

Pages précédentes : caricature de la vie politique argentine publiée en 1893 dans le Don Quichotte. *A gauche, manifestation péroniste lors des élections de 1946 ; ci-dessus, Juan et Eva Perón au balcon de la résidence présidentielle.*

Les années Perón

Né en 1895 à Lobos, dans la province de Buenos Aires, Perón avait reçu une formation militaire et grimpé dans la hiérarchie pour atteindre le grade de colonel. En 1939, alors qu'il séjournait en Italie en qualité d'observateur militaire, il avait été fortement impressionné par le nationalisme dominant et par l'intervention de l'État dans l'économie

EVITA

De son vivant, María Eva Duarte de Perón, plus connue sous le diminutif d'Evita, ne goûta la gloire que fort brièvement. Pourtant, sa personnalité a marqué la vie politique de l'Argentine d'une empreinte si indélébile qu'aujourd'hui encore, plus de quarante ans après sa disparition, son souvenir reste intact.

Jadis adulée par les travailleurs argentins, méprisée par les grandes bourgeoises de la capitale et incomprise par les militaires, Evita est plus qu'une légende : elle est l'incarnation de l'Argentine prospère, altière et idéaliste de l'immédiat après-guerre.

Evita est née à Los Toldos en 1919, dans la famille de Juan Duarte, qui comptait déjà quatre enfants illégitimes. A la mort de Duarte, la mère d'Evita et un de ses protecteurs emmenèrent les enfants à Junín, dans le nord-ouest du pays. A quatorze ans, Evita décida de devenir comédienne et, à la première occasion, elle s'enfuit pour Buenos Aires, le haut lieu culturel de l'Amérique latine, en compagnie d'un chanteur de tango.

Malgré une santé précaire et des conditions de vie extrêmement misérables, la chance sourit à Evita en la personne d'un riche industriel qui s'était épris d'elle et grâce auquel on lui confia une émission de radio. Au bout de quelques semaines, la voix de la nouvelle animatrice était connue de tous les auditeurs de Radio Argentina et de Radio El Mundo.

Si Evita dépensait son énergie sans compter, elle savait aussi s'entourer de gens influents, tels le président de la République ou le ministre des Communications, attirés par son enthousiasme, sa spontanéité et sa simplicité. En 1944, Evita, âgée de vingt-cinq ans, participa à une vente de charité organisée au profit des sinistrés du tremblement de terre de San Juan qui avait fait des milliers de victimes. C'est à cette occasion qu'elle fit la connaissance de Juan Domingo Perón, officier veuf de quarante-neuf ans, à qui la rumeur prêtait un ascendant considérable sur le nouveau gouvernement militaire.

Quand Perón fut nommé à la tête du ministère du Travail et de la Prévoyance, Evita le persuada d'assurer son pouvoir en prenant appui sur les masses populaires qui se concentraient dans les sinistres *villas miserias* (« bidonvilles ») qui défigurent toujours le sud de Buenos Aires. Perón prit donc une série de mesures destinées à améliorer le logement ouvrier et à assurer la protection sociale des salariés. Il fit augmenter les salaires et instaura un salaire minimal. Enfin, lorsque la gigantesque Confederacíon General del Trabajo (confédération générale du travail) fut créée, il en devint le maître et le guide spirituel.

C'est ainsi que s'organisa autour de Perón un rempart dont les *descamisados* (« sans chemises ») étaient le ciment. Lorsque les militaires, qui avaient pris ombrage de l'extrême popularité de Perón, tentèrent de l'évincer du pouvoir, Evita mobilisa plus de 200 000 manifestants qui exigeaient la nomination de leur bienfaiteur à la présidence. Perón « accepta » de bon gré le mandat du peuple argentin.

Par le biais de la fondation d'aide sociale dont elle assumait la responsabilité, la première dame d'Argentine s'attacha dès lors à renforcer les liens qui l'unissaient aux travailleurs. Puisant dans les fonds considérables de cette institution, Evita distribuait des aides financières aux nécessiteux, finançait la formation d'infirmières et faisait construire des hôpitaux, des écoles ainsi que des parcs de loisirs pour enfants. Elle entreprit également d'améliorer la condition des Argentines qui obtinrent le droit de vote en 1949, et créa le premier parti politique entièrement féminin du pays, le Partido Peronista Femenino.

Un véritable culte s'organisa autour de sa personne. La lecture de son autobiographie, *La Razón de mi vida* (« La Raison de ma vie »), était obligatoire dans les écoles. Au cours d'un voyage en Europe qui marqua l'apogée de sa gloire, Evita rencontra le général Franco, le pape Pie XII ainsi que les ministres français et italiens des Affaires étrangères. Son charme et son élégance ravirent littéralement un continent qui sortait à peine des horreurs de la Seconde Guerre mondiale. Pour la presse de l'époque, le conte de fées dont Evita était l'héroïne était une manne inépuisable.

Ange pour les uns, Evita était aussi un démon pour les autres. Sanctionnant toute critique à l'encontre de son époux, elle fit censurer des journaux, enfermer des opposants et briser des carrières. Quiconque l'avait insultée faisait l'objet de sa vindicte. Usant et abusant du clientélisme et du népotisme, elle fit nommer à de hautes responsabilités des alliés dont la fidélité tenait lieu de compétence.

douleur. Le petit peuple argentin se sentait désemparé devant la disparition de celle à qui il devait d'avoir retrouvé sa dignité, et Perón lui-même en subit les conséquences. Jusqu'à la fin de son deuxième mandat (1955), les radios annonçaient chaque soir : *« Il est 20 h 25, heure à laquelle Eva Perón est entrée dans l'immortalité. »*

En 1955, la dépouille d'Evita fut volée sur ordre des militaires qui avaient destitué Perón. Elle fut transportée clandestinement en Allemagne, puis en Italie, où elle resta enterrée sous une autre identité pendant seize ans. Au terme de longues négociations, Perón obtint sa restitution et la fit transporter en Espagne, où il s'était exilé. En 1974, à la mort de Perón, le corps d'Evita fut rapatrié en

En 1952, Evita commença à souffrir du cancer de l'utérus qui devait l'emporter. En dépit de la gravité de son état, elle conserva le même rythme de travail et perdit ses dernières forces. Pour la fête du 1er-Mai, Perón, qui lui avait demandé de s'adresser une fois encore aux *descamisados*, dut la soutenir pendant toute son allocution.

Le 26 juillet 1952, la mort d'Evita pétrifia l'Argentine. Son corps fut embaumé et veillé quinze jours durant par une foule éperdue de

A gauche, Eva Perón, la femme la plus adulée d'Argentine ; ci-dessus, les Perón et leurs caniches.

Argentine dans un cercueil qui resta exposé en grand apparat à côté de celui de l'ancien chef d'État.

Le Vatican opposa une fin de non-recevoir polie, mais ferme, à la demande de canonisation d'Evita formulée par l'Argentine. Ce refus n'empêcha pas le peuple de béatifier Evita de manière informelle et spontanée.

Dans le cimetière de Recoleta, celle qui fut rejetée par l'oligarchie locale repose dans le voisinage des plus grands noms que le pays ait comptés et, de tous les monuments de Buenos Aires, son tombeau est le plus visité. Sur sa stèle est gravée cette prophétie, en guise d'épitaphe : *Volveré y seré millones* (« Je reviendrai et serai des millions »).

nationale. De retour en Argentine, il s'était engagé dans l'action du groupement de colonels, le *Grupo Obra de Unificación* (« groupe œuvre d'unification »), qui avait destitué Castillo.

Les militaires désignèrent le général Ramírez comme chef de l'État et Farrell comme vice-président. En janvier 1944, l'Argentine rompait avec les puissances de l'Axe et Ramírez, démissionnaire, était remplacé par Farrell. En mars 1945, l'Argentine déclarait la guerre à l'Allemagne et au Japon.

Plusieurs facteurs ont contribué à la fulgurante ascension de Perón. La prospérité de l'Argentine – due à sa neutralité pendant la majeure partie de la Seconde Guerre mondiale – était considérable. De plus, le soutien de l'armée et de la police permettait aux autorités de museler les intellectuels et l'opposition libérale. L'Église appuyait également le nouveau gouvernement. Mais, plus que tout, Perón sut s'attacher le soutien des classes populaires.

A la tête du ministère du Travail et de la Prévoyance, il promulgua une série de mesures destinées à améliorer le sort des travailleurs urbains et des *peones* (« domestiques agricoles »). Il encouragea la création d'associations professionnelles, de syndicats et de tribunaux prud'homaux. Il décida d'augmenter les salaires, de fixer une rémunération minimale et, dans certains cas, de réduire le temps de travail. Des congés payés et un treizième mois (l'*aguinaldo*) furent accordés aux ouvriers et aux employés.

Inquiets de voir grandir la popularité de Perón, les militaires ordonnèrent son arrestation et le condamnèrent à l'exil. Le 17 octobre 1945, Buenos Aires fut le théâtre de manifestations extraordinaires au cours desquelles les *descamisados* (« sans-chemises »), encadrés par la police ralliée à leur cause, exigèrent le retour de Perón. Cédant devant la menace d'une révolution, le gouvernement autorisa Perón à rentrer dans la capitale qui réserva un accueil triomphal à son héros. Lors des élections de février 1946, il remporta la victoire sur son adversaire de l'Union démocratique en obtenant 54 % des voix.

Jusqu'en 1948, l'action de Perón fut servie par la prospérité que connaissait l'Argentine de l'après-guerre. Le gouvernement « justicialiste » profita de ces conditions exceptionnelles pour prendre des mesures destinées à lui assurer le contrôle de l'économie et des finances du pays : nationalisation de la Banque centrale, rachat des compagnies étrangères implantées en Argentine, remboursement de la dette extérieure, etc.

Sur le plan social, Perón poursuivit l'amélioration de la condition ouvrière en prenant des mesures touchant la sécurité sociale, le logement populaire et l'actionnariat ouvrier. Son épouse Eva (*cf.* p. 44) employa les ressources de la fondation d'aide sociale qu'elle dirigeait pour construire des hôpitaux ou des crèches et venir en aide aux nécessiteux.

En politique extérieure, l'Argentine se rapprocha momentanément de l'URSS et de l'Espagne, fit preuve d'un antiaméricanisme virulent et chercha à constituer un bloc latino-américain sous-tendu par les idéaux péronistes. En 1949, une réforme de la constitution autorisait deux mandats présidentiels consécutifs. Cette mesure s'accompagna d'une mise au pas de l'université, de la suppression graduelle des journaux non péronistes et de la neutralisation des opposants.

Aux élections de 1951, Perón fut reconduit dans ses fonctions par 67 % des électeurs. Au cours de son deuxième mandat, le paysage économique du pays s'obscurcit. En effet, le marché mondial n'était plus aussi favorable à l'Argentine. Le déficit de la balance commerciale et la progression de l'inflation conduisirent le gouvernement à s'orienter vers une politique d'austérité, de réduction des importations et de blocage des salaires.

La chute de Perón et l'interrègne

Les difficultés économiques du pays étaient telles que Perón prit une décision qui lui fut fatale. Le 25 avril 1955, il signait avec la Standard Oil un accord qui autorisait cette société américaine à exploiter les ressources pétrolières argentines. Le revirement de Perón face aux États-Unis fut ressenti comme une véritable trahison par l'opinion. Elle accusa le président de livrer les richesses du pays aux multinationales anglo-saxonnes. Pour conjurer la baisse de sa popularité, Perón entreprit une vaste campagne anticléricale en 1954. Le divorce fut rétabli, la distinction entre enfants légitimes et illégitimes abolie et l'aide à l'enseignement religieux diminuée. L'Église réagit violemment, permettant ainsi à Perón de dénoncer l'ingérence ecclésiastique dans les affaires de l'État. Lorsque l'armée se souleva contre l'autorité de Perón, il s'enfuit au Paraguay. Le général Lonardi, qui commandait le soulèvement, prit le pouvoir en novembre.

Son gouvernement – qui rassemblait nationalistes et catholiques d'extrême droite – adopta une conduite modérée qui lui valut l'opposition de l'amiral Rojas, ardent partisan de la répression du péronisme ; ce dernier fut l'instigateur de la destitution de Lonardi, remplacé par le général Aramburu.

La constitution de 1853 fut rétablie tout en reprenant certaines mesures concernant le droit de grève de la constitution péroniste. La préoccupation majeure d'Aramburu fut d'éradiquer le péronisme qui reprenait vigueur dans les classes populaires à mesure que les conditions de vie se dégradaient. Aux élections de 1958, Perón, exilé en Espagne, appela le peuple à voter pour un « radical intransigeant », Arturo Frondizi. Balbín, le candidat du gouvernement, remporta environ 30 % des suffrages, Frondizi environ 49 %.

Désireux d'attirer les capitaux américains, Frondizi pratiqua une politique de rapprochement avec les États-Unis qui lui valut des critiques semblables à celles qu'il avait jadis formulées contre Perón. Il engagea un vaste programme d'industrialisation. Il dut l'abandonner sous la pression des militaires qui avaient pris prétexte d'un relatif succès péroniste aux élections partielles de 1962 pour déposer Frondizi. Par son refus de présenter sa démission, Frondizi divisa l'armée en deux camps : les activistes, partisans d'une dictature, et les légalistes, désireux de respecter les formes de la constitution. Un compromis fut accepté par les deux parties et le président du Sénat, Guido, prit la suite de Frondizi à la tête de l'État. Pourtant, les affrontements des factions rivales ne s'achevèrent réellement qu'en 1963 avec la victoire des légalistes ; en juillet, des élections générales furent organisées.

Le candidat du parti de Balbín, Arturo Illia, fut élu avec 22 % des voix seulement. Les militaires avaient en effet opposé leur veto à la candidature de Lima, soutenu par les péronistes. Soucieux de garantir le fonctionnement des institutions, Illia géra les affaires calmement, à tel point que ses opposants lui reprochèrent son immobilisme. Le PIB augmenta, mais l'inflation et le chômage restaient préoccupants. Aux élections législatives de 1965, les partisans de Perón formaient à nouveau le premier parti. En 1966, un coup d'État survint et les pouvoirs du Congrès, dissous, étaient conférés au président Onganía.

Onganía chercha à étouffer la résistance des milieux universitaires. En 1969, à la suite de la mort d'un étudiant de Corrientes, des manifestations estudiantines et ouvrières furent

Ci-dessus, à gauche, le président Onganía s'entretient avec le général Lanusse en 1967 ; à droite, María Estela (Isabel) Martínez Perón, dernière épouse de l'homme d'État.

organisées à Rosario et Córdoba. La brutale répression du mouvement par la police et l'armée reste dans toutes les mémoires sous le nom de *cordobazo*. En 1970, l'Armée révolutionnaire du peuple, d'obédience marxiste, joignait son action à celle des autres groupes terroristes qui se créaient dans le pays. Les attentats commis par les terroristes répondaient à la violence de l'État et la situation de l'Argentine devenait à nouveau chaotique.

Onganía fut remplacé par le général Levingston, lui-même remplacé par le général Lanusse en mars 1971. Celui-ci décida d'organiser des élections en mars 1973 et de lever l'interdit qui frappait les partis politiques. Pendant ces deux années, les actions terroristes se poursuivirent et Lanusse mit en œuvre une politique de répression draconienne, qui jeta dans les prisons argentines plus de 2 000 prisonniers politiques.

En novembre 1972, Perón revint quelques jours en Argentine pour fonder le Front justicialiste de libération nationale et désigner son candidat, Héctor Cámpora, qui fut élu le 25 mars 1973.

Le retour de Perón

Lorsqu'il débarqua à l'aéroport de Buenos Aires, Perón fut accueilli par deux millions d'Argentins. Cámpora présenta sa démission, Perón remporta haut la main les élections qui s'ensuivirent et sa nouvelle épouse, Isabel, fut désignée au poste de vice-président. Perón put commencer à mettre en pratique son programme social-démocrate, dont les clés de voûte étaient la concertation entre les partenaires sociaux et les partis non péronistes, d'une part, et le gouvernement, d'autre part. Mais l'unité qu'il parvint à atteindre resta fragile et, devant la violence persistante du climat politique, une alliance anticommuniste, la Triple A, se mit à pourchasser les terroristes.

Le 1er juillet 1974, Perón mourait subitement et son épouse accédait à la présidence. Elle se révéla incapable de faire face aux déchirements du mouvement péroniste qui se fragmenta en factions violemment opposées. En septembre 1974, le vote d'une loi de sécurité nationale permit aux autorités de réprimer quiconque mettait l'ordre public en péril par son prosélytisme, sans toutefois régler le problème de la violence terroriste. Par ailleurs, la gestion déplorable du ministre de l'Économie – l'inflation atteignait 800 % – et la dévaluation du peso plongèrent le pays dans une situation critique.

Le 24 mars 1976, le coup d'État qui renversa Isabel Perón fut, paradoxalement, accueilli avec soulagement par la population pour qui le chaos politique, économique et social du pays était devenu insoutenable.

Le « proceso »

Le général Videla assuma la fonction suprême pendant quatre ans. En mars 1981, il fut remplacé par le général Viola, auquel succédèrent rapidement le général Liendo et l'amiral Lacoste. Enfin, en décembre 1981, le général Galtieri prit le pouvoir. La première junte ajouta à la constitution un amendement, le statut du processus de réorganisation nationale, qui lui permit d'assumer les pouvoirs exécutif et législatif. Les juntes suivantes usèrent et abusèrent de cette prérogative. Toute cette période est connue sous le nom de *proceso* (« processus »).

Elle a avant tout été marquée par une répression qui a terrorisé l'ensemble de la population argentine. C'est à Videla qu'on doit le début de cette « sale guerre », dont le but était d'éradiquer le terrorisme mais qui toucha rapidement tout opposant réel ou suspecté. Des syndicalistes, des universitaires, des étudiants, des prêtres et des religieuses, de simples écoliers et parfois des familles entières furent enlevés, torturés et tués par des milices d'extrême droite soutenues par l'État, par la police et par l'armée.

A gauche, rassemblement des Mères de la place de Mai ; ci-dessus, l'investiture de Raúl Alfonsín, le 10 décembre 1983.

A l'heure actuelle, on estime à 40 000 le nombre de ceux qu'on nommait à l'époque les *desaparecidos* (« disparus »). Dès la fin des années 70, les mères et les grands-mères des disparus se réunissent chaque jeudi sur la Plaza de Mayo, face au palais présidentiel, afin de savoir ce qu'étaient devenus leurs enfants et petits-enfants et réclamer leur retour. L'émotion suscitée par ces femmes a été ressentie dans le monde entier, où artistes et intellectuels exilés s'efforçaient également d'alerter l'opinion.

L'économie se retrouva au plus bas. La dette extérieure atteignait 45 milliards de dollars, l'inflation était galopante, le taux du chômage ne cessait de croître et le peso faisait l'objet de dévaluations régulières. Pour faire oublier une situation intérieure critique, Galtieri chercha à concentrer l'attention de la population sur une question de politique extérieure.

La guerre des Malouines

En 1690, un marin anglais, Strong, avait abordé sur ce petit archipel de l'extrême sud de l'Atlantique, qu'il avait baptisé « Falkland ». En 1763, Bougainville avait pris possession des îles pour le compte du roi et une colonie originaire de Saint-Malo leur avait donné son nom. Occupées par les Espagnols et les Anglais puis par une colonie argentine, ces terres étaient devenues britanniques en 1832. En 1978, l'Argentine avait fermement revendiqué la possession de l'archipel et provoqué la rupture de ses relations diplomatiques avec la Grande-Bretagne.

Le 2 avril 1982, les troupes argentines débarquaient à Port Stanley, la ville principale des Malouines. Dès le début de la guerre, une grande partie des Argentins se rassembla derrière l'armée et l'investit d'une mission : réparer une injustice historique. Mais l'enthousiasme de la population déclina rapidement et, le 14 juin, l'Argentine capitulait devant la Grande-Bretagne. Le général Galtieri présenta sa démission et fut remplacé par un militaire à la retraite, le général Bignone. La population exigeait la levée de l'état de siège et l'organisation d'élections libres.

La campagne électorale de 1983 fut dominée par l'affrontement de deux partis : le Parti péroniste et le Parti radical. Les électeurs se prononcèrent en faveur du radical Raúl Alfonsín. Le 10 décembre, le lendemain de la dissolution de la junte, Alfonsín prêta serment sur la constitution de 1853.

L'ARGENTINE CONTEMPORAINE

Au lendemain de son élection, Raúl Alfonsín entreprit de restaurer les libertés fondamentales qui avaient été si longtemps bafouées par la junte. Dès lors, les Argentins purent à nouveau organiser des manifestations, former des associations, trouver dans les kiosques une presse pluraliste et exprimer ouvertement leurs convictions politiques.

Dès le début de 1984, la télévision et les radios argentines purent organiser des débats sur la contraception et l'avortement. Les salles de cinéma purent projeter des classiques, tel *Le Dernier Tango à Paris*, que les anciens dirigeants avaient jugé « malsain ». Littéralement sinistrée après la dictature, la production cinématographique argentine reprit timidement, permettant à de nouveaux réalisateurs – David Kohon, Albert Fischerman, Hugo Santiago, Fernando Solanas – d'acquérir une notoriété internationale. En 1985, Luis Puenzo obtint l'Academy Award du meilleur film étranger pour *L'Histoire officielle*, dont le sujet était parmi les plus brûlants du moment : une femme découvre que sa fille adoptive est en réalité celle d'un « disparu » des années de dictature.

L'Argentine, qui avait été longtemps le premier producteur de livres de l'Amérique hispanophone, vit également refleurir le monde de l'édition. Les grands écrivains nationaux – Jorge Luis Borges, Ernesto Sabato, Julio Cortázar – furent bientôt talonnés par de jeunes auteurs – Bioy-Casares, Murena, Di Benedetto, Verbitsky, Dalmiro Saenz, Orgambide et, surtout, Manuel Puig et Osvaldo Soriano – au talent plus que prometteur.

Avec le retour au pays des artistes argentins exilés, le théâtre, la chanson et les arts plastiques prirent également un nouveau départ.

Le procès de la junte

Après avoir abrogé l'amnistie votée par les militaires au moment où leur pouvoir était le plus menacé, Raúl Alfonsín chargea une commission présidée par Ernesto Sabato d'enquêter sur le sort des « disparus ». La publication du rapport de la commission, *Nunca más* (« Jamais plus »), permit à l'opinion publique argentine et internationale de découvrir dans ses moindres détails la mécanique implacable qui avait broyé des dizaines de milliers d'êtres humains.

Peu après eut lieu le procès des militaires qui avaient exercé le pouvoir pendant la dictature. Pour la première fois en Amérique latine, un gouvernement militaire devait répondre de ses actes et de ceux qui avaient été commis avec son consentement. Le procès fut accompagné de nombreuses manifestations populaires ; l'ancien président Videla et l'amiral Massero furent condamnés à la prison à perpétuité, trois autres militaires à des peines plus légères, et les quatre derniers furent acquittés.

Alfonsín avait espéré clore ainsi un chapitre sanglant de l'histoire de l'Argentine, mais il n'en fut rien. Les associations humanitaires déposèrent des centaines de plaintes contre la petite et moyenne hiérarchie militaire pour enlèvement, viol, torture, assassinat et atteintes aux droits de l'homme.

Dans les rangs de l'armée, cette avalanche de procès suscita une réaction de défense qui se manifesta avec force au cours du week-end pascal de 1987. Les militaires se retranchèrent dans leurs casernes afin de protester contre ce qu'ils estimaient être un acharnement revanchard. Pour faire face à cette mutinerie, Alfonsín dut faire appel à une escadrille d'hélicoptères qui s'attaqua à une base militaire et obtint la reddition de ses chefs. Certes, l'action de l'armée a échoué, mais elle a eu pour effet de réduire le nombre des procès.

A gauche, kiosque à journaux de Buenos Aires ; ci-dessus, section du parti radical, actuellement dans l'opposition.

Forts de cette semi-victoire, les militaires se manifestèrent à deux autres reprises. La crainte de voir leur mouvement dégénérer poussa le gouvernement d'Alfonsín à mettre un terme définitif aux arrestations d'officiers même si, sur la Plaza de Mayo, les « Mères de mai » continuent à exiger que justice soit faite.

Les mesures économiques

Le bilan économique des militaires était catastrophique. L'inflation atteignait une moyenne annuelle de 1 000 %, la dette extérieure était colossale, le taux de chômage ne cessait de croître et les capitaux avaient depuis longtemps trouvé refuge à l'étranger. Alfonsín se résolut à prendre les mesures d'austérité suggérées par le Fonds monétaire international. Il rendit public un plan de redressement qui prévoyait une dévaluation du peso de 1 000 %, la création d'une nouvelle devise – l'austral –, le gel des prix et des salaires, ainsi qu'une sévère compression des dépenses de l'État.

Désemparés devant le marasme de leur économie, les Argentins accueillirent ces mesures avec une résignation qui surprit le Parti radical au pouvoir. Il s'avéra rapidement qu'il fallait prendre des mesures à plus long terme. Le gouvernement s'aventura donc dans une série de plans tous aussi inefficaces les uns que les autres. L'économie restait désespérément amorphe, la production industrielle stagnait, la bureaucratie engloutissait une part énorme du budget et les Argentins voyaient leur pouvoir d'achat fondre à vue d'œil.

Le péronisme sans Perón

Les péronistes saisirent cette occasion pour rattraper leur cuisante défaite de 1983. Au cours de la campagne qui précéda les élections générales de 1989, le Parti justicialiste se mobilisa massivement autour de la personnalité charismatique de son candidat, Carlos Saúl Menem, un homme du peuple qui s'était engagé dans le syndicalisme et avait été élu gouverneur de la province de La Rioja. De confession islamique – il est d'origine syrienne –, il s'était converti au catholicisme dès qu'il avait envisagé de se faire élire à la présidence. La victoire de Menem sur ses adversaires radicaux fut écrasante.

Dépassé par l'ampleur de la crise, Alfonsín présenta sa démission avant la fin légale de son mandat et, le 8 juillet 1989, il était remplacé par le président élu. Menem héritait d'une situation désastreuse : le taux mensuel de l'inflation était de 200 %, l'austral s'effondrait et le pays était secoué par des émeutes de la faim.

A la surprise générale, Menem, qui avait promis des hausses de salaires durant sa campagne, engagea le pays dans la voie d'une austérité sans précédent. Sous la responsabilité du ministre de l'Économie, Cavallo, une série de mesures fort éloignées de l'idéal péroniste furent appliquées afin de redresser l'économie du pays. Les grandes entreprises nationalisées, telles la compagnie aérienne Aerolíneas Argentinas et la compagnie des téléphones ENTEL furent privatisées. Le monopole étatique et la politique de subvention firent place à une économie de marché ultra-libérale. En dépit des critiques et des accusations de trahison formulées par les péronistes purs et durs, Menem travailla au rapprochement de l'Argentine et des États-Unis.

Mais, lorsque Menem annonça l'amnistie des militaires condamnés sous la présidence d'Alfonsín, l'opinion internationale, les associations de défense des droits de l'homme et, bien sûr, une grande partie des Argentins eux-mêmes perçurent ce geste comme une terrible défaite pour la justice. A Buenos Aires, des centaines de milliers de manifestants crièrent vainement leur indignation.

Le libéralisme et la « dollarisation » des années 1990

La politique de rigueur adoptée par le président Menem et par Domingo Cavallo rendit à l'économie argentine une certaine stabilité. En 1992, l'inflation fut jugulée et ramenée à moins de 5 % ; l'austral fut abandonné et remplacé par le peso, aligné sur le dollar américain. Les investisseurs étrangers manifestèrent un regain d'intérêt pour l'Argentine, mais leurs capitaux se portaient plus sur les entreprises privatisées que sur celles du secteur public.

Toutefois, ce début de redressement, loin de traduire une augmentation réelle de la production, eut un coût social énorme. Le chômage progressait toujours régulièrement — en raison, notamment, des restructurations opérées dans les sociétés privatisées —, les services de santé et d'éducation se détérioraient et les grèves se multipliaient. Buenos Aires fut classée cinquième parmi les villes les plus chères du monde. Pour la grande majorité des Argentins, la baisse constante du pouvoir d'achat représentait, avec la corruption, le principal motif de mécontentement. De fait, si le gouvernement prit des mesures spectaculaires pour éradiquer la corruption, il se voyait lui-même régulièrement éclaboussé par les scandales.

La politique économique du président Menem souleva également de vives contestations. Sa propension à gouverner par décrets inquiétait l'opposition et une grande partie de la population.

Le 24 août 1994, l'Argentine se dota d'une nouvelle constitution à la faveur d'un pacte historique entre le parti péroniste au pouvoir et l'opposition radicale. Quarante des 110 articles du texte de 1853 subirent des modifications et une vingtaine d'autres furent ajoutés. Menem obtint ce qu'il avait tenté d'imposer depuis son accession au pouvoir en 1989 : la possibilité pour le président d'être réélu, à la manière nord-américaine, le mandat étant ramené de six à quatre ans. Parmi les principales innovations figuraient le fait que le chef de la nation ne devait plus être obligatoirement catholique, la création d'un poste de chef de cabinet ministériel, et l'impossibilité, pour les auteurs de coups d'État, d'occuper des fonctions publiques et de bénéficier d'une amnistie... Neuf traités internationaux de protection des droits de l'homme figuraient dans la Loi fondamentale, qui assurait la reconnaissance de l'identité ethnique et culturelle des autochtones.

Les atteintes aux droits de l'homme, certes sans commune mesure avec celles qui avaient pétrifié le pays au cours des années 1970, n'en continuèrent pas moins à entacher la vie politique. Les rapports d'Amnesty International faisaient toujours état des mauvais traitements, voire des tortures, infligés dans les postes de police. Les associations de défense des droits de l'homme faisaient l'objet de menaces et l'on signalait des cas d'exécutions extrajudiciaires.

Les élections de mai 1995 reconduisirent Carlos Menem à la tête de l'Argentine. Les deux années 1995 et 1996 furent particulièrement difficiles sur le plan économique et social. Les effets de la crise mexicaine se firent ressentir et les Argentins descendirent massivement dans la rue pour dénoncer la politique du gouvernement, en particulier la déréglementation du marché du travail, qui n'avait fait qu'accentuer le chômage et la baisse des salaires alors qu'elle était censée créer des emplois. Nombre de représentants des classes moyennes glissaient progressivement vers la catégorie des « nouveaux pauvres », et l'absence d'une protection des plus démunis rendait la situation explosive, d'autant que, dans un pays où le fossé entre les plus riches et les plus pauvres s'était considérablement creusé en dix ans, les affaires de corruption minaient toute confiance dans la classe politique au pouvoir. Carlos Menem, auquel Fernando de la Rúa, chef d'une coalition de centre-gauche, succéda en 1999, devait être inculpé en 2001 dans une affaire de ventes d'armes illicites à la Croatie et à l'Équateur en 1991 et 1995.

La difficulté de l'Argentine à sortir de la crise tenait, pour bonne part, à la parité peso-dollar instaurée en 1991. Cette politique avait certes mis fin à l'hyperinflation, mais elle avait aussi entraîné une surévaluation de la monnaie nationale, faisant perdre au pays sa compétitivité au sein du Mercosur et face à l'Europe. « Élève modèle » du FMI, l'Argentine appliquait avec rigueur le modèle économique néolibéral. Mais en décembre 2001, alors qu'elle n'arrivait pas à s'acquitter de sa dette extérieure, le FMI lui refusa un prêt de 1,264 milliard de dollars, la plongeant dans une crise économique, politique et sociale sans précédent. Le système bancaire s'effondra, provoquant licenciements et faillites. Le taux de chômage atteignit la barre des 30 %, les révoltes populaires se multiplièrent et Fernando de la Rúa dut démissionner.

En janvier 2002, Eduardo Duhalde, le nouveau président, a dévalué le peso de 30 % et mis fin à sa parité avec le dollar, renégocié la dette extérieure avec le FMI et promis au peuple argentin de remettre le pays sur pieds en deux ans.

Carlos Menem, chef de l'État de 1989 à 1999.

POLITIQUE ÉCONOMIQUE

En 1937, le produit intérieur brut de l'Argentine – 510 dollars par habitant, équivalent à celui de l'Autriche, à peine inférieur à celui de la France – en faisait l'un des pays les plus prospères du monde. En 1973, ce PIB s'était effondré de façon catastrophique alors que celui de l'Autriche avait doublé et celui de la France triplé : le pays avait durablement rejoint les rangs des nations les moins développées. Au XXe siècle, aucun autre pays n'a connu de faillite aussi fracassante.

Une économie prospère tournée vers l'exportation

Les pieds d'argile du colosse reposent dans son lointain passé. Après l'extermination massive des Indiens, l'intérieur de l'Argentine se transforma en un immense agrégat d'*estancias*, ces exploitations agricoles de plusieurs milliers d'hectares que s'approprièrent les élites locales issues de la colonisation. C'est là que, vers 1850, se mit progressivement en place ce qui allait être la base de plusieurs décennies de croissance et de prospérité : fils barbelés, élevages extensifs d'ovins et de bovins, et surtout lignes de chemin de fer reliant l'intérieur des terres aux ports d'exportation d'où appareillaient les premiers navires réfrigérés. Comme l'immensité des terres et la très faible densité de population offraient des conditions rêvées pour que prospèrent les grands troupeaux, l'exportation du cheptel vif et des produits animaliers transformés (par ordre décroissant : céréales et oléagineux, viande congelée, laine et cuirs) constitua bientôt la principale source de revenus du pays. Les volumes exportés augmentèrent rapidement et la superficie des terres cultivées fut multipliée par quinze entre 1872 à 1895. La Grande-Bretagne – alors en pleine industrialisation, et dont les besoins agro-alimentaires ne cessaient de croître – devint rapidement le premier client du pays ; elle allait le rester jusqu'à la Seconde Guerre mondiale.

Cette prospérité exigeait une main-d'œuvre croissante, et le pays devint un important centre d'immigration : à partir de 1890 commencèrent à affluer des milliers de travailleurs, aux trois-quarts Espagnols et Italiens ; entre 1869 et 1895, la population augmenta de 1,8 million, auxquels s'adjoignaient les 50000 migrants saisonniers qui venaient chaque année participer aux récoltes. La majeure partie des terres étant déjà aux mains de grands *estancieros* (propriétaires fonciers), un certain nombre de ces immigrés s'établirent à Rosario, à Santa Fe et à Bahía Blanca, mais la plupart d'entre eux s'installèrent à Buenos Aires. Cette arrivée massive d'Européens, conjuguée à l'inclination de l'élite locale pour le vieux continent, contribua à faire de Buenos Aires la capitale la plus européenne d'Amérique du Sud : en 1910, les trois quarts de ses habitants étaient originaires de l'ancien monde.

L'Argentine profita à plein de la Première Guerre mondiale, qui lui ouvrit en grand les marchés alimentaires de l'Europe dévastée. Mais sous la prospérité couvait déjà la crise. Les tensions sociales, nées de la confiscation des terres par les *estancieros* et des mauvaises conditions de vie faites aux ouvriers de l'industrie naissante, ne cessaient de s'accentuer, et la vieille aristocratie découvrit avec frayeur que les immigrés avaient emporté dans leurs bagages les nouvelles idées anarchistes, socialistes et syndicalistes du prolétariat européen.

En 1919, la peur d'une contagion de la révolution russe fit croître la tension. Des « comités d'autodéfense » formés par la haute bourgeoisie et l'aristocratie terrorisèrent les ouvriers et les juifs durant toute une semaine, restée célèbre sous le nom de *Semana Trágica*. La protestation sociale n'en continua pas moins à enfler et, en 1916, le progressiste radical Hipólito Yrigoyen accéda à la présidence, et fut réélu en 1928. Il apaisa le climat social en instaurant un salaire minimum et en améliorant les conditions de vie des ouvriers.

L'inertie économique des « estanceros »

Le krach boursier de 1929 allait avoir des conséquences désastreuses sur cette économie presqu'entièrement basée sur les exportations agro-alimentaires qui, en chutant brutalement de 2 milliards de dollars par an à près de la moitié, diminuèrent d'autant les capacités d'importation du pays. Une junte militaire renversa Yrigoyen et tenta de réagir en lançant un ambitieux programme de substitution des produits d'importation par le développement de l'industrie locale. Mais, pour complaire aux puissants *estanceros* et préserver leurs intérêts, les militaires maintinrent des cours agricoles artificiellement élevés. Cette politique onéreuse allait vite trouver ses limites, et les réserves de devises du pays s'épuisèrent complètement en 1945.

Les *estancias,* qui constituaient jadis la principale force de l'Argentine, se muèrent dès lors en l'une de ses principales faiblesses : ces exploitations étaient trop grandes et mal gérées et leurs propriétaires ne surent adopter à temps les nouvelles techniques agricoles apparues après la Seconde Guerre mondiale. Les rendements stagnèrent et les États-Unis s'emparèrent rapidement de la plupart des marchés jusque lors réservés aux produits argentins. C'est dans ce contexte de crise qu'apparut l'« homme providentiel ».

Perón et le populisme économique

Responsable du ministère du Travail et de la Prévoyance de 1943 à 1946, le colonel Perón sut vite gagner l'appui des syndicats : élu à la présidence en 1946, puis réélu en 1952, il favorisa l'industrialisation du pays, développa les services sociaux et incita les ouvriers à former des syndicats. Il s'assura ainsi une solide base de partisans qui allaient lui rester fidèles jusqu'à sa mort en 1973, malgré dix-sept années d'exil.

Mais si nombre d'Argentins continuent à voir cette période comme une époque de justice sociale et de prospérité inégalée, il apparaît aujourd'hui que le pays vivait alors essentiellement à crédit. Dopée par le protectionnisme, la production manufacturée se développa de manière peu rentable et peu compétitive. Les dépenses de l'État s'envolèrent, tandis que les exportations agricoles continuaient à stagner du fait de la faible capacité d'innovation des *estancieros*. Privé de devises, le pays vit sa dette publique s'envoler en provoquant une spirale inflationniste.

La dictature libérale

Lorsque les militaires chassèrent Peron du pouvoir en 1955, beaucoup virent en eux le recours qui allait permettre au pays de sortir de la crise économique. Mais si les recettes libérales appliquées par les juntes successives allaient effectivement réussir à relancer les exportations – grâce, en particulier, au blocage des salaires, à la libération des prix et à l'afflux d'investisseurs étrangers, comme le fabriquant automobile General Motors – ce fut au prix d'une terrible paupérisation des classes moyennes et défavorisées, du recul de la consommation intérieure, et de la récession conséquente de la petite industrie locale.

Après le bref retour de Perón et l'arrivée aux affaires, en 1976, de la junte présidée par Videla, le processus s'accentua encore : alors qu'en 1975, une voiture représentait 27 fois le salaire d'un ouvrier, ce ratio passa brutalement à 43 l'année suivante après une nouvelle chute du peso. Privés de marché intérieur, les grands constructeurs comme GM finirent par fermer leurs usines. L'Argentine était devenue « un pays riche peuplé de gens pauvres », miné par le terrorisme, l'endettement et les conflits sociaux. Et si, au milieu des années 70, la productivité agricole commença enfin à augmenter – avec plus de vingt ans de retard sur les États-Unis – l'augmentation des exportations agricoles ne pouvait déjà plus compenser celle de l'endettement public qui atteignit, en 1980, le chiffre énorme de 30 milliards de dollars.

Dette, corruption et faillite générale

En 1983, après l'échec militaire des Malouines, l'Argentine redevint une démocratie gouvernée par des civils. Mais, héritier d'une situation économique catastrophique, Raul Alfonsín, de l'UCR (Union civique radicale), ne put éviter de nouvelles dévaluations et le développement de l'hyperinflation malgré l'austérité du « plan austral » (*cf* p. 51) mis en place par son gouvernement – d'autant que la moitié de l'écrasante dette extérieure arrivait alors à échéance.

Le péroniste ultra-libéral Carlos Saúl Menem, arrivé au pouvoir en 1989, réussit, avec son ministre de l'Économie Cavallo, à juguler l'inflation en réduisant les dépenses publiques de manière drastique et en instaurant une parité fixe entre le dollar et l'austral. La population, résignée, accepta sans trop rechigner cette nouvelle politique, malgré une nouvelle baisse de 50 % de son pouvoir d'achat. En 1994, on estimait que 40 % de la population argentine vivait dans la pauvreté.

Le pays semblait pourtant reprendre la bonne voie quand, en 1995, la crise économique du Mexique coupa court à trois années de fragile redémarrage. En janvier 2002, la spirale de l'endettement, la corruption omniprésente et le refus du FMI d'accorder un prêt supplémentaire plongèrent le pays dans une crise politique et économique majeure.

A LA RECHERCHE D'UNE IDENTITÉ NATIONALE

Définir le caractère national des Argentins relève de la gageure. Nombre d'entre eux avouent souffrir d'un problème d'identité : « Nous ne savons pas si nous sommes européens ou latino-américains. »

Cette confusion a donné lieu à de nombreuses plaisanteries. L'une d'elles définit l'Argentin comme un Italien qui parle espagnol et habite une maison française tout en se prenant pour un Britannique. Une autre raconte que les Mexicains descendent des Aztèques, les Péruviens des Incas et les Argentins des bateaux.

L'Argentine est une nation d'immigrés. D'autres pays ont brassé plusieurs cultures, mais la dynamique de l'immigration en Argentine demeure très particulière. Aux États-Unis, par exemple, les différentes vagues de peuplement se sont étalées sur une longue période et la nation américaine jouit aujourd'hui d'une certaine homogénéité. Tel n'a pas été le cas en Argentine où trop de gens sont arrivés en trop peu de temps. Et le pays tâtonne encore dans sa quête d'une véritable cohésion nationale.

A l'origine, les données étaient relativement simples. La population indigène était peu nombreuse et plusieurs nations se partageaient l'ensemble du territoire. Au XVIe siècle, les premiers colons européens étaient presque tous espagnols, comme la plupart de ceux qui arrivèrent au cours des trois siècles suivants. Une petite communauté métisse, les *mestizos* (Hispano-Indiens), se constitua assez rapidement. Les colonisateurs firent appel à une nombreuse main-d'œuvre servile en provenance d'Afrique, et une population mulâtre (*mulatos*) vit aussi le jour, de même qu'une population métisse issue d'unions entre Indiens et Noirs.

Cette composition ethnique se maintint jusqu'au XIXe siècle, époque de grands bouleversements. Après l'abolition de l'esclavage, la population noire disparut (*cf.* p. 38). Quant aux Indiens, ils furent pratiquement exterminés par l'armée, ce qui ouvrit de vastes territoires à la colonisation européenne.

Pages précédentes : famille de Porteños *dans un parc. A gauche, discussion dans un* barrio *; à droite, jeune garçon originaire du Noroeste.*

De nouveaux bras

Parallèlement s'amorça une phase d'immigration massive en provenance d'Europe. S'inspirant du libéralisme européen, l'Argentine voulait développer son économie et devenir une nation à part entière ; les gouvernements de l'époque encouragèrent donc l'immigration. Considérant l'Argentine comme un pays où les perspectives d'avenir étaient prometteuses, les Européens arrivèrent en masse. Plus de 3,5 millions de travailleurs vinrent grossir la population nationale entre 1857 et 1939. Les Italiens (environ 45 %) et les Espagnols (environ 30 %) étaient les plus

nombreux, mais il y avait également des Français, des Polonais, des Russes, des Suisses, des Gallois, des Danois, des Allemands, des Anglais et, au début du XXe siècle, des Syriens et des Arméniens.

En 1914, 30 % de la population nationale était née à l'étranger et les immigrés étaient plus nombreux que les Argentins de souche dans certaines grandes villes. Cette nouvelle main-d'œuvre fut employée dans l'agriculture en pleine expansion, l'élevage, l'industrie de transformation des produits animaux et les réseaux économiques qui se développaient en milieu urbain.

La grande crise des années 30 mit un coup d'arrêt à l'immigration. Le phénomène reprit après la Seconde Guerre mondiale mais, cette fois, les nouveaux venus étaient essentiellement originaires des pays limitrophes, frappés par le chômage.

Au cours des dernières décennies, l'immigration a connu un fort ralentissement en Argentine. En revanche, on a pu observer d'importants mouvements migratoires à l'intérieur du pays. La population s'est déplacée en masse vers les régions industrialisées. Mais les centres urbains se sont révélés incapables de fournir un emploi aux vagues déferlantes des *campesinos* («paysans») chassés de leurs campagnes par les difficultés économiques. Des bidonvilles se sont développés autour des grands pôles industriels et, tout comme la moyenne des Argentins ont vu leur niveau de vie baisser considérablement depuis de longues années, les conditions d'existence dans ces taudis ne cessent d'empirer.

Un creuset culturel

Les problèmes d'identité dont souffre la population trouvent donc leur source dans ces migrations incessantes. Mais, paradoxalement, alors qu'ils ne cessent de déplorer leur manque de cohésion culturelle, les Argentins ont un comportement qui leur est particulier. C'est même précisément leur malaise identitaire qui les distingue de leurs voisins. Les Péruviens et les Brésiliens ne passent pas leur temps à se demander s'ils sont plutôt européens ou plutôt latino-américains, alors que les Argentins sont célèbres à travers tout le continent pour leur incapacité persistante à se définir.

La démographie s'est quelque peu stabilisée au cours des dernières années. Le pays compte 37 millions d'habitants, dont plus d'un tiers à Buenos Aires et dans ses banlieues. Les centres urbains regroupent plus de 89 % de la population nationale. Environ 85 % des Argentins sont de souche européenne. Les 15 % restants sont constitués de petites communautés indiennes, des descendants des *mestizos* et de petits groupes d'immigrés non européens, venus par exemple d'Asie ou des pays arabes.

Les mariages mixtes sont fréquents, mais certaines communautés s'efforcent de maintenir leur spécificité ethnique. C'est le cas, par exemple, des petites enclaves galloises de Patagonie (*cf.* p. 223) ou des villages peuplés de descendants d'Allemands ou d'Européens de l'Est que l'on trouve dans le nord du pays. Certaines de ces minorités, souhaitant rester à l'écart du reste du pays, ont leurs propres services sociaux – hôpitaux, écoles – et leurs structures de loisirs – clubs sportifs. Par ailleurs, elles éditent une presse dans leur langue d'origine.

L'espagnol est la langue officielle du pays, mais beaucoup d'Argentins le parlent sur un tempo proche de celui de l'italien. De plus, les particularités de l'accent argentin empêchent parfois les visiteurs habitués au *castellano* («castillan») classique de comprendre ce qu'on leur dit. Enfin, les «régionalismes» ont aussi influencé l'évolution de cette langue en Argentine.

Les Anglo-Argentins

Relativement peu nombreuse, la communauté anglo-argentine vit repliée sur elle-même. Au cours de la seconde moitié du XIXe siècle, la construction du réseau ferroviaire argentin, la mise en place du système bancaire et la modernisation de l'industrie de la viande – réfrigération, conditionnement et transport – furent essentiellement financées par des capitaux britanniques. La Grande-Bretagne exporta également des têtes de bétail afin d'améliorer les caractères génétiques du cheptel argentin. Les Anglais firent l'acquisition d'immenses domaines dans le sud du pays pour y élever des ovins.

Pendant quelque temps, cette mainmise économique et sociale donna à la Patagonie méridionale toutes les caractéristiques d'une dépendance de l'empire britannique.

En supervisant l'édification de l'infrastructure industrielle, les premiers colons britanniques contribuèrent à faire de l'Argentine l'un des dix pays les plus riches du monde au début du XXe siècle. Et même si le pays n'a pas su conserver son rang, le souvenir vivace de la contribution capitale de leurs aïeux à la construction nationale reste une source de fierté pour les Anglo-Argentins.

Cette communauté fait preuve d'un esprit de chapelle incontestable. Les enfants sont scolarisés dans des écoles – St. Andrew's ou St. George's – calquées sur le modèle britannique et qui emploient des entraîneurs de rugby venus tout droit d'Angleterre. Dans le même ordre d'idées, les pelouses impeccables du très fermé Hurlingham Club, dans la banlieue de Buenos Aires, accueillent chaque week-end des joueurs de polo et de cricket. Il n'en reste pas moins vrai que, pour la majorité des Anglo-Argentins, il est de leur devoir de soutenir l'Argentine. De ce fait, leur position au cours de la guerre des Malouines n'a guère été confortable.

A gauche et ci-dessus, immigrants russes et hollandais au début des années 30.

Les communautés autochtones

Décimée par les massacres au XIXe siècle, la minorité indigène est aujourd'hui réduite à quelques petits groupes établis sur les confins nord et sud du territoire. En outre, cette communauté a subi d'importants métissages. Aussi le chiffre exact de la population indienne fait-il l'objet de controverses : il varie de 100 000 à 600 000 individus selon les sources.

Le gouvernement argentin a parqué certaines communautés indiennes dans des réserves, ne leur laissant que des terres peu fertiles et, dans l'ensemble, ces populations sont très misérables. Elles ont aussi abandonné leurs traditions, à l'exception de quelques cérémonies. En revanche, l'usage des langues indiennes s'est maintenu parallèlement à celui de l'espagnol. Ainsi, les Collas, qui constituent la plus importante communauté du Nord-Est, parlent encore le quechua, langue également usitée en Bolivie, au Pérou et en Équateur. Dans la région du Chaco, on parle le choroti, le mataco, le mocovi, le toba et le chiriguan. La plupart des descendants des Araucano-Mapuches et des Tehuelches – jadis majoritaires en Patagonie et dans les plaines du Centre – sont métissés. Quant aux Indiens de la Terre de Feu, les Yamanas et les Onas, ils furent exterminés par les colons au début du XXe siècle.

La capitale et les provinces

Quand on parle de l'Argentine, il est indispensable de distinguer les *Porteños* (habitants de Buenos Aires) du reste de la population. Aussi ancien que le pays, ce schisme signifie quelque chose de bien précis pour chacune des deux communautés. En plaisantant à peine, les *Porteños* décrètent qu'ils sont les seuls Argentins dignes de ce nom, car la capitale est le centre culturel de la nation. Quant au reste de la population argentine, c'est avec un mélange de commisération et d'aigreur qu'elle accueille cet égocentrisme forcené. Les gens de l'intérieur considèrent qu'ils ont leurs propres façons de faire et qu'ils n'ont nul besoin des conseils des *Porteños*. Chaque groupe a une opinion bien arrêtée sur lui-même et sur l'autre. Schématiquement, les *Porteños* se disent raffinés, brillants et cultivés alors que les provinciaux seraient frustes, disgracieux, superstitieux et incultes. Ces mêmes provinciaux se félicitent d'être modestes, sensés et proches de la nature alors que la capitale est, à leurs yeux, peuplée de gens agressifs, hautains, stressés et ignorants.

De temps à autre, les habitants de l'intérieur descendent dans la capitale. Mais, au bout de quelques jours, ils n'aspirent souvent qu'à retrouver l'air pur et la tranquillité de leur province. De leur côté, les *Porteños* s'aventurent rarement dans l'intérieur du pays. En fin de semaine, les familles bourgeoises se rendent dans leur résidence secondaire, un peu en dehors de la capitale, les aristocrates vont jeter un coup d'œil sur leur *estancia* et, de temps en temps, les plus aisés font une escapade dans l'ouest pour skier. En dehors de ces brèves incursions, les relations des *Porteños* avec la province sont des plus distantes.

Le comportement des Argentins

Malgré cette opposition entre la capitale et la province, on peut brosser à grands traits un portrait de l'Argentin type. Il peut faire preuve d'une certaine décontraction à l'égard de l'existence en général et des horaires en particulier, n'hésitant pas un instant à remettre au lendemain ce qu'il ne peut faire le jour même. Par conséquent, si l'on a rendez-vous avec un Argentin, que ce soit pour un café ou pour une importante réunion d'affaires, mieux vaut s'armer de patience.

L'Argentin affiche généralement une certaine propension à la sentimentalité. Les relations humaines sont souvent extrêmement chaleureuses, et le contact physique joue un rôle très important en Argentine. Ainsi, tout en parlant, on caresse le plus naturellement du monde le bras de son interlocuteur ou on lui tape dans le dos. Quel que soit le statut de la personne à laquelle on s'adresse, on emploie presque toujours la forme *vos*, intime et familière, plutôt que la forme *usted*, plus distante. On s'accueille et on se quitte avec force effusions, étreintes et baisers. Il faut connaître ces usages : même lors d'une première rencontre – sauf s'il s'agit d'une entrevue d'affaires très formelle – on se salue en s'embrassant sur les joues. Les femmes embrassent aussi bien les hommes que les femmes, et les hommes s'embrassent entre eux dès qu'ils sont liés par un sentiment d'amitié.

La plupart des Argentins ont un sens de la famille fort développé. Très fréquemment, les jeunes gens attendent le mariage pour quitter le foyer parental ; encore choisissent-ils souvent de s'installer à proximité de chez leurs parents... De même, il est rare qu'ils quittent la maison familiale quand ils entrent à l'université, établissement qui se trouve souvent dans leur ville de résidence.

L'esprit de famille s'étend à la famille élargie et les meilleurs amis des enfants sont très souvent leurs cousins. Ces liens se perpétuent en général jusqu'à l'âge adulte et, régulièrement, en fin de semaine, le clan se retrouve autour d'un grand *asado* (« barbecue »).

Page de gauche : à gauche, femme araucan ; à droite, danse de la fertilité des Chirimuskis. Ci-dessus, cuir chic chez Le Fauve.

La force de la tradition

Dans la vie quotidienne, les Argentins ont tendance à être assez conservateurs. En matière culinaire, par exemple, ils ont peu de goût pour la nouveauté. Ainsi, la base de leur alimentation est-elle essentiellement constituée de bœuf, dont la consommation annuelle se monte à 110 kg par individu – en comparaison, celle d'un habitant des États-Unis est de 39 kg. La plupart des restaurants servent des plats argentins ; quant aux restaurants de cuisine étrangère, ils ne prennent pas de risques et proposent des plats français ou allemands. La cuisine épicée ou exotique étant très peu prisée, le *sashimi* ne fera probablement jamais recette en Argentine. Cependant, dès lors qu'ils sont assurés de pouvoir consommer du bœuf, les Argentins adorent dîner en ville. Après Paris et Tokyo, c'est Buenos Aires qui détient le plus fort taux de fréquentation des restaurants.

Le pays fait preuve d'un conservatisme analogue en matière de boissons. Les Argentins boivent essentiellement du vin rouge, pendant et après les repas, et des vins pétillants à l'apéritif. La consommation annuelle de vin par habitant est à peu près similaire à celle de la France. L'été, la bière est également très appréciée pour ses vertus désaltérantes. L'exubérance n'est guère de mise dans les restaurants. C'est pourquoi il peut être amusant de faire un tour dans le quartier de La Boca, à Buenos Aires, où l'on peut se laisser aller à quelques excès. On pourra se mêler à la foule des fêtards et des marins en goguette qui grouille sur les quais et boire en dansant dans la liesse générale. Cependant, il faut savoir que la plupart des Argentins détestent se faire remarquer et réprouvent toute forme d'excentricité en public, si minime soit-elle.

En Argentine, les vacances mêmes sont affaire d'habitude. Bien que le pays offre une incomparable diversité de destinations, les vacanciers retournent chaque été dans la même station balnéaire. Ce qu'un Argentin découvre de son propre pays en toute une vie n'est rien par rapport à ce qu'apprend un étranger en un seul séjour, si court soit-il. Si on lui signale qu'il passe à côté de merveilles, l'Argentin répond que « oui, peut-être, l'année prochaine, il ira voir les baleines dans la péninsule de Valdés ou les glaciers du lac Argentino ». Mais, en fait, il ne fera probablement jamais le voyage. C'est pourquoi le gouvernement a pris l'initiative d'une vaste campagne intitulée *Argentina, te quiero* (« Argentine, je t'aime »), pour inciter les Argentins à visiter leur propre pays et, surtout, chercher à retenir ceux qui ont les moyens d'aller passer leurs vacances à l'étranger – en Europe ou aux États-Unis.

Les sujets brûlants

Les Argentins ont deux grands centres d'intérêt : le sport et la politique. Ces sujets sont si brûlants qu'ils enflamment systématiquement quiconque les aborde – y compris en public.

Le football est le principal sport national. La plupart des Argentins choisissent dès leur plus tendre enfance l'équipe à laquelle ils vont apporter leur soutien. Lors des rencontres, les stades sont littéralement envahis par des supporters dont l'enthousiasme devient de plus en plus difficile à contrôler au fil du match.

De façon générale, les Argentins ont des opinions bien arrêtées, tout particulièrement en politique. Ce peuple compte parmi les plus politisés d'Amérique du Sud. On dit volontiers à quel parti l'on appartient et les raisons de cette adhésion, pour quel parti on a voté aux dernières élections et pourquoi – le second n'étant pas toujours le premier – et l'on explique en détail les grands problèmes du moment.

Il est surprenant de constater à quel point les Argentins sont sensibles à ces questions. La dure réalité économique à laquelle ils sont confrontés depuis plusieurs années a fait d'eux des experts en politique intérieure. Pour l'homme de la rue, rien n'est plus simple que de donner son avis sur les rapports que le gouvernement entretient avec le FMI. Quant à l'intérêt que la population accorde aux questions internationales, il s'est renforcé sous la présidence de Raúl Alfonsín, qui a considérablement impliqué l'Argentine dans les relations entre pays américains et dans le mouvement des pays non alignés.

En Argentine, le vote est une obligation légale. Les Argentins sont scandalisés par le désintérêt qui entoure les élections dans certains pays démocratiques et ils comprennent difficilement pourquoi, aux États-Unis par exemple, le taux de participation électorale est si bas. L'histoire leur a appris la valeur du droit de vote et l'utilité de son usage. Cependant, c'est par un fort taux d'abstention (40 %, un record historique) que les Argentins ont exprimé leur colère lors des législatives d'octobre 2001.

Parmi les nombreux partis politiques argentins figurent des partis régionaux et provinciaux, mais aussi des mouvements d'extrême droite et d'extrême gauche. En fait, les similitudes idéologiques qui existent entre ces derniers sur certains points donnent au paysage politique argentin l'apparence d'un cercle fermé plus que d'une ligne droite. Les partis sont parfois très divisés, notamment le Parti justicialiste (péroniste) qui, à une certaine époque, a attiré à lui des sympathisants dont le seul point commun était de vouloir constituer une opposition. La majorité des partis disposent de sections réservées à la jeunesse où les militants débutants peuvent facilement se rôder à la politique.

Quelle que soit leur obédience, les Argentins finissent toujours par se situer en se référant au péronisme. Cette idéologie a eu un tel impact qu'aujourd'hui encore, tout se mesure à son aune. Qu'on l'estime ou qu'on la méprise, on ne peut se définir que par rapport à elle.

A gauche, la rencontre des générations; ci-dessus, deux jeunes Porteños.

Eva Duarte de Perón (*cf.* p. 44) occupe une place particulière dans la mémoire des Argentins. Même ceux qui la détestent et qui n'adhèrent pas aux idées péronistes considèrent que le pays lui doit beaucoup dans les domaines les plus importants. Les féministes la tiennent en grande estime et rappellent qu'elle n'a pas été étrangère à l'octroi du droit de vote aux femmes en 1949, aux lois qui protègent les droits des femmes salariées ou encore à la légalisation du divorce (la loi, invalidée peu de temps après la chute de Perón, ne fut rétablie qu'en 1987). Aux yeux de beaucoup d'entre elles, Eva Perón a été la première féministe argentine et, en tant que telle, elle reste une référence pour le peuple argentin.

La religion

La constitution argentine garantit la liberté de culte et, sans vraiment proclamer le catholicisme religion d'État, elle déclare que « le gouvernement fédéral soutient la religion catholique, apostolique et romaine ». Cependant, depuis la constitution de 1994, le président de la République ne doit plus être impérativement catholique.

Environ 90 % de la population est catholique, mais les Argentins vivent leur foi avec une certaine décontraction. L'Église est cantonnée à son rôle d'institution et si certains rites sont scrupuleusement observés, on ne peut pas dire que le respect de ses enseignements soit une préoccupation permanente de la vie quotidienne.

Chaque année, plusieurs pèlerinages drainent des milliers de participants vers des sanctuaires, tel celui de Luján. A l'occasion de certains grands événements politico-religieux, comme la visite du pape en 1987, la mobilisation du pays est quasi totale.

Il n'est pas rare que les passagers des autobus se signent en vue d'une église et, dans les quartiers où les édifices religieux sont nombreux, les signes de croix peuvent se succéder indéfiniment. Pour peu qu'il ressemble à une église, le moindre édifice gothique de Buenos Aires, même séculier, déclenche immanquablement une manifestation de dévotion chez les passagers provinciaux.

Plus on s'éloigne de la capitale, plus les différentes traditions régionales imprègnent le catholicisme. Des endroits extrêmement reculés sont célèbres pour avoir été le théâtre de miracles et certains sanctuaires non reconnus par les autorités religieuses font l'objet de pèlerinages et d'offrandes. Et, dans les localités du Noroeste où l'influence indienne reste très présente, certaines composantes des carnavals annuels sont de toute évidence très éloignées de la religion chrétienne.

L'influence de l'Église a commencé à diminuer vers la fin du XIXe siècle. L'enseignement ainsi que les cérémonies de mariage et d'enterrement furent sécularisés. Cependant, la religion a continué à interférer avec le politique ; par exemple, l'éventuelle légalisation du divorce a profondément divisé la société argentine pendant des années.

En 1987, après de houleux débats au Congrès, la question fut réglée par référendum en faveur des partisans du divorce. Parmi les couples qui s'étaient déjà séparés, certains avaient formé d'autres unions de fait. Jugeant la procédure de divorce trop longue et trop coûteuse, un fort pourcentage d'entre eux négligèrent donc de régler leur situation. D'après la loi, tous les enfants nés en Argentine doivent être déclarés à l'état civil sous un prénom chrétien, ce qui n'est pas toujours du goût de certains immigrés ou de leurs descendants. Et, si le prénom proposé a son équivalent en espagnol, c'est ce dernier qui sera inscrit dans les registres. La rigueur avec laquelle la loi est appliquée dépend du juge qui statue en cas de litige.

La Villa Freud

La psychanalyse jouit d'une telle popularité en Argentine qu'on peut presque la qualifier de religion profane. Dans les années 30 et 40, un certain nombre de praticiens, établis dans le pays après s'être formés en Europe, ont donné un nouvel élan au petit groupe de pionniers qui dévoraient déjà les œuvres de Freud. Depuis, l'attraction exercée par la psychanalyse n'a cessé de croître. Buenos Aires compterait un nombre d'analystes par habitant beaucoup plus élevé que l'État de New York ; un quartier de la ville, où ils sont particulièrement nombreux, a même été surnommé « Villa Freud ».

La psychanalyse a pénétré tous les milieux socio-économiques. Sous le gouvernement de Perón, qui octroya un grand nombre d'avantages au monde du travail, beaucoup d'industries se sont dotées de centres spécialisés.

Ce succès serait dû aux éternels problèmes d'identité de la nation argentine. La psychanalyse contribue à atténuer le sentiment d'angoisse suscité par l'incapacité, réelle ou imaginaire, de se rattacher à un grand tout identifiable. De plus, avec la baisse du niveau de vie et l'apparition d'un certain nombre de problèmes nouveaux, le désarroi des Argentins n'a cessé d'augmenter.

Entre 1976 et 1983, durant le *proceso* (« processus de réorganisation nationale ») engagé par la junte, les études et la pratique de cette discipline furent mises en veilleuse. Aux yeux des autorités militaires, la psychanalyse s'apparentait à une activité subversive et tous les ouvrages ayant trait au sujet durent même disparaître des rayonnages privés ou publics. Dans les universités, les départements d'études spécialisées furent considérablement réduits, quand ils ne furent pas purement et simplement supprimés. Cependant, depuis 1983, la psychanalyse est revenue en force, y compris dans les universités.

A gauche, repos bien mérité après une journée de ski à Bariloche ; ci-dessus, le rocker argentin Charly García.

La jeunesse argentine

Avec les librairies, les cafés sont les lieux de rencontre privilégiés des jeunes intellectuels intéressés par l'art et la politique. La jeunesse argentine fréquente également les nombreux petits clubs où se produisent des orchestres locaux dont le répertoire varie du rock punk au jazz. Tous les vendredis, le supplément du quotidien *Clarín* donne la liste exhaustive des concerts de la semaine. Parmi les formations les plus appréciées, il faut citer les groupes Virus, Soda Stereo, Los Fabulosos Cadillacs, sans oublier Los Redonditos de Ricotta ou Charly García.

Mais les jeunes Argentins aiment par-dessus tout se réunir en petit comité dans le minuscule appartement de l'un d'eux. Ils y passent des soirées entières à bavarder, souvent de politique. Parfois, quelqu'un apporte

une guitare, un *bombo* (sorte de tambour) ou une flûte, et tous se mettent à chanter à un moment de la soirée. Le répertoire est souvent politique et certaines chansons, qui célèbrent les classes laborieuses et tous les opprimés du monde, ont traversé plusieurs décennies. Et enfin, quand la lueur de l'aube commence à poindre, une gourde de maté avec une paille commune circule parmi le petit groupe.

Cette cérémonie du thé à l'argentine relève du rite magique et contribue à assurer la cohésion du groupe. En cas de manquement, même minime, à ce rituel, le visiteur risque de susciter l'hilarité chez les initiés ou, plus grave, une incompréhension offensée.

Le pays a amorcé sa période hippie en même temps que le reste du monde mais les régimes militaires des années 70 la firent brutalement avorter. Durant le *proceso*, il était quasi suicidaire de proclamer des opinions pacifistes ou mondialistes, jugées subversives. Avec le retour de la démocratie, nombreux sont ceux qui ont renoué avec ces valeurs, y compris parmi la génération qui était encore au berceau à la naissance du mouvement contestataire.

Une chose est en tout cas certaine : la jeunesse argentine dégage une énergie tout à fait réconfortante. Après avoir été brimé dans sa créativité et avoir subi la censure pendant des années, le pays est enfin sorti de la coquille où on l'enfermait. Les chanteurs engagés sont très prisés par l'ensemble de la population. Parmi eux, Mercedes Sosa, surnommée par certains « la voix de l'Amérique latine », suscite la ferveur de foules considérables depuis des décennies. A Buenos Aires, le théâtre Colón résonne encore des ovations qui ont marqué le concert donné par l'artiste à son retour d'exil, au début des années 80. Quant à Atahualpa Yupanqui, disparu en 1992, il est entré dans le panthéon des poètes sud-américains où il voisine avec Pablo Neruda, en l'honneur duquel il a écrit une de ses plus belles chansons.

La poésie de trottoir

Faire des commentaires sur les passantes est le sport national des mâles argentins. Au dire de certains, cette activité serait une véritable expression artistique qui porte même un nom : le *piropo*. Il ne saurait être question de quelques mots crus jetés en passant. C'est bel et bien de poésie qu'il s'agit, même si le texte est improvisé à la hâte et assez peu élaboré.

Ces Casanovas de rue ne s'attendent vraiment pas à être pris au mot et la plupart d'entre eux seraient même très embarrassés si la chose se produisait. Ravis par ce simple exercice de style, ils estiment que leur passe-temps préféré est tout ce qu'il y a de plus inoffensif. Bien évidemment, on rencontre aussi des Argentins qui ont autre chose en tête que la poésie mais, avec le temps et un peu d'expérience, on apprend à ne pas les confondre avec les authentiques amateurs de *piropo*.

A gauche, un vendeur de hamburgers à Buenos Aires ; à droite, le boucher souffle un peu.

MER
DE
SUD ou
PACI
FICQUE
MER
DE
CHILI
MER
LANIC
Tropicque du Capricorne
PARTIE
Cusco
Los
Atacama
Deserteus
Tobares
Mathagua
Chiquitos
Diaguitas
Iuries
Cordoba
TERRE
GELL
Pata
gons
Puerto de los Leo
Cabo Redondo
I. Regum
C. de Matos
C. Pequeño
C. de S. Iorge
Port Desire
I. de los Leones
I. de S. Dionisio
C. de las Barreras
Ins Sebaldi de Werdt
C. de los Virgines
Entrada de S. Sebastian
I. de Diego Ramires
C. de S. Salvador

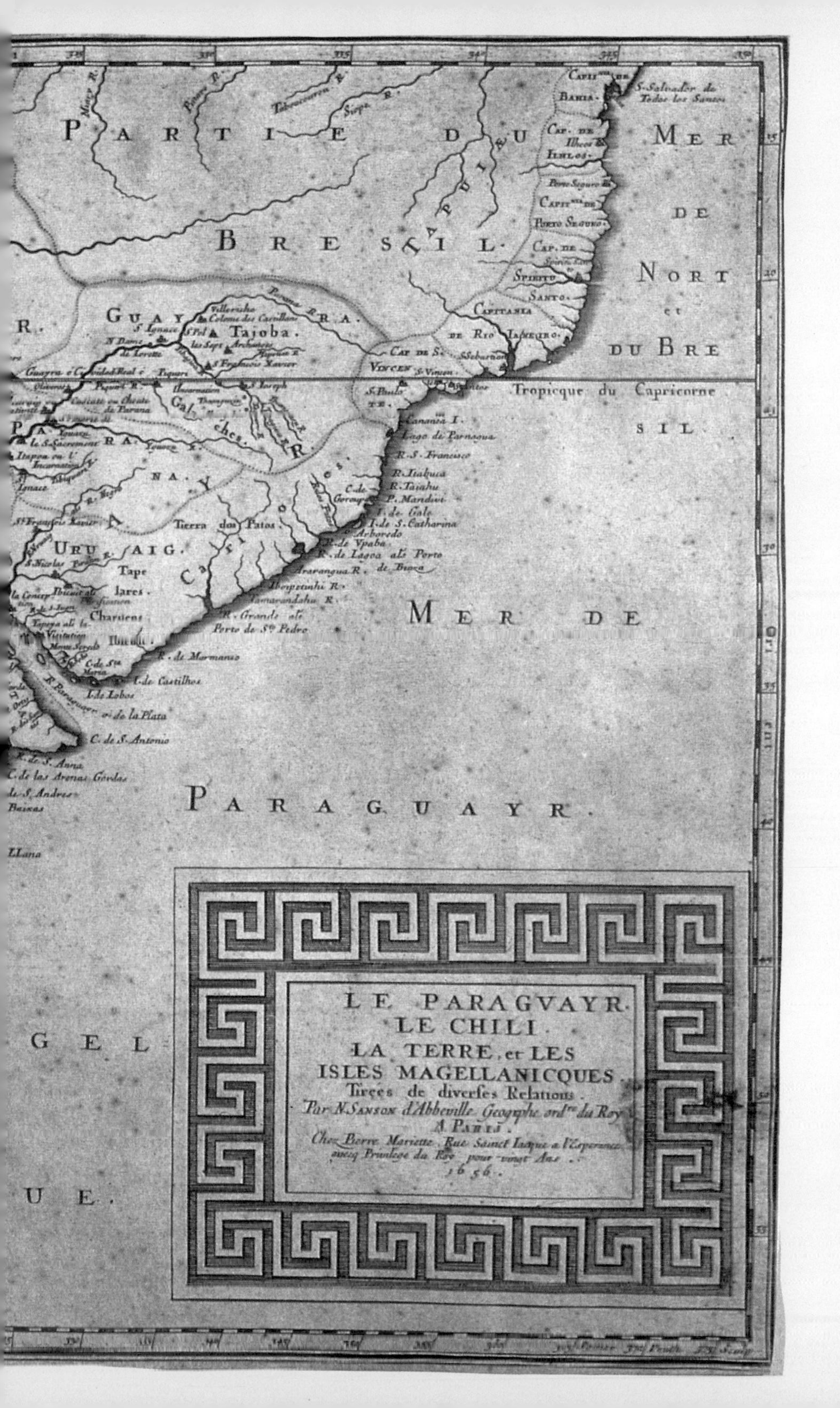

PARTIE DU
BRESIL
TAPUIRU
S. Salvador de Todos los Santos
BAHIA
Cap. de Ilheos
IHLOS
Porto Seguro
Capit.nie de Porto Seguro
Cap. de Spirito Santo
Capitania de Rio Janeiro
Cap. de S. Vincen
S. Vincen
S. Paulo
MER DE NORT et DU BRESIL
Tropicque du Capricorne
GUAY
Tajoba
PARANA R.
URUAIG.
Tierra dos Patos
Tapelares.
Charruens
Cananea I.
Lago de Parnagua
R. S. Francisco
R. Itabuca
R. Taiahu
P. Mandivi
I. de Gale
I. de S. Catharina
Arboredo
R. de Lagoa al. Porto de Buoza
Ararangua R.
R. Grande al. Porto de S.to Pedro
R. de Marmanso
I. de Castilhos
I. de Lobos
R. de la Plata
C. de S. Antonio
C. de las Arenas Gordas
MER DE
PARAGUAYR.
GEL
UE.
LE PARAGVAYR.
LE CHILI.
LA TERRE, et LES
ISLES MAGELLANICQUES.
Tirées de diverses Relations.
Par N. Sanson d'Abbeville Geographe ord.re du Roy.
A PARIS.
Chez Pierre Mariette Rue Saint Iacque a l'Esperance
avecq Privilege du Roy pour vingt Ans.
1656.

RÉCITS DE VOYAGES

Les récits de voyages, quelle que soit l'époque à laquelle ils se situent, sont à la fois instructifs et attachants : instructifs, parce qu'ils témoignent de l'état d'un pays et de la vie d'un peuple, avec ses us et coutumes, à une période donnée ; attachants, parce qu'ils sont le plus souvent le fait d'étrangers dont l'esprit curieux a su caractériser, avec humour et vivacité, une civilisation et une culture.

De tous les personnages célèbres qui ont séjourné en Argentine, Magellan et Darwin sont sans doute ceux dont les écrits restent les plus marquants. Cependant, un grand nombre de visiteurs nord-américains et européens ont également transmis leur vision du pays, à travers des relations qui rendent compte de l'intérêt suscité à leur époque par les contrées mythiques de la Patagonie et de la Terre de Feu, régions presque vierges, ou par ces légendes vivantes qu'étaient les gauchos de la pampa.

Buenos Aires, une ville surprenante

C'est à Buenos Aires que débutait, le plus souvent, l'itinéraire des voyageurs du XIXe siècle. En 1833, Charles Darwin décrit ainsi la ville : « *Grande et une des plus régulières, je crois, qui soient au monde. Toutes les rues se coupent à angle droit et toutes les rues parallèles se trouvant à égale distance les unes des autres, les maisons forment des carrés solides d'égales dimensions qu'on appelle* cuadras. »

A la fin du XIXe siècle, grâce à la richesse générée par les exportations de bœuf réfrigéré vers l'Europe, Buenos Aires était devenue la ville la plus animée d'Amérique latine et l'une des plus cosmopolites du monde. Dans *Sud-Amérique* (1879), où il relate un long séjour au Brésil, au Chili, en Bolivie, au Pérou et à la Plata, le comte Charles d'Ursel dresse ce tableau de son arrivée à Buenos Aires : « *Je fus frappé tout d'abord [...] d'entendre parler de tous côtés l'italien autant que l'espagnol. A en juger par les cris et les jurons, on se croirait volontiers en rade de Naples ou de Livourne. C'est qu'en effet, la plupart des hommes qui vivent ici des petites industries du port sont des émigrants italiens. Sur une moyenne de soixante mille individus qui tous les ans arrivent d'Europe à la Plata, la moitié au moins est fournie par l'Italie.* »

Pages précédentes : carte du cône sud de l'Amérique latine (XVIIe siècle). A gauche, à l'époque coloniale, une dame de la grande bourgeoisie porteña *prend son maté.*

En 1932, l'écrivain français Paul Morand effectua un long voyage en Amérique du Sud, dont il fit le brillant récit dans *Air indien.* A sa manière, il reprend le commentaire de son aristocratique compatriote en déclarant : « *Ce qui a créé l'Argentine, ce n'est pas l'Espagnol, c'est le Basque, c'est l'Allemand, c'est le Français, c'est l'Italien ; ce n'est pas Juan de Garay, c'est Liebig ; ce n'est pas don Pedro de Mendoza, courtisan enrichi au sac de Rome, c'est le Français Tellier, inventeur du frigorifique.* »

G. L. Morrill, pasteur américain qui décrivit la capitale en 1914 dans *To Hell and Back : My Trip to South America* (« Aller-retour pour l'enfer : mon voyage en Amérique du Sud »), évoque ainsi le cosmopolitisme de Buenos Aires : « *Lorsqu'on fait une petite promenade digestive dans la ville, on découvre qu'elle rappelle beaucoup Paris par son architecture, ses magasins élégants, ses terrasses de cafés où les amoureux, assis à de petites tables, s'embrassent et parlent de futilités. Chaque coin de rue est occupé par un kiosque à journaux ou une petite marchande de violettes.* »

Comme d'autres voyageurs avant lui, Paul Morand ne peut s'empêcher d'évoquer la vieille Europe en découvrant la ville : « *Buenos Aires avec ses maisons blanches dans le goût de Monte-Carlo, ses hôtels aristocratiques qui sourient à la rue comme des avant-scènes un soir de gala, ses parterres de cinéraires et ses eucalyptus froissant leur feuillage sec et parfumé, est un morceau de Méditerranée égaré de l'autre côté de l'Atlantique ; ses vieux quartiers continuent tout naturellement le vieux Nice ; [...] au bord de l'eau, c'est le quartier de la Boca, qui ressemble au vieux Gênes...* »

Des voyages risqués

Les routes étaient sources de nombreux dangers aussi bien pour les étrangers que pour les Argentins. Francis Bond Head, ingénieur des mines britannique qui passa dans l'Argentine profonde deux années (1825 et 1826) mouvementées, mais fort agréables, est l'auteur de *Rough Notes Taken During Some Rapid Journey Across the Pampas and Among the*

Andes (« Notes prises à la sauvette au cours d'un bref périple dans les pampas et les Andes »). Dans ce récit, Head déclare s'être préparé à la violence qu'il allait rencontrer : « *Lorsqu'on traverse les pampas, il est indispensable d'être armé car elles sont infestées de voleurs ou* saltadors, *notamment dans la province désertique de Santa Fe. Bien sûr, ces gens recherchent l'argent ; en conséquence, je voyageais toujours si mal vêtu et si bien armé que lorsqu'ils me voyaient, ils jugeaient inutile de m'attaquer. Pourtant, un jour, je les croisai alors que je n'étais accompagné que par un tout jeune postillon. Je portais en permanence une ceinture où étaient passées deux paires de pistolets et je tenais toujours à la main un fusil court à canon double. Je me faisais une règle de ne jamais m'en séparer, ne fût-ce qu'un seul instant, et d'armer les deux canons de mon fusil dès que je tombais sur des gauchos.* »

Darwin le naturaliste faisait concurrence à Head lorsqu'il écrivait : « *Un voyageur n'a d'autre protection que ses armes à feu, et la constante habitude qu'on a de les porter empêche seule des vols plus fréquents.* »

Head, qu'on surnommait « le Galopeur », relate la peur que lui inspiraient les Indiens : « *... sans hésiter, le cavalier doit lancer sa monture au triple galop pour leur échapper, ce qu'il ne parviendra à faire qu'en sachant ce qu'il risque : s'il tombe entre leurs mains, il sera sans doute torturé puis tué. Cependant, il est peu probable qu'il les rencontre sur son chemin ; mais ils sont si rusés, leurs chevaux sont si rapides et le pays est si désert qu'il est impossible de savoir s'ils sont dans les parages ou non.* »

Pour une femme seule, les difficultés se révèlent d'une tout autre nature. Ainsi, l'Américaine Katherine S. Drier décrit son premier contact avec le Buenos Aires de 1918 : « *A New York, avant mon départ, tout le monde m'avait dit que le Plaza était le seul hôtel digne de ce nom à Buenos Aires et que je ne manquerais pas d'y établir mon quartier général pendant mon séjour dans la capitale. Mais ces informations m'avaient été transmises par des hommes, et ni eux ni moi n'aurions imaginé que le Plaza n'acceptait les femmes qu'accompagnées de leur époux ou de qui se prétend tel. L'entrée est même interdite aux veuves, aux frères et sœurs, ainsi qu'aux femmes dont les maris sont en voyage. Ne parlons donc pas des vieilles filles respectables dans mon genre !* »

Les Indiens

Les voyageurs du XIXe siècle s'intéressaient beaucoup aux Indiens. Pourtant, vers 1870, cette population était presque entièrement décimée. Dès les années 1730, un jésuite intrépide, le père Thomas Falkner, s'était établi chez les Tehuelche et les Puelche du sud de l'Argentine, parmi lesquels il séjourna une vingtaine d'années jusqu'à ce que l'ordre auquel il appartenait soit expulsé du pays. Un siècle plus tard, sa relation, intitulée *A Description of Patagonia* (« Description de la Patagonie »), devait servir de guide à Darwin.

Pour un étranger, la rencontre d'un Indien représentait un temps fort du voyage, comme Florence Dixie l'explique en 1881 dans *Across Patagonia* (« Traversée de la Patagonie »). « *Nous nous étions à peine éloignés que nous vîmes un cavalier se diriger lentement vers nous ; quelques instants plus tard, nous nous trouvâmes en présence d'un authentique Indien de Patagonie. Quand il se fut approché, nous dûmes retenir nos chevaux pour l'observer, ce qu'il fit de son côté. Pendant quelques minutes, nous le dévisageâmes tout notre saoul, recevant en retour un regard aussi scrutateur et prudent que le nôtre.* »

Un des vœux les plus chers de Head le Galopeur était de partager la vie de l'Amérindien. « *C'est un guerrier professionnel qui s'alimente simplement et dont le corps possède une santé et une force qui lui permettent de se relever de la plaine où il a dormi nu et de regarder fièrement sa silhouette dessinée sur l'herbe par la gelée blanche, sans éprouver le moindre trouble. Que dirions-nous, nous qui sommes protégés par des bâches imperméables ?* »

A gauche, Espagnols chassant le gibier marin à Puerto Deseado (1586) ; ci-dessus, Indiens attrapant des chevaux sauvages.

Sans l'avoir souhaité, Auguste Guinnard passa trois ans, de 1856 à 1859, chez les Indiens de Patagonie qui l'avaient capturé alors qu'il effectuait une expédition dans la région. Ce jeune Français de vingt-quatre ans en profita, entre autres choses, pour observer les mœurs de ces peuples : « *Ils reconnaissent deux dieux ou êtres supérieurs : celui du bien et celui du mal ; ils admettent et respectent la puissance du bon Vita Ouènetrou – le Grand Homme – qu'ils considèrent comme le créateur de toutes choses. Ils n'ont aucune idée du lieu où il peut résider ; ils prétendent seulement que le soleil, qu'ils considèrent comme son représentant, leur est envoyé par lui autant pour examiner ce qui se passe parmi eux que pour réchauffer leurs membres engourdis pendant l'hiver et seconder la bienfaisante rosée qui, dès le printemps, fait éclore autour d'eux le magnifique tapis de verdure au milieu duquel se prélassent et se multiplient les troupeaux. La lune, autre représentant de dieu, est selon eux uniquement chargée de les veiller et de les éclairer. Leur persuasion est qu'il existe autant de soleils et de lunes qu'il y a de pays et de terres différentes sur le globe. Quant au dieu du Mal – Houacouvou – ils disent que c'est lui qui, sur leurs prières journalières, rôde autour du pays qu'ils habitent pour écarter d'eux tout maléfice et commander aux esprits malfaisants. Ils le désignent plus souvent encore sous le nom de Gualitchou – la cause de tous les maux de l'humanité. [...] Enfin, quelle que soit la simplicité de leur religion, la croyance des Patagons n'en est pas moins des plus profondes, ils en donnent des preuves à tout instant.* »

obligeant, fort poli, fort hospitalier ; je n'ai jamais vu un exemple de grossièreté ou d'inhospitalité. »

Franck Forester se rend au «pays des Patagons» en 1878 et y est surpris par la façon de chasser des indigènes : «*Montés sur des chevaux à moitié dressés, sans selle ni étriers, retenus à peine par un guidon, ils se lancent à la poursuite des nandous ou des guanaques poursuivis par une espèce de chiens tenant du lévrier et du bouledogue, et se servent des* bolas, *autrement dit de grandes lanières de cuir terminées par trois énormes pierres rondes. Lorsque le Patagon est à une distance suffisante de l'oiseau ou de l'animal qu'il a*

A l'intérieur des terres

Les voyageurs voyaient souvent dans les gauchos des êtres aussi libres et aussi troublants que les Indiens et ne manquaient pas de mettre l'accent sur l'hospitalité de ces cavaliers et des ruraux en général. Le colonel King témoigne : « *... malade ou non, le voyageur est toujours bienvenu dans leurs maisons ou leurs campements et ils pensent aussi peu à faire payer le gîte pour la nuit et un repas nourrissant qu'un simple verre d'eau.* »

Comme tant d'autres, Darwin fut impressionné par ces bouviers. «*Les gauchos, ou paysans, sont bien supérieurs aux habitants des villes. Invariablement, le gaucho est fort*

attaqué, il lance ses bolas *après les avoir fait tourbillonner trois ou quatre fois autour de sa tête. L'instrument ainsi jeté va, rapide comme la foudre, s'entortiller autour des jambes du gibier qui fuit devant le chasseur : la bête tombe et les chiens, survenant aussitôt, lui sautent au cou et l'empêchent de se relever.* »

Les conditions de confort des voyages dans le pays étaient souvent mauvaises. Arthur Thouar livre cette description de Río de las Piedras, où il doit s'arrêter en fin de journée : «*Ce dernier endroit est généralement malsain ; des fièvres pernicieuses y règnent. Nous n'y passons que la nuit, dans la plus complète insomnie, car les* vinchucas, *sorte de grosses punaises, nous rongent littéralement.* »

Les habitants de l'intérieur des terres, qui ne disposaient ni de médecins ni d'hôpitaux, avaient souvent recours à des médecines traditionnelles. Dégoûté par leurs remèdes, Darwin ne peut que mentionner celui-ci : « *Un des moins sales consiste à couper en deux de jeunes chiens pour en attacher les morceaux de chaque côté d'un membre brisé. On recherche beaucoup ici une race de petits chiens sans poils pour servir de chaufferettes aux malades.* »

Dans *Vol de Nuit*, paru en 1931, Antoine de Saint-Exupéry explique qu'il s'agissait alors, pour les compagnies de navigation aérienne, de lutter de vitesse avec les autres moyens de transport. Les trois avions postaux de Patagonie, du Chili et du Paraguay revenaient du sud, de l'ouest et du nord vers Buenos Aires. On y attendait leur chargement pour donner le départ à l'avion d'Europe, vers minuit. « *Les collines, sous l'avion, creusaient déjà leur sillage d'ombre dans l'or du soir. Les plaines devenaient lumineuses mais d'une inusable lumière : dans ce pays, elles n'en finissent pas de rendre leur or de même qu'après l'hiver, elles n'en finissent pas de rendre leur neige.*

Et le pilote Fabien, qui ramenait de l'extrême sud, vers Buenos Aires, le courrier de Patagonie, reconnaissait l'approche du soir aux mêmes signes que les eaux d'un port : à ce calme, à ces rides légères qu'à peine dessinaient de tranquilles nuages. Il entrait dans une rade immense et bienheureuse.

Il eût pu croire aussi, dans ce calme, faire une lente promenade, presque comme un berger. Les bergers de Patagonie vont, sans se presser, d'un troupeau à l'autre : il allait d'une ville à l'autre, il était le berger des petites villes. Toutes les deux heures, il en rencontrait qui venaient boire au bord des fleuves ou qui broutaient leur plaine.

Quelquefois, après cent kilomètres de steppes plus inhabitées que la mer, il croisait une ferme perdue, et qui semblait emporter en arrière, dans une houle de prairies, sa charge de vies humaines, alors il saluait des ailes ce navire. »

A gauche, village indien dans la sierra de la Ventana ; ci-dessus, le Beagle, *sur lequel Darwin effectua ses voyages en mer.*

Planes immensités

La superficie du pays et le mauvais état des chemins rendaient les trajets interminables. E. Vidal, voyageur du début du XIXe siècle, cite l'auteur anonyme des *Letters from Paraguay* (« Lettres du Paraguay »), qui raconte son périple de vingt-deux jours dans un grand char à bœufs, entre Buenos Aires et Mendoza, au pied des Andes. «*Tous les jours, nous nous mettions en route environ deux heures, et parfois trois, avant la tombée de la nuit et ne nous arrêtions pas avant que le soleil se soit levé depuis au moins une heure*». Une des difficultés majeures rencontrées par l'écrivain au cours de ce voyage était de se munir de provisions d'eau suffisantes. «*Nous fûmes contraints de faire halte en un endroit où l'herbe même semblait brûlée jusqu'à la racine et où rien ne s'offrait au regard, hormis stérilité et désolation... Il ne nous restait plus qu'une petite cruche d'eau, notre soif croissait à chaque instant*».

Au début du XXe siècle, Gaston Donnet fut également impressionné, voire angoissé, par ces immensités silencieuses: «*Depuis deux semaines, nous avalons cette pampa avec beaucoup de poussière. Pas un arbre, pas une maison: rien que du vide avec de l'herbe dessus... Le silence, si profond que je l'entends bourdonner au creux de mes oreilles comme un océan lointain...*»

Un peu plus tard, Morand semble confondu, puis pris de vertige, devant le spectacle qui se déroule sous ses yeux: «*Les prairies du ciel regardent les prairies de la terre; elles aussi alignent de grands nuages noirs labourés, des mares bleues et des rayons de soleil luisants comme des fils télégraphiques. Labours infinis de cette Flandre australe, aux sillons maladroits s'avançant en zig-zag. De Buenos Aires à Mendoza, pas un mur, pas un tertre; sol sans os, colmaté d'immigrations successives, qui se sont peu à peu solidifiées.*»

Bonnes manières et politique

Les coutumes des Argentins ont toujours suscité nombre de commentaires. Ainsi Thomas Turner, décrivant aux alentours de 1880 le dîner d'une famille connue et aisée, déclare: «*Du comportement privé des Argentins et de la façon dont ils se tiennent à table, en famille, il est impossible de faire une description plaisante. Leurs manières à table sont celles de véritables romanichels. Ils lisent le journal en s'abreuvant mutuellement de hurlements, étalent leurs membres au-dessus et au-dessous de la table, avalent à moitié leurs couteaux, crachent sur les tapis avec un sans-gêne de Yankees, gesticulent et se penchent sur la table dans le feu de la discussion, fument des cigarettes entre les plats et même, s'ils ne mangent pas, pendant que les autres mangent – habitude lénifiante qui stimule l'expectoration et suscite la controverse – utilisent les mêmes couverts pour tous les plats – entrée, poisson et viande. En un mot, dès qu'ils sont chez eux, ils échangent le comportement étudié qu'ils affichent dans la rue contre les manières frustes de piliers de bastringues*».

Avec sa description des raffinements d'une soirée à l'Opéra de Buenos Aires, le prince Louis d'Orléans-Bragance nous donne une tout autre image de la bonne société *porteña* de 1912: «*Invariablement placées sur le devant des loges, les jolies* niñas porteñas *[...] entourent la salle d'une guirlande claire. [...] Leurs toilettes représentent des fortunes et l'on prétend que jamais, pendant les trois mois que dure la* temporada, *une femme n'oserait porter la même robe plus d'une fois. [...] A l'orchestre, les habits des hommes, des habits impeccables, venus en droite ligne de Piccadilly et de Regent Street, – car les Argentins s'habillent aussi bien que les Argentines –, complètent ce tableau, d'un modernisme intense, où l'on reconnaît, mieux que partout ailleurs, ce qu'il y a d'intempérant et d'effréné dans l'âme de ce peuple qui n'en est pas encore un, mais aspire, d'emblée, à devenir le premier de la terre.*»

Choqué par tout ce qu'il voit, Turner se montre également scandalisé par un phénomène qui reste actuel: la prépondérance de la politique dans les discussions. «*Bien que les deux sexes disputent des questions interdites avec délectation et sans aucune retenue, c'est la politique qui constitue le sujet principal de la conversation. Tout le monde en parle...*».

Dans ses *Notes de voyages dans l'Amérique du Sud* (1911) Georges Clemenceau ne s'attache guère à la petite histoire, et aborde la question de la politique avec l'œil perçant d'un professionnel: «*Ici, comme ailleurs, les hommes politiques, interprètes plus ou moins autorisés du vague concours d'opinions générales qu'on dénomme esprit public, peuvent confondre les éphémères exigences de partis avec l'intérêt permanent du pays. Ce qui est à noter, c'est que les conflits de factions, qui ont si longtemps ensanglanté les villes et les campagnes de l'Amérique du Sud, sont manifestement, de toutes parts, en voie de décroissance. Il est bien difficile, après une longue histoire de violences, que rien ne subsiste des anciennes impulsions qui faisaient des mouvements politiques une simple succession d'attaques de nerfs. [...]*

A droite, élégant estanciero *du XIXe siècle.*

NO CAZAR

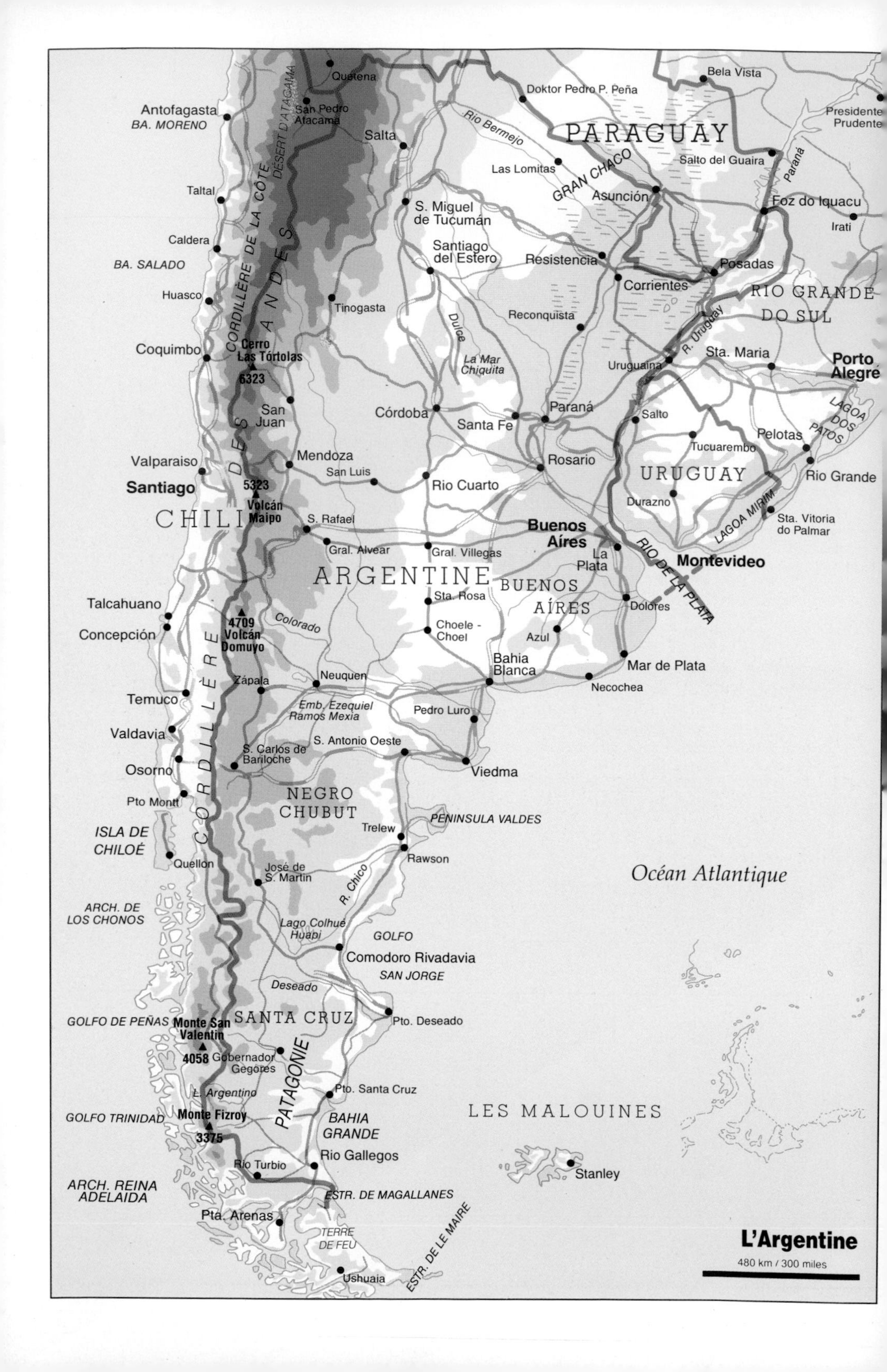

Quetena
San Pedro Atacama
DÉSERT D'ATACAMA
Antofagasta
BA. MORENO
Salta
Doktor Pedro P. Peña
Bela Vista
Presidente Prudente
Rio Bermejo
PARAGUAY
Las Lomitas
GRAN CHACO
Salto del Guaira
Paraná
Asunción
Foz do Iquacu
Irati
Taltal
Caldera
BA. SALADO
CORDILLÈRE DE LA CÔTE
ANDES
S. Miguel de Tucumán
Santiago del Estero
Resistencia
Posadas
Corrientes
RIO GRANDE DO SUL
Huasco
Tinogasta
Dulce
Reconquista
R. Uruguay
Coquimbo
Cerro Las Tórtolas
6323
La Mar Chiquita
Uruguaina
Sta. Maria
Porto Alegre
San Juan
Córdoba
Santa Fe
Paraná
Salto
LAGOA DOS PATOS
Pelotas
Tucuarembo
Valparaiso
Mendoza
San Luis
Rosario
URUGUAY
Rio Grande
Santiago
5323
Rio Cuarto
Durazno
CHILI
Volcán Maipo
S. Rafael
LAGOA MIRIM
Sta. Vitoria do Palmar
Buenos Aíres
Gral. Alvear
Gral. Villegas
La Plata
RIO DE LA PLATA
Montevideo
ARGENTINE
BUENOS AÍRES
Sta. Rosa
Talcahuano
Dolores
4709
Volcán Domuyo
Colorado
Choele - Choel
Concepción
Azul
CORDILLÈRE
Bahia Blanca
Mar de Plata
Zápala
Neuquen
Necochea
Temuco
Emb. Ezequiel Ramos Mexia
Pedro Luro
Valdavia
S. Antonio Oeste
S. Carlos de Bariloche
Osorno
Viedma
NEGRO
CHUBUT
Pto Montt
PENINSULA VALDES
Trelew
ISLA DE CHILOÉ
Rawson
Quellon
José de S. Martin
Océan Atlantique
R. Chico
ARCH. DE LOS CHONOS
Lago Colhué Huapi
GOLFO
Comodoro Rivadavia
SAN JORGE
Deseado
GOLFO DE PEÑAS
Monte San Valentin
SANTA CRUZ
Pto. Deseado
4058
Gobernador Gegores
PATAGONIE
L. Argentino
Pto. Santa Cruz
GOLFO TRINIDAD
Monte Fizroy
3375
BAHIA GRANDE
LES MALOUINES
Rio Gallegos
Rio Turbio
Stanley
ARCH. REINA ADELAIDA
ESTR. DE MAGALLANES
Pta. Arenas
ESTR. DE LE MAIRE
TERRE DE FEU
Ushuaia
L'Argentine
480 km / 300 miles

ITINÉRAIRES

La fascination que l'Argentine exerce sur le voyageur tient pour une grande part à l'extrême diversité et à la beauté de ses paysages. Ce guide invite le lecteur à découvrir les huit morceaux du puzzle argentin sous forme de huit itinéraires qui lui feront apprécier les *barrios* (« quartiers ») de Buenos Aires, ville cosmopolite par excellence ; longer le littoral où se succèdent d'innombrables stations balnéaires, entre dunes et rochers ; flâner dans la région des sierras centrales, lieu de prédilection du caroubier et du « lièvre des pampas ». Il pourra aussi s'émouvoir sur les ruines des missions jésuites de Mésopotamie et s'émerveiller devant les cataractes de l'Iguazú qui se jettent d'une hauteur excédant parfois 80 m ; rechercher les vestiges préhispaniques des hauts plateaux et des vallées colorées du nord-ouest du pays ; parcourir les coteaux de vigne ensoleillés du Cuyo et les deux mille *bodegas* de la région de Mendoza ; partir en excursion dans les parcs nationaux de Patagonie et sur le Perito Moreno, l'un des rares glaciers au monde à être en expansion ; franchir, enfin, le mythique détroit de Magellan pour s'aventurer en Terre de Feu, archipel du bout du monde au-delà duquel s'étendent seulement les immensités glaciales de l'Antarctique.

Mais que les amateurs d'architecture et d'œuvres d'art se rassurent, le charme des constructions coloniales de Córdoba ou le style éclectique des édifices de Buenos Aires n'ont rien à envier à la richesse des paysages. Les musées d'art et d'histoire, égrenés au fil des itinéraires, conservent des collections si variées qu'elles illustrent sans peine l'histoire mouvementée de cet immense pays.

Dans chaque région, entre deux étapes, les sportifs ne manqueront pas d'activités : certains prendront le temps de taquiner la truite dans les lacs patagons qui s'étirent sur 1 500 km le long des Andes tandis que d'autres dévaleront les pistes des stations de sport d'hiver de la Suisse argentine. Les amateurs d'équitation pourront chevaucher en liberté dans les vastes *estancias* de la pampa et assister à une rencontre de polo ou de *pato*. Les cimes du Cordón del Plata, une chaîne qui dispose d'accès relativement aisés à des sommets aussi prestigieux que le Pico Negro (5 800 m), le Nevada Excelsior (6 000 m) ou le pic d'El Plata (6 300 m) attireront enfin les alpinistes les plus chevronnés.

Pages précédentes : le condor surveille les vallées andines ; le gaucho scrute son domaine pampéen ; un point d'observation sur les lacs de Patagonie.

decoremos

BUENOS AIRES, UNE VILLE ÉCLECTIQUE

Ce qui frappe, lorsqu'on découvre Buenos Aires, c'est la densité de la circulation qui y règne. Il est vrai que la capitale, qui compte quelque 12 millions d'habitants avec ses banlieues, donne l'impression d'être envahie par des véhicules de toutes sortes. Construite à la limite de la pampa, Buenos Aires est une ville presque plate, où la promenade n'est guère fatigante. Le plan de la capitale est conçu sur le modèle nord-américain : rues se coupant à angle droit et *manzanas* (« pâtés de maisons ») dont les numéros se suivent.

Voilà maintenant quelques siècles qu'en dépit de leur nom, les *Porteños* ne se tournent plus guère vers l'océan pour y chercher leurs origines lointaines. Chez eux, le sentiment d'appartenance à la nation argentine, si précaire soit-il, n'en est pas moins fort ancien. Et si tous les *Porteños* prennent Paris comme référence en matière de mode vestimentaire et l'Europe comme modèle en matière de qualité de vie, rares sont ceux qui choisiraient d'habiter ailleurs qu'à Buenos Aires. Natif de cette « ville de la nostalgie », le grand écrivain argentin Jorge Luis Borges en parlait ainsi : « *Pas de commencement possible à Buenos Aires. Je le sens éternel comme l'eau, comme l'air.* »

Pages récédentes; à Buenos Aires, l'extrémité le l'Avenida de Julio se fond dans le cobalt du Río de la Plata. gauche, un renadier de la Casa Rosada, la ésidence du président de la république Argentine.

Les premiers temps

Pourtant, Buenos Aires a eu un commencement, même si les historiens sont en désaccord sur la date de sa fondation et l'identité de son fondateur. Ce qui est certain, c'est qu'en février 1516, Juan Díaz de Solís atteignit un vaste estuaire qu'il prit pour un détroit menant au Pacifique – donc aux Indes – et qu'il débarqua sur l'île de Martín García, non loin de l'embouchure du Paraná. Il baptisa *Mar Dulce* l'immense étendue d'eau douce qu'il avait découverte, sur la rive sud de laquelle s'élève Buenos Aires. La couleur

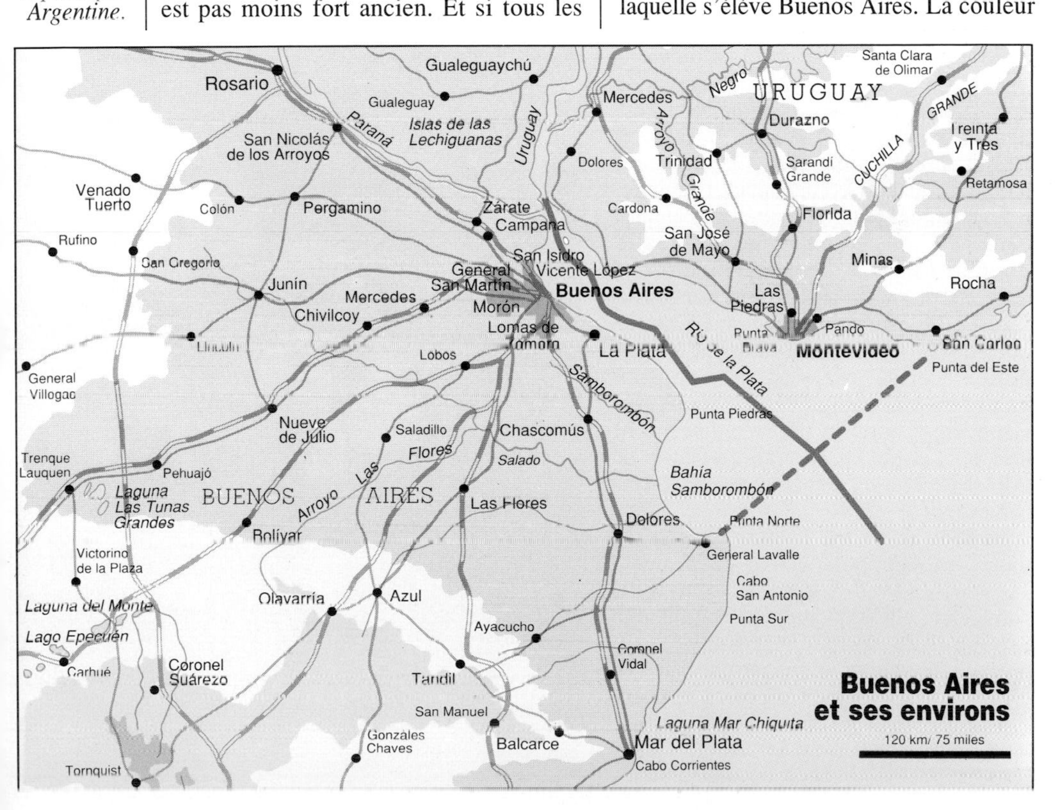

fauve des alluvions charriées par le Paraná et la majesté du lieu poussèrent Solís à donner un autre nom à l'estuaire : la « mer du Lion ». De retour en Espagne, les survivants de l'expédition le baptisèrent « Río de la Plata ».

Le 3 février 1536, Pedro de Mendoza fondait officiellement, pour le compte de la couronne espagnole, la petite colonie de Nuestra Señora de Santa María del Buen Aire (on suppose que les forts vents qui soufflent dans la région ont inspiré la dernière partie du nom à Mendoza). Mendoza découvrit les vastes plaines de l'ouest de la capitale, dont le sol dépourvu de pierres et d'arbres est d'une fertilité inouïe, et les autochtones qui les peuplaient. Après cinq années d'une vie rendue difficile par les incessantes attaques des Indiens, les colons résolurent d'abandonner l'endroit. Ils remontèrent le cours du Paraná puis celui du Paraguay et fondèrent la ville d'Asunción, dans l'actuel État du Paraguay. Derrière eux, ils laissèrent quelques bovins et des chevaux qui se mirent à proliférer et devinrent plus tard le fondement même de l'économie argentine.

Il fallut attendre 1580 pour qu'un *mestizo* d'Asunción, Juan de Garay, fonde une seconde colonie espagnole sur le site de l'ancienne Santa María del Buen Aire. Les 70 hommes qui l'accompagnaient édifièrent un fort commandant l'estuaire, à l'ouest duquel ils délimitèrent l'emplacement d'une grand-place, l'actuelle Plaza de Mayo. A l'extrémité sud-ouest, ils construisirent le Cabildo qui abrita l'assemblée municipale, et à l'angle nord-ouest, ils élevèrent une petite chapelle. Certes, des bâtiments plus modernes ont remplacé ces anciennes structures, mais la place conserve le même plan qu'à l'époque de Garay et elle reste le vrai centre nerveux de la capitale.

Buenos Aires est la plus récente de toutes les métropoles latino-américaines. Très à l'écart des grandes routes du commerce, elle a dû supporter un interdit espagnol qui empêchait son port de recevoir les importations européennes et d'exporter les métaux précieux extraits dans le Potosí et au Pérou. Les Portugais, les Français et surtout les Anglais tirèrent parti de l'absence de concurrents espagnols sur le Río de la Plata et ils y développèrent des relations commerciales illicites avec la petite colonie. C'est en grande partie à la contrebande que les habitants de Buenos Aires durent leur survie. En échange de produits manufacturés, les trafiquants repartaient chargés de peaux de bovins, de suif et de l'argent extrait des mines du Nord-Ouest. L'importation de matériaux de construction, dont la pampa est totalement privée, commença à se développer, accélérant la disparition des constructions de pisé et de paille.

En 1776, pour contrer les visées expansionnistes des autres puissances européennes, l'Espagne créait une entité composée de l'Argentine, de l'Uruguay, de la Bolivie, du Paraguay et du nord du Chili. Buenos Aires était la capitale de cette nouvelle vice-royauté. Forte du pouvoir judiciaire, financier et militaire que lui conférait son nouveau statut, la bourgade se mit à prospérer et devint une ville cosmopolite. En Amérique latine, à la même époque, seules Lima et Mexico dépassaient cette nouvelle puissance économique.

Quand l'ancien rencontre le moderne.

La population de Buenos Aires était habituée depuis longtemps à jouir d'une certaine indépendance financière et politique vis-à-vis de l'Espagne. Confrontés à deux agressions britanniques en 1806 et 1807, les *Porteños* ne purent compter que sur eux-mêmes pour défendre leur cité. Depuis lors, les drapeaux qu'ils ont arrachés aux Britanniques forment le fond du blason de Buenos Aires, sur lequel se détachent un rameau d'olivier, une palme et une épée. Les vaillants combats menés par la population contre l'envahisseur lui permirent de renforcer un sentiment nationaliste naissant.

Indépendance et croissance

En 1810, les habitants de Buenos Aires profitèrent des difficultés rencontrées par l'Espagne dans le conflit qui l'opposait à Napoléon pour accroître leur autonomie. Toutefois, c'est seulement en 1816 qu'ils purent proclamer l'indépendance du pays.

Au cours des décennies suivantes, les autorités de la ville s'épuisèrent à imposer leur pouvoir aux provinces. Dominé par Juan Manuel de Rosas, gouverneur de Buenos Aires de 1829 à 1852, le parti fédéraliste défendait l'indépendance des provinces et le pouvoir absolu de leurs gouverneurs. Au contraire, le parti unitaire qui parvint à la tête de l'État lors du renversement de Rosas, par le général Urquiza, cherchait à préserver la position privilégiée de Buenos Aires par rapport au reste du pays.

Buenos Aires, ou le mélange des genres...

En 1880, la création de la ville de La Plata permit à la province de Buenos Aires de se doter d'une capitale et à la ville de Buenos Aires de devenir la capitale de la fédération des provinces argentines. Sous la présidence de Rocas, le maire de Buenos Aires s'inspira de l'Europe, et plus particulièrement de Paris, pour modifier l'aspect de sa ville. Des centaines d'immeubles haussmanniens furent édifiés et, après l'assèchement de certaines portions de l'estuaire, de nouvelles banlieues résidentielles furent créées à l'emplacement qu'occupent les quartiers de Retiro, Recoleta et Palermo.

Cette époque s'est aussi caractérisée par l'amorce d'un vaste mouvement migratoire en provenance d'Europe. Les Italiens et les Espagnols étaient les plus nombreux. Suivirent les Allemands, les Polonais et les Britanniques, puis les Syriens et les Libanais, et enfin les Russes. Aux alentours de 1910, la population de Buenos Aires atteignait 1,3 million d'individus.

Dans le domaine de la littérature, du théâtre et de l'opéra, la renommée de Buenos Aires prenait une dimension internationale. Considérée comme le Paris de l'Amérique latine, la capitale drainait vers elle nombre de touristes nord-américains et européens.

La gloire de Buenos Aires s'est envolée. Au cours des vingt dernières années, la ville a même quitté le peloton des grandes métropoles cosmopolites. L'instabilité économique et politique du pays transparaît dans le paysage urbain, où abondent les façades lépreuses, les véhicules anciens et les terrains vagues. L'absence d'une politique d'urbanisation cohérente a suscité l'apparition de constructions hétéroclites, dont l'esthétique n'a manifestement pas été considérée comme une priorité.

Ancien et moderne

Buenos Aires n'est pas seulement la cité la plus peuplée d'Argentine, c'est également une des mégalopoles les plus vastes d'Amérique latine. Le centre de la capitale (district fédéral) couvre 200 km^2 et regroupe environ 3 millions d'habitants. Quant à l'ensemble de l'agglomération urbaine, elle s'étend sur plus de 2 900 km^2 et compte environ 12 millions d'habitants, soit un tiers de la population argentine.

Au nord et à l'est, Buenos Aires est délimitée par les eaux limoneuses du Río de la Plata et au sud, par le Riachuelo, un canal qui débouche sur les principaux bassins portuaires.

Mélangeant allègrement les genres, la ville est quadrillée à la fois par d'imposants boulevards et par d'étroites venelles pavées. Le centre est occupé par des terrasses de cafés, de charmantes boutiques, des restaurants sobres et élégants, de majestueuses salles de cinéma et de théâtre. Dans les quartiers résidentiels, les riches façades de vieux immeubles, dont les appartements s'ouvrent par des portes-fenêtres sur des balcons fleuris, voisinent avec des constructions modernes de cinq à onze étages dont les logements donnent par des baies vitrées sur des terrasses bétonnées. Les rues sont bordées de sycomores et de *tipuanas*, à l'ombre desquels les enfants jouent au football. La ville regorge de parcs et de squares où l'on peut, dès l'arrivée des beaux jours, faire son jogging matinal ou se reposer à côté des vieux joueurs de *truco* (jeu de cartes) et d'échecs.

La ville des « barrios »

Buenos Aires est divisée en 46 *barrios* (« quartiers ») qui possèdent tous une personnalité différente. A quelques exceptions près, ces quartiers sont conçus sur le même modèle : une église au centre d'une place entourée d'un damier de rues. La plupart des quartiers disposent d'une grande rue marchande avec un centre commercial à deux niveaux, une boucherie, une boulangerie et un magasin de primeurs. L'infrastructure de loisirs se

Les tours de la zone portuaire.

compose souvent d'une salle de sports et d'un cinéma ; la restauration se limite à une pizzeria et un glacier.

Le plan d'ensemble de Buenos Aires est assez simple. La ville se divise en quatre grandes zones. L'angle nord-ouest de la Plaza de Mayo marque le début de l'Avenida Presidente Roque Sáenz-Peña et l'angle sud-ouest, celui de l'Avenida Julio Roca, qui brisent toutes deux de leurs diagonales opposées le damier régulier des rues avoisinantes : c'est entre ces deux artères que s'étend le quartier le plus animé de la capitale, à partir duquel on distingue les trois autres zones. Au sud, la partie la plus ancienne de Buenos Aires – les quartiers de San Telmo et La Boca – où vit la population ouvrière et une partie de la classe moyenne. Au nord, les quartiers de Retiro, Recoleta et Palermo abritent les descendants des nantis qui les ont investis en 1870 pour échapper à une épidémie de fièvre jaune débutante. A l'ouest, la quatrième zone se compose des quartiers récents desservis par deux lignes ferroviaires : la ligne d'Once, qui longe l'Avenida Rivadavia, et la ligne de Retiro, qui suit le Río de la Plata en direction du nord-ouest.

Deux générations de Porteños *se retrouvent devant un café.*

Le centre de Buenos Aires

Chaque *barrio* étant équipé de structures commerciales qui lui permettent de vivre pratiquement en autarcie, les *Porteños* ne se rendent guère dans le *barrio* voisin, hormis pour y rendre visite à un ami. C'est vers le centre de la capitale que converge quotidiennement la majeure partie des *Porteños* qui habitent les *barrios* périphériques. Il s'agit en effet d'un quartier de bureaux, mais aussi de restaurants et de spectacles.

La population y est très composite ; on croise aussi bien des hommes d'affaires que des gens attirés par les librairies, les cinémas, les théâtres, les conversations autour d'un café, les places où l'on se rencontre : tout ce qui fait la vie culturelle et sociale d'une grande cité. Les *avenidas* (« avenues ») Florida et Corrientes ainsi que la *calle* (« rue ») Lavalle – toutes piétonnières – sont envahies de badauds.

Tigre
San Fernando
PILAR
ESCOBAR
Del Viso
TIGRE
SAN
FERNANDO
El Talar
San Isidro
Don Torcuato
SAN
ISIDRO
Villa de Mayo
BOULOGNE
GENERAL
SARMIENTO
José C. Paz
Reconquista
Campo de Mayo
VILLA JOSÉ
L. SUAREZ
General Sarmiento
(San Miguel)
GENERAL
SAN
MARTIN
VILLA
BALLESTER
Bella
Vista
Arroyo Las Catonas
VILLA
BOSCH
Caseros
MORENO
Avenida General Paz
BUENOS
AIRES
DISTRITO
FEDERAL
MORÓN
Moreno
Reconquista
Merlo
General San Martín
Morón
San Justo
Av. Juan B. Alberti
Camino de Cintura
Libertad
MERLO
MATANZA
Pontevedra
Laferrere
Arroyo el Pantanoso
Matanza
Autopista TTE. General
Marcos Paz
MARCOS PAZ
Aéroport
international
d'Ezeiza

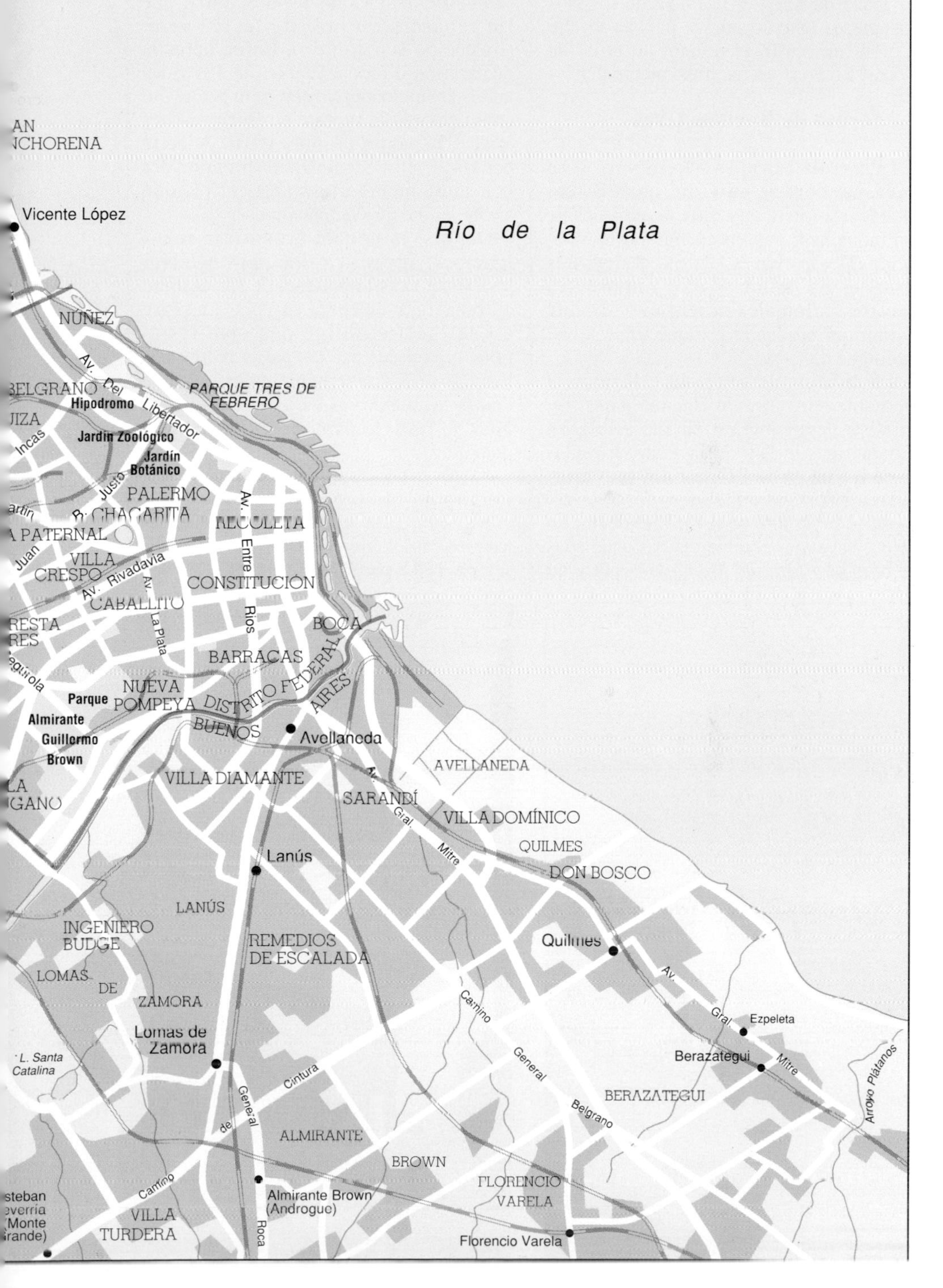

Buenos Aires
8 km/ 5 miles
Río de la Plata
Vicente López
NÚÑEZ
PARQUE TRES DE FEBRERO
Av. Del Libertador
Hipodromo
Jardín Zoológico
Jardín Botánico
PALERMO
CHACARITA
RECOLETA
PATERNAL
VILLA CRESPO
Av. Rivadavia
CABALLITO
CONSTITUCIÓN
Av. Entre Ríos
Av. La Plata
BOCA
BARRACAS
NUEVA POMPEYA
DISTRITO FEDERAL
BUENOS AIRES
Parque Almirante Guillermo Brown
Avellaneda
AVELLANEDA
VILLA DIAMANTE
SARANDÍ
Av. Gral. Mitre
VILLA DOMÍNICO
QUILMES
DON BOSCO
Lanús
LANÚS
INGENIERO BUDGE
REMEDIOS DE ESCALADA
LOMAS DE ZAMORA
Lomas de Zamora
L. Santa Catalina
Quilmes
Ezpeleta
Berazategui
BERAZATEGUI
Arroyo Plátanos
Camino General Belgrano
Camino de Cintura
General Roca
ALMIRANTE BROWN
Almirante Brown (Androgue)
FLORENCIO VARELA
Florencio Varela
VILLA TURDERA

Une visite rapide du centre de Buenos Aires conduit, en deux bonnes heures, de la Plaza de Mayo à la Plaza de los Dos Congresos (axe est-ouest), puis au théâtre Colón (au nord), et revient au point de départ à travers les quartiers piétonniers.

Le forum de Buenos Aires

La **Plaza de Mayo** (« place de mai ») se présente comme un vaste quadrilatère orienté est-ouest, au centre duquel s'élève un monument improprement appelé pyramide. Des parterres fleuris, d'élégantes rangées de palmiers et d'imposantes façades coloniales ornent ce véritable forum qui concentre presque toute la vie politique du pays.

La création de cette place marque la véritable naissance de Buenos Aires. En 1580, à l'extrémité est du site actuel, un fort gardait le Río de la Plata. L'esplanade à l'ouest de l'édifice fut tout naturellement baptisée *Plaza del Fuerte* (« place de la forteresse »). Elle devint un lieu d'échanges commerciaux connu sous le nom de *Plaza del Mercado* (« place du marché »). En hommage aux mouvements de résistance qui mirent fin aux offensives britanniques de 1806 et 1807, elle fut rebaptisée *Plaza de la Victoria* (« place de la victoire »). Enfin, après la déclaration d'indépendance de 1816, les autorités lui donnèrent son nom actuel qui commémorait la rupture de Buenos Aires avec l'Espagne en mai 1810. A cette occasion, elle accueillit le premier des rassemblements qui marquent chaque année la fête de l'indépendance.

Depuis, le peuple argentin a régulièrement investi ce lieu pour célébrer les événements importants de son histoire ou pour faire entendre sa voix. La place est le théâtre obligé des manifestations organisées par les partis politiques, les autorités gouvernementales, les instances syndicales et l'Église elle-même, pour y faire la démonstration de leur pouvoir.

Parmi les événements récents dont fut témoin la Plaza de Mayo, les plus marquants sont sans doute les gigantesques rassemblements ouvriers organisés en 1945 par Eva Perón dans le but

A gauche, la Casa Rosada ; ci-dessous, la cathédrale de Buenos Aires, dont la façade s'inspire de l'Assemblée nationale à Paris.

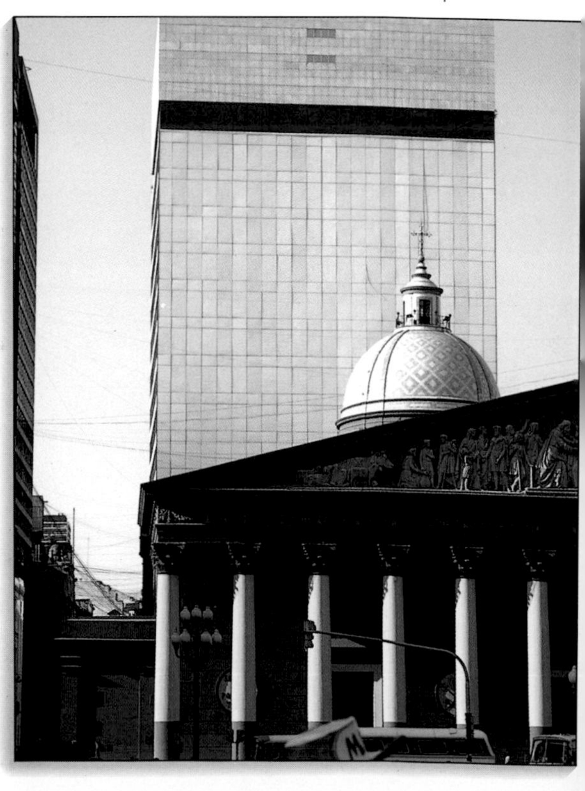

d'obtenir le retour de son époux. Dix ans plus tard, lors du coup d'État militaire qui mit provisoirement fin au pouvoir de Perón, les forces aériennes la bombardèrent alors que des centaines de milliers de péronistes se mobilisaient pour défendre leur héros. En 1982, la foule envahit la place pour acclamer le débarquement de troupes argentines aux Malouines, ordonné par le général Galtieri. Quelques mois plus tard, la foule se pressait au même endroit, menaçant de mort les responsables militaires qui l'avait abusée en lui promettant la défaite des Britanniques. En 1987, quelque 800 000 *Porteños* se massèrent sur la place pour protester contre la rébellion des militaires qui refusaient les procès pour atteinte aux droits de l'homme. De la même façon, en 1989, à l'époque des fêtes de fin d'année, la population se réunit à nouveau pour clamer son indignation devant l'amnistie accordée par le président Menem aux responsables des juntes qui avaient ensanglanté le pays pendant la décennie précédente.

Mais les rassemblements les plus émouvants et les plus connus en Occident sont sans conteste ceux des Folles de mai, ces mères et grands-mères qui défilent tous les jeudis en demandant des nouvelles des disparus dont, à ce jour, elles ne savent toujours rien ; par ailleurs, ces femmes s'obstinent à réclamer que justice soit faite et que les auteurs des enlèvements, des viols et des tortures dont ont été victimes leurs enfants et leurs petits-enfants soient jugés et sanctionnés à la mesure de leurs crimes.

Les symboles du pouvoir civil

La Plaza de Mayo est délimitée à l'est par la **Casa Rosada** (« maison rose »), où réside le chef de l'État argentin. A l'origine, sur l'emplacement de la Casa Rosada, se dressait le fort qui dominait le Río de la Plata dont le lit occupait l'actuelle Plaza Colón (« place Christophe Colomb »). Détruit en 1855, le fort a été remplacé par une construction qui abrita d'abord le service des postes argentines, puis le gouvernement. En 1882, un édifice

L'élégance andalouse du Cabildo.

Cancha de Polo
Av. Bulrich
Demaria
Juncal
Darragueyra
Av. Sarmiento
del Libertador
Av. Casares
Rep. India
Cerviño
Cabello
Ugarteche
J. Salguero
Paunero
Av. Ocampo
Castilla
Av. Pte. F. Alcorta
Austria
Museo de Bellas Artes
Av. del Libertador
Mto. a Carlos M. de Alvear
Alvear Palace Hotel
Av. Bonpland
Fitz Roy
PALERMO
JARDÍN ZOOLÓGICO
Santa Fe
Plaza Italia
Gral. Las Heras
JARDÍN BOTÁNICO
French
Juncal
Arenales
PARQUE
Diaz
Pacheco de Melo
Antiguo Convento de los Recoletos
Basílica Menor de Nuestra Señora del Pilar
Cementerio de la Recoleta
Av. Gral. Las Heras
P. de Melo
V. Lopez
Jockey Club
Av. Juan B. Justo
Cruz
Darragueyra
Godoy
Serrano
Gurruchaga
Nicaragua
Soler
Malabia
Caning
Charcas
Paraguay
J. Salguero
Bulnes
Cnel. Diaz
RECOLETA
Austria
Juncal
Arenales
Av. Pueyrredon
Azcuenaga
Av. Callao
Plaza V. López
Arenales
Avenida
PALERMO
Uriarte
Honduras
J. A. Cabrera
Av.
Avenida
J. Alvarez
Lavalleja
El Salvador
Honduras
Gorriti
F. A. de Figueroa
Av. Billinghurst
Soler
J. A. Cabrera
AGUERO
Aguero
Laprida
Santa Fe
Juncal
Arenales
Av.
Santa
Teatro Nacional Cervantes
Córdoba
Argañaraz
Israel
Castillo
Loyola
Av.
Cordoba
San Luis
Tucuman
Lavalle
Guardia Vieja
Pueyrredon
Paraguay
Av. Cordoba
Viamonte
Tucuman
Lavalle
Callao
Plaza Gral. Lavalle
Palacio de Justicia
Obelisco
9 DE
Guardia Vieja
Av. Corrientes
de
MEDRANO
Av. Corrientes
Av. Corrientes
Museo de Arte Moderno
Uruguay
Av. Estado
Rio de Janeiro
Lambare
Sarmiento
Salguero
Mario Bravo
V. Gomez
Aguero
Sarmiento
Cangallo
BALVANERA
Mto. a los Dos Congresos
Bartolome Mitre
Plaza del Congreso
Av. de
AV. DE
Palacio del Congreso Nacional
PARQUE DEL CENTENARIO
Velez
Plaza de Miserere
Av. Rivadavia
Diaz
ALMAGRO
Rivadavia
MISERERE
H. Yrigoyen
Pichincha
Matheu
Alsina
Moreno
Pte. L. Saenz
Belgrano
Av.
Campichuelo
Ambrosetti
Av. Rio de Janeiro
Bartolome Mitre
Avellaneda
Av.
Av.
H.Yrigoyen
Alsina
Moreno
Catamarca
Jujuy
Saavedra
Av.
Venezuela
Mexico
Chile
Sarandi
Combate de los Pozos
Entre Rios
Chile
Independencia
Peña
Acoyte
Av. H. Yrigoyen
Av. Belgrano
Venezuela
Rivadavia
Av.
Venezuela
Boedo
S. de Loria
Mexico
Independencia
Av. Estados Unidos
Carlos Calvo
Jujuy
Saavedra
Matheu
Pichincha
Humberto I
Virrey Cevallos
PARQUE RIVADAVIA
Mexico
Av.
Av. la Plata
Av. San Juan
URQUIZA
Oruro
Estados Unidos
Alberdi
CABALLITO
Av. J. B. Alberdi
Jose
Av. C. Calvo
Av.
SAN CRISTOBAL
Pavon
Av. Juan de Garay
Entre Rios
Av. Pedro Goyena
Av. San Juan
Directorio
Inclan
P. Echague
Pavon
Chiclana
Oruro
Salcedo
Brasil
PARQUE PATRICIOS
AV. JOSE M. MORENO
Av.
BOEDO
M.
Av. Asamblea
Av. Pavon
Juan de Garay
Inclan
Monteagudo
Echague
Catamarca
Jujuy
Pichincha
Matheu
Santa Cruz
Caseros
PARQUE AMEGHINO
Av. Juan la Plata
Santander
Inclan
Trenta y Tres
Salcedo
Boedo
Av. P.
La Rioja
Rondeau
Luca
Patagones
Labarden
Luna
M. Garcia
Bell Ville
Moreno
Balbastro
Plata
Rondeau
Av.
PARQUE PATRICIOS

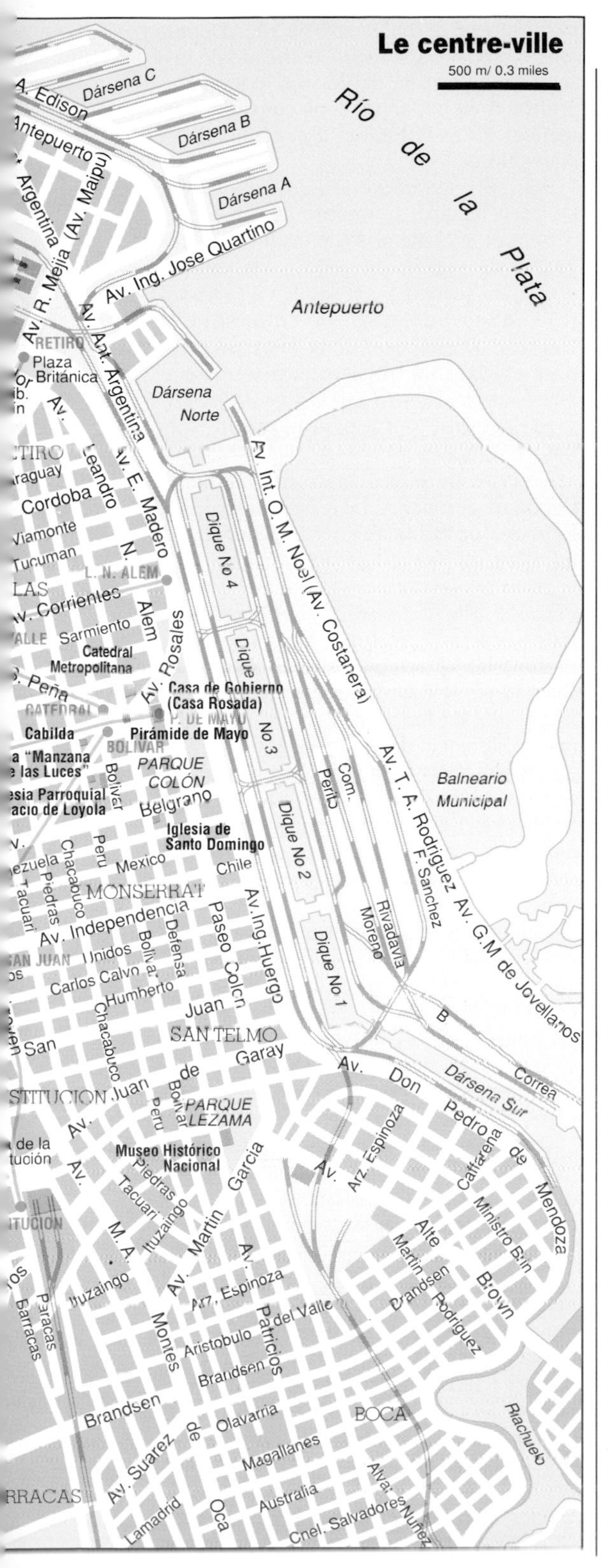

identique fut ajouté dans l'alignement du premier mais séparé de lui. Une partie centrale réunit ensuite les deux corps de bâtiment. C'est le président Sarmiento (1868-1874) qui avait décidé de donner à la première résidence la couleur qui lui a valu son nom. Ce rose très particulier a été obtenu à partir d'un mélange de graisse et de sang de bœuf additionné de citron vert. Le sous-sol de l'aile droite abrite un petit **musée** où sont exposés des objets ayant appartenu aux hommes d'État du pays.

Un régiment de grenadiers assure la garde de la Casa Rosada. Cette unité d'élite fut créée sur ordre du général San Martín. Depuis l'époque des guerres d'indépendance, l'uniforme bleu et rouge des soldats est resté le même. Tous les jours vers 11 h et 19 h, les grenadiers abaissent les couleurs devant le palais présidentiel au cours de la relève de la garde. A l'occasion des grandes fêtes nationales, ils défilent à cheval dans la capitale et ils escortent le président de la République dans toutes ses apparitions officielles.

Sur le côté ouest de la Plaza de Mayo un autre édifice a joué un rôle déterminant dans l'histoire du pays: le **Cabildo** (« hôtel de ville »). Ce monument fait l'objet d'une véritable dévotion de la part des Argentins; lorsqu'ils le visitent, les enfants des écoles apprennent comment, en 1810, 251 notables de Buenos Aires décidèrent de déposer le vice-roi, marquant ainsi les débuts de l'indépendance argentine.

Depuis 1580, les autorités municipales ont toujours siégé à cet emplacement. A l'origine, il s'agissait d'une simple construction de torchis qui abritait une salle de réunion et une geôle. Commencé en 1725, le nouveau Cabildo a été achevé en 1751. Il a été conçu par un architecte italien qui était en même temps un frère jésuite: Andrés Bianchi, plus connu sous son patronyme hispanisé de Blanqui. La tour ajoutée en 1765 a été démolie à la fin du XVIIIe siècle car le Cabildo risquait de s'effondrer sous son poids. De même, les arcades latérales qui le prolongeaient ont disparu à la fin du XIXe siècle, lorsqu'on aménagea l'Avenida de Mayo. En 1932, les dimensions du Cabildo ont encore été réduites en

LE POUVOIR DE LA RUE

Pour de nombreux *Porteños*, le dimanche pascal de 1987 reste une date mémorable. En effet, ce jour-là, le repas de fête fut interrompu par l'annonce d'un soulèvement militaire. Aussitôt la nouvelle connue, les habitants de la capitale se rassemblèrent sur la Plaza de Mayo pour manifester leur soutien à la démocratie. Dans le discours qu'il adressa à la foule, le président Alfonsín annonçait qu'il allait négocier avec les mutins et demandait à ses concitoyens d'occuper la place jusqu'à ce qu'il y réapparaisse. Sur fond de roulements de tambours et de coups de sifflets, les manifestants déployèrent drapeaux argentins et banderoles, puis se mirent à sauter sur place en criant : *El que no salta es un militar !* (« Celui qui ne saute pas est un militaire ! ») Lorsque les mutins déposèrent les armes, en fin de journée, la plupart des *Porteños* étaient convaincus que leur gigantesque manifestation avait joué un rôle déterminant dans cet épilogue.

A Buenos Aires, une tradition déjà ancienne veut qu'une large part de la vie politique se déroule dans la rue. Depuis longtemps, la capitale est le théâtre de rassemblements et de défilés qui, comme les graffiti dont ses murs sont couverts, permettent à ses habitants d'exprimer leurs convictions.

Pour les manifestants de tous bords, l'espace occupé, l'emplacement des banderoles et le contenu des mots d'ordre sont autant de signifiants. Dans un secteur donné, on scandera son soutien à l'opposition, dans un autre on entonnera la *Gloriosa JP*, le chant de la Jeunesse péroniste et, dans un troisième, on se rassemblera autour d'un *El pueblo unido jamás será vencido !* (« Le peuple uni ne sera jamais vaincu ! »).

Ce type de manifestations remonte à l'époque péroniste. Le 17 octobre 1945, l'épouse de celui qui n'était encore que ministre du Travail et de la Prévoyance appelait les ouvriers à se rassembler sur la Plaza de Mayo et à exiger la libération de leur sauveur. Une foule de petites gens quittait les quartiers pauvres du sud de Buenos Aires pour gagner le centre. Sous la présidence de Perón, la pratique des rassemblements devint une véritable institution qui obéissait toujours au même scénario : du balcon de la Casa Rosada, le chef de l'État haranguait ses partisans qui lui hurlaient leur soutien à pleins poumons en frappant sur des *bombos* (« tambours »).

Dans un pays où le droit de vote n'est pas inviolable et où les complots de sérail sont fréquents, descendre dans la rue constitue la forme principale d'expression du peuple. C'est donc sciemment – et violemment – que les juntes qui ont succédé à Perón réprimaient tout rassemblement.

Quand les manifestations devinrent trop risquées, on leur substitua les graffiti qui se sont particulièrement développés entre la deuxième et la troisième présidence de Perón.

Depuis lors, la guerre des graffiti est une composante majeure de la vie politique du pays. Dans les années 70, les « A bas la dictature ! » et les « Où sont les disparus ? » des démocrates répondaient aux « Mort aux subversifs ! » des paramilitaires. A l'heure actuelle, les slogans sont davantage centrés sur les questions économiques, bien que les traditionnels appels à voter pour X ou Y fassent toujours florès dans la capitale.

raison de la percée de l'Avenida Julio Roca. Depuis, il a conservé les mêmes caractéristiques architecturales : deux rangées superposées de cinq arcades, un gracieux balcon à l'étage et une tour carrée centrale.

Cette élégante construction abrite un **musée de la Révolution de mai** où sont exposés du mobilier et des objets de la vie quotidienne à l'époque coloniale. Quand le temps s'y prête, les autorités de Buenos Aires organisent des représentations théâtrales en plein air dans le patio du Cabildo.

De l'autre côté de l'Avenida de Mayo, en direction du nord, se dresse la façade richement ornée du **Consejo Municipal** (« conseil municipal »), dont la tour renferme une célèbre cloche pentagonale.

L'Église et l'État

Sur le côté nord de la Plaza de Mayo, la **cathédrale** de Buenos Aires abrite l'archevêché. Sa présence à un endroit aussi fortement marqué par la politique revêt une importance particulière. En effet, l'Église est un élément fondamental de la société argentine. Et l'un des premiers édifices bâtis sur l'ancienne Plaza del Fuerte fut une petite chapelle, à l'emplacement de laquelle on peut voir la cathédrale.

Avant de présenter son aspect actuel, la cathédrale connut de multiples avatars. En 1692, un sanctuaire à trois nefs resta dépourvu de porche et de tours jusqu'en 1727. Cette année-là, un architecte étranger dont le nom n'est pas passé à la postérité fit ajouter une façade et des tours latérales, dont le poids provoqua l'effondrement partiel de la cathédrale en 1752. En 1754, un architecte savoyard, Antonio Masella, fit construire un nouvel édifice à trois nefs et chapelles latérales, surmonté d'une coupole qui se lézarda rapidement. En 1778, le porche et les tours qui avaient échappé à la catastrophe de 1752 furent démolis et la cathédrale fut à nouveau privée de façade. Sous la brève présidence de Rivadavia (1826-1827), qui admirait beaucoup la façade du palais Bourbon de Paris, un ingénieur français, Prosper Catelin, fut chargé d'en réaliser une imitation.

Aujourd'hui, la façade présente un sobre portique de douze colonnes corinthiennes – symbole des douze apôtres –, surmonté d'un fronton décoré en 1867 par un autre Français, le sculpteur Dubourdieu. Les hauts-reliefs illustrent les retrouvailles de Joseph et de son père Jacob à la cour de Pharaon.

Les proportions des trois nefs voûtées sont harmonieuses. Relativement modernes, la peinture grise et les azulejos (carreaux de faïence émaillée et peinte) de la coupole ternissent malheureusement l'éclat du lieu. Le retable du maître-autel, œuvre de l'Espagnol Isidro Lorca, date du XVIIIe siècle. On doit celui de la *Vierge des Sept Douleurs* – dominé par une célèbre statue d'ange – à Juan Antonio Hernández qui vécut à la fin du XVIIIe et au début du XIXe siècle. Les murs sont ornés de peintures, dont certaines sont attribuées à Rubens, et de boiseries sculptées par le Portugais Manuel de Coyte. Le même artiste est l'auteur du *Saint Christ de Buenos Aires*, une superbe statue du XVIIe siècle visible dans le croisillon droit du transept.

A gauche, joueurs de bombos *dans la foule des manifestants ; à droite, la perspective de l'Avenida de Mayo, avec au fond la résidence présidentielle.*

La cathédrale abrite également le tombeau de San Martín, qui mourut en 1850 à Boulogne-sur-Mer, au cours de son exil volontaire.

L'angle nord-est de la Plaza de Mayo est occupé par le **Banco de la Nación Argentina** (« banque de la nation argentine »). Cet imposant édifice de pierre et de marbre fut inauguré en 1888. Le premier théâtre Colón, qui s'élevait à cet endroit, a été reconstruit sur la Plaza Lavalle où il a rouvert ses portes en 1908.

Une architecture éclectique

L'**Avenida de Mayo**, qui relie la place du même nom à la Plaza de los Dos Congresos, offre une magnifique perspective sur l'ouest de la capitale. La promenade longe quinze *cuadras* – la *cuadra* représente le côté d'une *manzana*, c'est-à-dire environ 100 m – et pénètre au cœur même de Buenos Aires. Inaugurée en 1894, cette artère aux larges trottoirs jalonnés de lampadaires dorés est conçue sur le modèle espagnol. Elle est bordée de *confiterías* (« salons de thé »), de magasins de vêtements et de théâtres où se donnent des *zarzuelas*, ces opéras-comiques typiquement ibériques. Elle se caractérise par une superposition d'influences architecturales dont l'adaptation au goût argentin complique la description. Sur l'Avenida de Mayo comme dans de nombreux endroits de la capitale, les termes « néo-classique », « français », «italien» ou « Art nouveau » rendent compte fort imparfaitement du mélange stylistique qui caractérise chaque édifice.

L'Avenida de Mayo regroupe plusieurs restaurants renommés. Le **Pedemonte** est le plus ancien, puisqu'il remonte à la fin du XIXe siècle. A l'heure du déjeuner, il accueille les hauts fonctionnaires et les hommes politiques qui travaillent dans les environs.

Plus à l'ouest, au niveau de la *cuadra* qui porte les numéros 800 et suivants, le **Café Tortoni** est plutôt réservé aux hommes de lettres et aux intellectuels. Les petites tables rondes en marbre, les sièges de cuir rouge, les colonnes corinthiennes et la verrière peinte y créent une

A gauche, l'obélisque creux de l'Avenida 9 de Julio ; ci-dessous, le Penseur *de Rodin fait des émules...*

atmosphère propice à la détente et à la discussion. Une formation de jazz joue dans l'arrière-salle tous les soirs sauf le vendredi, où elle laisse place à des chanteurs de tango.

C'est sur l'Avenida de Mayo que l'on trouve les restaurants espagnols traditionnels. La *cuadra* qui porte les numéros 1 200 abrite **El Globo**, dont la *paella valenciana* et le *puchero* (« ragoût ») comptent parmi les meilleurs de la capitale. Moins cotés, d'autres établissements occupent la *cuadra* suivante.

L'avenue la plus large du monde

Sur l'Avenida de Mayo, au niveau de la *cuadra* qui porte les numéros 1 000, une autre belle perspective s'étire vers le nord. L'**Avenida 9 de Julio** est considérée par les Argentins comme la plus large du monde. Il est vrai que d'un trottoir à l'autre, elle couvre 140 m, et que tout ce qu'on y voit est de dimensions gigantesques : immeubles, panneaux d'affichage et *palos borrachos* (« arbres ivrognes ») aux opulentes fleurs roses et, au fond de la perspective, un obélisque concourt à donner cette impression de gigantisme.

En 1936, le gouvernement militaire ordonna la démolition des superbes demeures à la française des terrains que l'artère devait traverser et une grande partie de l'extrémité nord de l'avenue est occupée par des parcs de stationnement. Seule l'**ambassade de France** a échappé à la destruction, les occupants de l'époque ayant refusé de la quitter puisqu'elle était territoire français. Solitaire depuis la disparition des constructions voisines, elle dresse sa sobre silhouette blanche dans l'axe de l'avenue et du centre de la ville.

En 1936 également, la célébration du quatrième centenaire de la fondation de Buenos Aires a été marquée par l'érection d'un **obélisque** au carrefour des avenues 9 de Julio, Corrientes et Presidente Roque Sáenz-Peña – cette dernière est également nommée Diagonal Norte (« diagonale nord »). On prétend que le caractère phallique du monument suscita l'hilarité de nombreux

Jeunes Porteños *attablés à une terrasse.*

LA CUISINE ARGENTINE

On ne peut se rendre en Argentine sans goûter la cuisine locale qui est surtout à base de bœuf – le bœuf argentin compte parmi les meilleurs du monde – grillé (*churrasco*), rôti (*asado*), frit ou bouilli. Dans la capitale, les établissements où l'on consomme cette viande sont, bien sûr, innombrables. Chaque *manzana* (« pâté de maison ») du centre en compte au moins un, forcément équipé d'une *parrilla* (« gril »). Il faut y choisir en priorité un morceau de rumsteck, de bavette ou de filet, sans négliger toutefois saucisses et abats, que les restaurants proposent rarement en France.

Certains termes sont à savoir avant de franchir la porte d'un restaurant argentin. Le *bife* est un steak qui peut se présenter sous diverses formes : les plus courantes sont le *bife de costilla* et le *bife de chorizo*. Le premier est le T-bone des Nord-Américains (un os en forme de T sépare le filet du faux-filet). Quant au second, c'est un steak découpé dans l'entrecôte. Le morceau long et fin pris dans la côte se nomme *tira de asado* ; s'il est plus large, plus épais et s'il comporte plus d'os, il ne sera pas grillé à l'horizontale, mais à la verticale sur un *asador*.

Il faut aussi connaître le nom de certains plats à base de bœuf, comme le *matambre* (« coupe-faim ») qui désigne du bœuf mariné, farci de légumes et d'œufs durs, rôti et bouilli, et servi froid au début du repas, ou la *carbonada criolla*, un ragoût mijoté dans une écorce de courge.

Le *chorizo* est un saucisson épicé, la *salchicha* une saucisse longue, fine et légèrement plus douce, et la *morcilla* une sorte de boudin. La *parrillada mixta* est un mélange de grillades qui comprend, en outre, des *riñones* (« rognons »), des *mollejas* (« ris »), des *chinchulines* (« tripes » délicieuses quand elles sont bien croustillantes), des *ubres* (« pis de vache »), une tranche de *hígado* (« foie ») et, très souvent, quelques morceaux de poulet.

Dans la plupart des bons établissements, on trouvera du bœuf, mais aussi de la volaille, de l'agneau et du chevreau. Les pommes de terre frites et l'*ensalada criolla*, mélange de laitue, de tomates et d'oignons, constituent l'accompagnement classique. Et, pour arroser le tout, un vin rouge du Cuyo s'impose.

Il faut aussi goûter ces délicieux chaussons au rebord festonné qu'on appelle *empanadas*. Frits à l'huile ou cuits au four, ils sont généralement fourrés de viande hachée, mais aussi de poivrons ou de maïs. Selon la région qui a inspiré la recette, ils sont plus ou moins épicés et contiennent des condiments différents : oignons, olives, raisins secs, piment, paprika, cumin. On les sert en hors-d'œuvre ou comme amuse-gueule, toujours brûlants, très souvent avec du vin.

Les desserts ne figurent guère parmi les grandes réussites de la gastronomie argentine. Le *dulce de leche* (« confiture de lait »), le dessert argentin par excellence, se déguste pourtant avec plaisir. Il se prépare en faisant bouillir du lait sucré, qu'on baratte jusqu'à ce qu'il présente l'aspect d'une pâte couleur de caramel, dont la consistance est celle d'un miel épais. On le sert seul, en très petite quantité, ou en accompagnement d'une crème aux œufs. Grand pays d'élevage, l'Argentine produit des fromages, tel le *tafi* que l'on peut comparer au cantal, ou l'excellent *queso y membrillo*, un fromage servi avec de la pâte de coings ou des patates douces au sirop. La carte des desserts propose enfin des pêches cuites et de la salade de fruits. Les fruits tropicaux, variés à l'extrême, sont bien sûr utilisés en dessert, mais aussi en légume ou en salade, en jus et en gelée. Le dîner peut se conclure par un tradi-tionnel maté ou par un des excellents cafés qu'on consomme un peu partout dans la capitale.

Le maté est un arbrisseau appelé aussi *yerba mate,* ou « houx du Paraguay », qui pousse dans le Chaco et la Mésopotamie. A l'origine, les Indiens mastiquaient seulement les feuilles fraîches du maté. Ses feuilles séchées, torréfiées et pulvérisées donnent, en infusion, une boisson tonique, riche en caféine, qui porte aussi le nom de « maté », ou « thé des jésuites ». Cette infusion, consommée au Brésil, en Uruguay et en Argentine, où c'est la boisson nationale, peut être parfumée avec du citron, du lait ou de l'alcool. Comme pour le thé en Angleterre, la préparation du maté est un véritable rituel.

Porteños et que, pour cette raison, le conseil municipal vota sa démolition en 1939. Cette décision n'ayant pas été appliquée, on peut voir ce « rayon de soleil pétrifié » dominer la perspective de ses 67,5 m.

Pizzas, pigeons et politique

Dans sa portion finale, l'Avenida de Mayo traverse la **Plaza Lorca**, où trône une réplique du *Penseur* de Rodin. Deux *cuadras* plus loin, elle débouche sur la **Plaza de los Dos Congresos** (« place des deux congrès »), où se trouve le kilomètre zéro, à partir duquel on calcule les distances qui séparent chaque ville d'Argentine de la capitale. C'est là que, les soirs d'été, jeunes et vieux prennent le frais, mangent une pizza ou une glace et bavardent sur un banc au milieu des pigeons. Au centre de la place se dresse une fontaine musicale ornée de chevaux et d'angelots, dont les eaux cascadantes laissent s'échapper des accords de musique. La fontaine supporte un groupe allégorique représentant les Deux Congrès : l'assemblée de 1813 qui vota l'abolition de l'esclavage et celle de Tucumán auquel le pays doit son indépendance.

Surmonté d'un dôme recouvert de cuivre et haut de 85 m, le **Palacio del Congreso Nacional** (« palais du congrès national ») abrite le Sénat (aile sud) et la Chambre des députés (aile nord). L'austère ensemble de 1906 est bâti dans un style italianisant. Les séances parlementaires sont ouvertes au public muni de cartes de presse ou d'un laissez-passer accordé par un élu. Des visites guidées permettent de découvrir la décoration intérieure de l'édifice : gigantesques tableaux, statues de bronze et de marbre, luxueux tapis rouges, tentures de soie et boiseries sculptées. Le Congrès possède également une riche bibliothèque.

L'**Avenida Rivadavia**, qui prolonge l'Avenida de Mayo à l'ouest de la Plaza de los Dos Congresos, est la véritable épine dorsale de Buenos Aires. Lorsque les rues perpendiculaires la coupent, elles prennent un nom différent et la numérotation de leurs *cuadras* croît à mesure que

Le Portobello, un des restaurants de Buenos Aires.

celles-ci s'en éloignent. Les *Porteños*, qui s'enorgueillissent déjà de posséder l'avenue la plus large du monde, considèrent l'Avenida Rivadavia comme la plus longue.

A environ douze *cuadras* du début de l'avenue commence le quartier commerçant d'**Once** (« onze »). C'est dans ce vaste supermarché, où travaille une forte communauté de Juifs et de Coréens, qu'on trouve les vêtements et les équipements électroniques les moins chers de tout Buenos Aires. L'immense artère se poursuit à travers la banlieue et la campagne jusqu'à Luján, à 63 km plus à l'ouest. Sa réputation n'est donc pas totalement usurpée.

Aux premiers numéros de l'avenue, à l'angle de la Calle Ríobamba, s'élève l'annexe de la Chambre des députés. Engagée en 1973, la construction de ce bâtiment fut interrompue en raison du coup d'État militaire de 1976 ; elle a repris lors du retour de la démocratie en 1983 et a été achevée en 1984.

A l'angle de l'Avenida Rivadavia et de l'Avenida Callao qui file vers le nord de Buenos Aires, le **café El Molino** déploie tous les charmes du style Art nouveau. Depuis 1912, cet établissement voisin du Congrès accueille les élus de la nation et leurs collaborateurs.

Il est possible de se restaurer dans le quartier et d'y voir les élus qui ne sont pas au Molino, au **Quórum**, juste derrière l'annexe de la Chambre des députés, Calle Ríobamba. Au numéro 436 de l'Avenida Entre Ríos, qui prolonge l'Avenida Callao vers le sud, **La Cabaña** sert l'une des meilleures viandes de la ville, de délicieuses salades et de la viande hachée pour les enfants. Attention, ce restaurant pratique des prix exorbitants.

La « rue qui ne dort jamais »

Au bout de ses quatre premières *cuadras*, l'Avenida Callao est coupée par l'**Avenida Corrientes**, autre artère vitale de la capitale. Orientée est-ouest, cette avenue est souvent présentée aux touristes comme le Saint-Germain-des-Prés local ou comme la « rue qui ne dort jamais ».

Le Congreso, siège du Sénat et de la Chambre des députés.

Et en effet, néons, établissements de restauration rapide et salles de cinéma y sont légions. Ce quartier des spectacles est extrêmement intellectuel et raffiné. Une multitude de petites librairies, de *kioscos* (« kiosques ») surchargés de quotidiens, de magazines et de livres de poche l'animent, ainsi que de vieux cafés où les amis discutent entre eux. Quant aux cinéphiles, ils sont comblés par le vaste choix de films argentins et internationaux qui leur est proposé.

Les bouquinistes sont depuis toujours l'attraction principale de l'avenue Corrientes. On y vend aussi bien des livres d'occasion que des nouveautés, des titres introuvables que le dernier succès en librairie. Ouvertes après minuit, ces boutiques sont également un lieu de rendez-vous très prisé des *Porteños*.

Ce qui caractérise également l'avenue Corrientes et les rues adjacentes, c'est la vie des innombrables cafés. Parmi eux, les plus anciens se reconnaissent à de hautes fenêtres aux cadres de bois, tenues grandes ouvertes les soirs d'été. Assis près de l'une d'elles, le solitaire aura tout loisir d'écrire, de lire dans une atmosphère décontractée ou d'observer les passants. Les serveurs ne le pressent jamais de quitter sa table. Mais à Buenos Aires, aller au café signifie aussi chercher la convivialité. Même si l'on ne consomme qu'un *licuado* (« milk-shake » aux fruits), l'expression « prendre un café » signifie avant tout passer un bon moment avec quelqu'un. Pour goûter tout le charme de ces établissements en un seul et même endroit, il faut choisir **La Paz**, un café traditionnel à la clientèle estudiantine, qui occupe l'angle de l'Avenida Corrientes et de la Calle Montevideo.

La culture pour tous

Au 1532 de l'Avenida Corrientes, le **Théâtre municipal San Martín,** dans un immeuble de verre et de chrome inauguré en 1960, renferme cinq salles et accueille en moyenne 500 000 spectateurs par an. Son programme de concerts gratuits, de pièces de théâtre, de festivals cinématographiques

Une librairie de l'Avenida Corrientes.

et de conférences est d'une richesse inépuisable.

Juste derrière la *manzana* qui abrite le complexe, au 1 500 de l'Avenida Sarmiento, on peut visiter le **centre culturel San Martín** qui ressemble fortement au théâtre du même nom et qui, comme lui, propose des activités diverses et passionnantes. Au cinquième étage de l'immeuble, l'**Office du tourisme** de Buenos Aires délivre des invitations qui donnent droit à un circuit gratuit en autocar dans la ville.

A Buenos Aires, la gratuité des concerts, des séminaires et d'autres manifestations culturelles est une tradition très frappante. A la fin de la dictature, elle a pris un second souffle, en dépit des difficultés économiques de l'époque et, depuis, les libertés retrouvées ont accéléré le mouvement. Les deux centres évoqués plus haut seront un excellent moyen de découvrir quelques exemples de la production artistique contemporaine.

A la hauteur du 1 300 de la Calle Lavalle, à une *cuadra* au nord de l'avenue Corrientes, la **Plaza Lavalle** est également un haut lieu de Buenos Aires. C'est là que se dresse l'imposante façade du **palais de Justice**. A l'origine, la place servait de dépotoir aux bouchers qui y déchargeaient les carcasses des animaux dont seules les peaux avaient de la valeur. A la fin du XIXe siècle, elle fut occupée par la première gare ferroviaire, déplacée plus tard à Once.

Un temple de l'art lyrique

Le **théâtre Colón**, qu'on nomme aussi « Opéra de Buenos Aires », s'étend sur toute une *manzana*, bordée au nord par la Calle Viamonte, au sud par la Calle Lavalle, à l'est par l'Avenida 9 de Julio et à l'ouest par la Calle Libertad. A lui seul, il symbolise le raffinement culturel de Buenos Aires. La saison débute en mai et s'achève en octobre.

L'architecture sophistiquée de ce théâtre à l'italienne, son acoustique proche de la perfection et la qualité des chanteurs qui s'y sont produits – le grand Caruso, la Melba, la divine Callas, Joan

Le café La Paz, quartier général des poètes.

Sutherland, Domingo – lui ont valu une réputation mondiale. Il propose des opéras, des concerts donnés par l'orchestre symphonique d'Argentine et des spectacles de danse présentés par la troupe du ballet national.

L'édifice, inauguré le 25 mai 1908 avec la représentation d'*Aïda*, reprend le savant dosage de Renaissance italienne, de style français et de néo-classique qui caractérise de nombreux bâtiments de la capitale. Sa coupole a été peinte par un des plus grands artistes argentins, Raúl Soldi. Superbement décorée de moulures et de candélabres dorés, la salle peut contenir 3 500 spectateurs répartis sur l'orchestre, la corbeille, deux balcons, une galerie et un « poulailler » de deux niveaux. Montée sur un plateau pivotant qui permet de rapides changements de décor, la scène se ferme par un rideau festonné de broderies.

Le quartier piétonnier

Au 773 de la Calle Libertad, le **Musée juif** est consacré à l'histoire de la communauté juive d'Argentine. Elle compte aujourd'hui plus d'un million de personnes, qui en font la première d'Amérique latine.

Si l'on prend ensuite la Calle Lavalle vers l'est et que l'on traverse l'Avenida 9 de Julio, on pénètre dans un quartier réservé aux piétons pendant les horaires de bureau, le **Minicentro** (« minicentre »). Certaines portions des avenues Rivadavia, Leandro Alem et Córdoba sont également piétonnières dans la journée.

La **Calle Lavalle** est un agréable lieu de promenade citadine. Le soir, les couples y flânent en attendant la séance de cinéma, ou s'y attardent après avoir vu le film. Sur la longueur de quatre *cuadras*, la rue ne compte pas moins de dix-huit salles. On y trouve aussi des pizzerias, des cafés, des restaurants – dont **La Estancia** – et plusieurs galeries marchandes spécialisées dans le vêtement.

Mais c'est autour de l'**Avenida Florida**, à quatre *cuadras* plus à l'est, que les *Porteños* effectuent la plupart de leurs achats lorsqu'ils sont dans le centre de la ville, même si les prix y sont un peu plus

Le théâtre Colón, temple de l'art lyrique.

élevés qu'en périphérie. Les petites boutiques s'alignent de part et d'autre de galeries marchandes qui débouchent sur les rues parallèles. Elles proposent du prêt-à-porter, des objets et des vêtements de cuir – très bon marché lorsqu'on est étranger –, des jouets ou des souvenirs. La **Galería Pacífica**, qui relie la Calle Viamonte (à deux *cuadras* au nord de la Calle Lavalle) à l'Avenida Córdoba, compte parmi les plus célèbres du quartier. L'entrée se trouve au centre d'un bel immeuble fin de siècle italien, que son dôme peint à fresque a sauvé de la démolition ; les peintures sont l'œuvre d'artistes argentins : Castignano, Urruchua, Bern, Spilimbergo et Colmeiro.

Une foule compacte déambule sur l'avenue Florida, entre les musiciens, les mimes et autres bateleurs qui font de cet endroit une véritable salle de spectacles à ciel ouvert.

Nourritures spirituelles et terrestres

Au 340 de l'avenue Florida, la **librairie Ateneo** est sans doute la plus grande du pays. En remontant l'avenue Florida vers le nord, on traverse l'avenue Córdoba et on gagne la Calle Paraguay où, au 3431, **Kelly's** propose un grand choix d'objets d'artisanat à bas prix : des pantoufles en peau de mouton retournée, des ponchos et d'éclatantes écharpes multicolores en laine de lama, des ceintures de gaucho, des sacs en cuir et des assiettes de bois utilisées pour le barbecue.

L'avenue Florida compte de nombreux cafés, dont le plus traditionnel est le **Florida Garden**, à l'angle de la Calle Paraguay. Baraques de hamburgers, restaurants végétariens et glaciers jalonnent les dix *cuadras* de l'avenue.

Après avoir traversé la Calle Paraguay, la promenade se poursuit sur l'avenue Florida vers **Harrods**, l'un des rares grands magasins de Buenos Aires. La *cuadra* suivante abrite la **librairie Lincoln** de l'ambassade des États-Unis, qui vend des journaux et des livres américains. Enfin, au 1 000, la **galerie d'art de Ruth Benzacar** expose des œuvres d'artistes argentins contemporains.

L'Avenida Florida, une des voies piétonnières les plus achalandées de la capitale.

On rejoint la Plaza de Mayo en coupant par le quartier financier, au sud de l'avenue Corrientes. Les rues étroites qui le quadrillent sont bordées de banques et de bureaux de change. En semaine, elles sont peuplées d'hommes d'affaires et les seuls véhicules qui les sillonnent sont les camions des convoyeurs de fonds. En revanche, dès qu'arrive le vendredi soir, elles se vident au profit de l'avenue Florida et de la Calle Lavalle.

Les quartiers sud

Au XVIIe siècle, le développement économique et démographique de Buenos Aires a entraîné l'aménagement de nouveaux quartiers au sud de la ville. Cette zone résidentielle, qui compte parmi les plus anciennes de la capitale, comprend trois principaux centres d'intérêt : la Manzana de las Luces (« pâté de maison des lumières »), le quartier historique de San Telmo, habité par des artistes ou des antiquaires, et La Boca, à la pointe sud-est, célèbre pour ses maisonnettes peintes de couleurs vives – elles abritaient autrefois les dockers – et pour ses restaurants animés.

Des cabines téléphoniques facilement reconnaissables.

Légèrement au sud de la Plaza de Mayo, **la Manzana de las Luces** abrite des constructions jésuites du début du XVIIIe siècle – l'ancien collège et l'église San Ignacio – ainsi qu'un réseau de souterrains. Elle forme un quadrilatère bordé par les Calles Alsina au nord, Moreno au sud, Perú à l'ouest et Bolívar à l'est.

A la fin du XVIe siècle, l'Espagne fit don des terrains sur lesquels s'élève la *manzana* à la Compagnie de Jésus. En 1767, lors de la suppression de l'ordre (*cf.* p. 32), les autorités espagnoles reprirent leur présent. La répression qui s'abattit sur les jésuites laissa cependant intacts la plupart des édifices qu'ils avaient fondés.

Le Collège national de Buenos Aires, qui dépend de l'université de la capitale, occupe l'emplacement de l'ancien collège jésuite. Il a accueilli la plupart des intellectuels et des grands écrivains argentins.

Parmi les six églises coloniales de Buenos Aires, **San Ignacio** est la plus ancienne. Conçue par Juan Kraus, un architecte bavarois, elle a été construite

entre 1712 et 1734. En 1714, à la mort de Kraus, les travaux furent interrompus. Ils ont repris en 1720 sous la direction de Blanqui, remplacé en 1728 par Prímoli, lui-même remplacé en 1730 par Weger. Le plan reprend celui de l'église du Gesù à Rome. Seul le presbytère, carré selon la tradition espagnole, diffère de l'original romain qui est semicirculaire. De même, la façade est très italianisante : au centre, trois arcs en plein cintre, séparés par de hautes consoles renversées, flanqués de deux colonnes sur piédestal. L'ensemble est surmonté d'un couronnement ondulé et orné de vases aux angles. Deux sveltes tours se dressent de part et d'autre de la façade : celle de gauche est d'origine, celle de droite, édifiée par Felipe Senillosa, date du milieu du XIXe siècle.

L'église renferme quelques chefs-d'œuvre, tels un *Saint Jacques apôtre assis* sculpté au XVIIe siècle par l'Espagnol José Ferrero, et une toile d'un autre Espagnol, Miguel Ausell, représentant Saint Ignace. Le retable rococo du maître-autel a été sculpté par Isidro Lorea, à qui l'on doit aussi celui de la cathédrale de Buenos Aires.

Sous la *manzana* s'étendent des souterrains creusés aux XVIIe et XVIIIe siècles, utilisés pour la défense de la ville et pour la contrebande. Comme les autres curiosités du quartier, on peut les visiter en groupe tous les dimanches après-midi.

On rejoint ensuite la Calle Defensa (à une *cuadra* à l'est de la Calle Bolívar), qui relie la Plaza de Mayo à la Plaza Dorrego. Elle conduit vers le sud, dans le quartier de San Telmo. Chemin faisant, on pourra faire une halte à la **pharmacie Estrella** pour ses plafonds et ses murs du XIXe siècle décorés d'allégories évoquant le triomphe de la pharmacie sur la maladie.

Au premier étage de l'immeuble dont le rez-de-chaussée est occupé par la belle officine, le **musée de la Ville** (entrée Calle Alsina, 412) abrite des expositions temporaires consacrées à Buenos Aires.

En face, l'**église San Francisco**, qui appartient à l'ordre des franciscains, a été construite d'après les plans de Blanqui entre 1730 et 1754 et se caractérise par une très large nef couverte d'une voûte

Qui a dit que les Argentins ne mangeaient que du bœuf ?

en anse. En 1807, à la suite de l'effondrement de la façade, on fit appel à l'espagnol Tomás Toribio pour réaliser l'actuelle façade néo-classique. A l'intérieur, une tapisserie représentant la Vierge est tendue à l'emplacement de l'ancien maître-autel ; la chaire, d'Isidro Lorea, est remarquable. Sur le parvis de San Francisco la **chapelle San Roque** a été conçue en 1762 par Masella, l'architecte de la cathédrale de Buenos Aires.

En 1955, l'église et sa chapelle ont été endommagées par les péronistes engagés dans la lutte anticléricale (*cf.* p. 46). Depuis, d'habiles restaurations ont redonné à l'ensemble son ancienne apparence. La chapelle abrite une *Résurrection du Christ* de 1760, considérée comme le chef-d'œuvre de Miguel Ausell et deux retables sculptés de Gregorio Cañas.

Après avoir traversé l'avenue Belgrano, on atteint l'**église Santo Domingo**, dont la construction a été achevée en 1751. En 1806, les Britanniques qui s'y étaient réfugiés durent essuyer les tirs de l'artillerie *porteña*. Sur le clocher, dix-neuf chevilles de bois marquent les points d'impact des balles. L'église abrite la dépouille du général Belgrano, héros de l'indépendance argentine et créateur du drapeau national. Quant aux couleurs de l'ennemi, elles sont toujours exposées derrière l'autel consacré à la Vierge.

Art, architecture et antiquités

Comme Greenwich Village à New York ou le Marais à Paris, **San Telmo** était un quartier mal coté jusqu'aux années 60 ; il fut alors investi par des artistes et des intellectuels attirés par son caractère, son architecture et ses faibles loyers. Les logements insalubres furent transformés en ateliers, en restaurants et en magasins d'antiquités, et San Telmo devint un lieu de promenade très fréquenté sans perdre pour autant son charme ni son authenticité.

Au XVIIIe siècle, San Telmo était une simple halte destinée aux négociants qui allaient de la Plaza del Mercado aux entrepôts du bord du Riachuelo. Non loin de l'actuelle **Plaza Dorrego** s'élevait un dépôt où l'on vendait les marchandises débarquées sur le port. Dans les rues avoisinantes, de nombreuses *pulperías* (un compromis entre la taverne et l'épicerie) accueillirent bientôt les chalands. La population du quartier se composait d'Irlandais, de Noirs, et de marins génois dont le gosier perpétuellement asséché fit la célébrité des *pulperías*.

Au XIXe siècle, les familles patriciennes de la capitale firent édifier leur demeure dans la **Calle Defensa**. Les façades des maisons coloniales de San Telmo sont très variées car elles s'inspirent des styles qui ont déferlé sur la ville à cette époque. En revanche, leur plan type est moins imaginatif : trois patios en enfilade ; autour du premier s'organisaient les appartements des maîtres, autour du deuxième les locaux utilitaires et autour du dernier les bâtiments réservés aux animaux. En raison de leur structure allongée, on surnommait ces demeures *chorizos* (« saucisses »).

Vers 1870, une épidémie de fièvre jaune atteignit le quartier. Fuyant les miasmes mortels, les plus nantis s'établirent au sud-ouest, dans la zone voisine de l'actuel Congreso, et au nord, dans le quartier de Recoleta.

La pharmacie Estrella et ses allégories aux thèmes médicaux.

Jusqu'à la fin des années 20, San Telmo accueillit des immigrants peu fortunés, dont la grande majorité venait d'Italie. Afin de fournir à ces familles un hébergement dans leur nouvelle patrie, on transforma les anciennes demeures de l'aristocratie *porteña* en *conventillos* (appartements d'une seule pièce donnant sur un patio).

Bars à tango et bons restaurants

A l'intersection de la Calle Defensa et de la Calle Chile, prendre cette dernière pour pénétrer dans le cœur de San Telmo. Le quartier regroupe plusieurs bars à tango : **La Casa Rosada** (Calle Chile, 318) et son voisin, **La Casa Blanca** ; l'un des plus anciens, le **Michelangelo**, est au 4332 de la Calle Balcarce, à une *cuadra* à l'est de la Calle Defensa. Quant au célèbre **Viejo Almacén**, il est aménagé au croisement de la Calle Balcarce et de l'Avenida Independencia (à une *cuadra* au sud de la Calle Chile), dans un immeuble du début du XIXe siècle qui servait d'hôpital à l'occupant britannique.

Un exemple de conventillo.

Non loin du croisement de la Calle Chile et de la Calle Balcarce, la rue pavée **San Lorenzo** est bordée de belles demeures anciennes dont certaines ont été reconverties en boîtes de nuit. Les autres immeubles abritent des ateliers de peintres, des boutiques et des appartements orientés autour de leurs patios. Au 317, une maison du XVIIIe siècle a gardé ses plafonds de brique et de bois.

Après avoir traversé l'Avenida Independencia, poursuivre dans la Calle Balcarce, sur laquelle débouche le **passage Guifra**, où s'élevaient jadis les *pulperías* du quartier. A une *cuadra* plus au sud, une autre rue pavée, la **Calle Carlos Calvo**, a conservé ses maisons coloniales.

Des restaurants typiques bordent la Calle Carlos Clavo. **Le Comité** et **La Casa de Esteban Lucas** occupent l'angle de la venelle et de la Calle Defensa. Plus à l'ouest, **El Respecho** est réputé pour ses prix élevés ; il est aménagé dans l'une des rares demeures coloniales qui aient échappé à des restaurations importantes. Ses lourds meubles coloniaux et ses murs richement décorés rappellent l'époque du vieux Buenos Aires.

De retour dans la Calle Balcarce, la promenade se poursuit vers le sud et rejoint la **maison de Castignano**, le peintre qui a contribué à décorer les plafonds de la galerie Pacífica, avenue Florida, dans les années 50. Depuis sa disparition, son fils a transformé la vieille demeure en musée consacré à l'œuvre de l'artiste.

Au milieu de la *cuadra* suivante, vers l'est, un *conventillo* a été aménagé en village de peintres. Il abrite deux niveaux d'ateliers (ouverts au public) qui donnent sur un patio décoré de plantes vertes.

On tourne ensuite à droite, dans la **Calle Humberto I** (prononcer « primero »), où l'on peut voir l'**église San Pedro Gonzales**, de la fin du XVIIIe siècle, et, juste en face, la façade du **Conseil national de l'enseignement**. Sur la porte de l'immeuble voisin, une plaque indique que l'emplacement était jadis occupé par une *pulpería* gérée par Martina Cespedes. Pendant l'occupation britannique, cette femme et ses filles attiraient les soldats ennemis dans l'établissement où elles les ligotaient avant de les livrer aux autorités de la ville. En récompense de ses bons et loyaux services, la résistante reçut le grade de capitaine dans l'armée argentine.

La brocante dominicale

La Calle Defensa traverse la **Plaza Dorrego**, centre commercial et culturel de San Telmo. Tous les dimanches s'y tient une grande brocante où l'on vend aussi bien des babioles que des livres d'occasion ou de l'artisanat. La place est bordée de restaurants, de bars et de magasins d'antiquités. La plus belle boutique, **Paisaje de Defensa**, est aménagée dans une vieille demeure de style *chorizo*, à une *cuadra* au sud de la place. Donnant également sur la Calle Defensa, la **galerie marchande del Sol de French** est un agréable lieu de promenade. Restaurée dans le style colonial, dotée d'étroites portes de bois, son profond patio est décoré de cages à oiseaux suspendues à des crochets de fer forgé et de plantes exotiques.

A quatre *cuadras* au sud, la Calle Defensa longe le **parc Lezama**. On prétend que sur cette petite élévation se dressait autrefois le premier établissement espagnol fondé par Mendoza. Par la suite, les terrains furent acquis par Gregorio Lezama qui les transforma en jardins publics. À la fin du XIXe siècle, le lieu devint un véritable centre de loisirs où l'on trouvait un restaurant, un théâtre, un cirque et un ring de boxe.

Aujourd'hui, le parc a perdu sa splendeur d'antan et la vue sur les constructions environnantes n'est pas des plus harmonieuses. Parmi celles-ci, au 1600 de la Calle Defensa, la seule demeure ancienne qui subsiste est occupée par le **Musée historique national**, qui conserve l'un des premiers tableaux historiques sud-américains : *Paix entre le gouverneur de Tucumán Matorras et le cacique Paykin*, exécuté en 1775 par Tomás Cabrera.

La Boca

A l'extrémité méridionale de Buenos Aires, le quartier populaire de La Boca est bordé au sud par le canal du Riachuelo. L'endroit est célèbre pour ses

Les reliefs peints semblent éveiller l'inspiration des sentimentaux.

LE TANGO, « UNE PENSÉE TRISTE QUI SE DANSE »

Le tango est à l'Argentine ce que le fado est au Portugal, le rebetiko à la Grèce et le flamenco à l'Espagne : un genre musical qui reflète l'âme d'un peuple dans toute son authenticité.

Le terme *tango* serait dérivé d'un vocable d'Afrique de l'Ouest, *tambo*, que les esclaves noirs établis en Amérique du Sud employaient indistinctement pour désigner un tambour, une danse et l'endroit clos où ils organisaient leurs réjouissances.

Les origines du tango remontent à la fin du XIXe siècle. A cette époque, les territoires situés en bordure du Río de la Plata accueillirent de nombreuses vagues d'immigrants européens. Dans leur grande majorité, les nouveaux venus étaient absorbés par les villes de Montevideo et de Buenos Aires, dont les activités portuaires étaient en pleine croissance. Vers 1860, à la fin des cinquante ans d'hostilités qui firent suite à l'indépendance, des milliers d'anciens soldats *criollos* (« créoles ») s'installèrent dans les mêmes quartiers que les immigrants. Les Italiens, les Espagnols, les Slaves et les Juifs fraîchement débarqués se mêlèrent ainsi à la population locale, elle-même composée d'Espagnols, de Noirs, d'Indiens et de métis.

Chaque communauté disposait d'une tradition musicale spécifique mais les temps étaient aux brassages et aux bouleversements socioculturels. Aussi le rythme syncopé du *candombe* des anciens esclaves africains épousa les sensuelles *habaneras* venues d'Andalousie *via* Cuba, les austères mélopées du Mezzogiorno italien et les vives *milongas* créoles déjà fort populaires en Argentine. Le tango naquit de cette extraordinaire fusion vers 1870.

Ce qui était d'abord une danse a été créé dans les endroits les moins fréquentables de la capitale. Pour les émigrés célibataires, les maisons closes étaient à la fois des lieux de divertissement et de réunion. Ces établissements se concentraient dans les zones semi-urbanisées de Palermo et de Retiro (autour de l'actuelle gare ferroviaire), mais aussi dans le quartier central de la Plaza Lavalle et dans les quartiers portuaires de La Boca. Dans les salons des lupanars, les clients dansaient avec les prostituées sur les morceaux lascifs que leur jouaient des musiciens. Parfois accompagnés de paroles suggestives, voire obscènes, ces morceaux sont à l'origine de l'association fréquente entre tango et «verdeur». Les paroles de ces premiers tangos, souvent improvisées et donc rarement écrites, sont tombées dans l'oubli. Ce n'est qu'après 1900 que le tango chanté prit son essor. *Mi Noche Triste* (« Ma triste nuit »), de Pascual Contursi, est considéré comme le premier exemple du genre.

Les humbles patios des immeubles populeux des quartiers sud de Buenos Aires résonnaient des chansons que les occupants avaient apprises au bordel. A leur tour, les musiciens de rue reprenaient ces morceaux sur leur orgue de Barbarie et, rapidement, le tango occupa une place prépondérante dans la culture populaire. Lorsqu'il fit son apparition dans les saynètes, ces spectacles qui attiraient la foule des petites gens dans les

Les vrais trottoirs de Buenos Aires.

théâtres, le tango, sorti de l'ombre des bas-fonds, recueillait les suffrages des couches inférieures de la population. Fermées à ses thèmes plébéiens et à sa langue argotique (le *lunfardo*), les classes supérieures le qualifiaient de « reptile de lupanar ».

Dans les vingt premières années de son existence, le tango était joué par des orchestres dont la composition varia considérablement. Les premiers trios étaient constitués d'une guitare, d'un violon et d'une flûte à laquelle vint se substituer un instrument d'origine germanique qui, à lui seul, symbolise toujours le tango : le bandonéon. Par la suite, le piano fut parfois intégré et le trio devint quatuor. Aujourd'hui, la formation classique est un sextuor qui se compose obligatoirement de deux violons, deux bandonéons, une contrebasse et un piano.

Peu avant la Première Guerre mondiale, le tango fit son entrée dans les cafés européens, au grand scandale de la bonne société. Ce succès lui conféra une nouvelle dimension, et cette danse populaire devint le symbole de la créativité argentine. Pourtant, s'il a été l'instrument de sa consécration, le Vieux Monde a également été celui de son édulcoration ; le tango perdit cette saveur corsée qui avait fait son succès auprès du petit peuple. Devenu plus raffiné, sentimental et convenable, il fut enfin adopté par les classes supérieures argentines qui avaient attendu le feu vert de l'Europe pour s'adonner à la danse.

Dans les salles de danse, on conserve la tradition du tango classique.

La naissance de l'industrie discographique a constitué le deuxième facteur de développement du tango. Dès 1913, plusieurs enregistrements furent produits en Argentine et, en 1917, la compagnie Victor Records immortalisait la voix de Carlos Gardel (1890-1935), le plus grand chanteur de tango de tous les temps et le symbole de son âge d'or.

Le monde décrit dans les classiques du tango est essentiellement masculin et fortement hiérarchisé. Au sommet trônent les aristocrates de la rue, nommés *guapos* (« gouapes ») ou *compadres* (« compères ») ; viennent ensuite leurs pâles et grotesques copies, les *compadritos* (« petits compères »), eux mêmes suivis des *compadrones* (« filous ») et des *malevos* (« malfrats »). Les femmes sont classées en trois catégories : les *milonguitas* (« grisettes »), bonnes filles au grand cœur, les femmes fatales et les *viejas* (« vieilles »), figures maternelles idéalisées auprès desquelles l'homme blessé cherche refuge. Ces personnages évoluent le plus souvent sur fond de nuit, de violence et de vapeurs d'alcool. Les ravages de l'amour passionnel, la souffrance de l'abandon, la nostalgie d'un bonheur à jamais perdu, l'absurdité de la condition humaine et une certaine philosophie du désespoir hantent les grands textes de Celedonio Flores, Homero Manzi, ou Enrique Santos Discépolo.

L'engouement des foules pour le tango a varié en fonction de la situation sociale du moment. A la fin des années 30, il chuta considérablement pour mieux remonter sous le régime péroniste des années 45-55 où il passait pour le fleuron de la culture populaire valorisée par le régime. L'émergence de formes d'expression musicales plus politiques dans les années 60 puis du rock commercial, le marginalisa. Toutefois, à la fin des années 70, le tango revint à la mode grâce au grand compositeur et ami de Gardel, Astor Piazzolla, qui a su renouveler le genre en y introduisant des éléments de jazz et de rock.

constructions de tôle peinte de couleurs éclatantes, pour ses *cambalaches* (brocantes aux articles très hétéroclites) et pour la population génoise de marins et de dockers qui l'habitait au siècle dernier.

Dès le milieu du XIXe siècle, la croissance du commerce international avait entraîné le développement des activités portuaires de Buenos Aires et, parallèlement, l'essor de La Boca. Dans la décennie de 1870, on aménagea un tramway, des usines de salaison de viande et des entrepôts où les carcasses en partance pour l'Europe étaient stockées. Les bassins portuaires de Buenos Aires prenant des proportions considérables, on creusa le canal du Riachuelo pour permettre aux navires de gros tonnage de s'avancer vers les installations construites à l'intérieur de la ville. Le nouveau quartier se peupla d'immigrants, italiens pour la plupart, qui travaillaient comme marins ou débardeurs.

Les maisonnettes de tôle qui sont essaimées dans les quartiers de La Boca et d'Avellaneda, au sud du canal, ont été faites avec les matériaux récupérés dans les navires abandonnés. Les Génois ont été les premiers à mettre cette idée en pratique et leur style s'enrichit bientôt des couleurs chatoyantes – inhabituelles à Buenos Aires – qui caractérisent La Boca.

L'influence du maître

Le goût de la couleur qui prédomine dans le quartier résulte également de l'influence d'un des plus grands artistes argentins : Benito Quinquela Martín. Orphelin, il fut adopté au début du siècle par la famille d'un docker. Devenu adulte, il consacra son art à rendre l'atmosphère de La Boca. Ses toiles sont peuplées de sombres personnages courbés sous les fardeaux, qui se pressent en foule animée sur les quais trépidants du port.

La gigantesque toile qui représente des ouvriers déchargeant à la hâte un navire en flammes est sans doute l'œuvre la plus connue de Quinquela. On raconte que les puissantes projections d'orange, de noir et de différents bleus du tableau séduisirent Mussolini qui tenta vainement d'acquérir l'œuvre.

Les habitants de La Boca, pour qui l'artiste était un véritable maître, reprirent ses couleurs pour badigeonner leurs demeures. Les teintes se firent de plus en plus flamboyantes et un dialogue unique s'instaura entre la population et « son » peintre. Quinquela investit **El Caminito**, une ruelle dont le nom signifie « le petit chemin », et la décora de peintures murales et de reliefs colorés. Il y établit un marché en plein air destiné à promouvoir les artistes locaux. Le décor formé par les maisons bigarrées et le linge coloré qui pend aux fenêtres est des plus plaisants. Sur la longueur d'une *cuadra*, des artistes proposent des aquarelles, témoignant ainsi de la persistance d'un art vivant.

A l'extrémité nord d'El Caminito, contourner la *manzana* et reprendre la direction du canal pour voir ce qu'est une rue typique du quartier. Ici et là, des sycomores ajoutent une touche de verdure au décor urbain. De chaque côté de la ruelle pavée, les maisons s'élèvent sur de hauts trottoirs destinés à les protéger des fréquentes crues du Riachuelo. Si, de prime abord, elles peuvent sembler inconfortables, elles disposent en fait de tout le nécessaire. A l'intérieur, elles sont souvent organisées de part et d'autre d'un long couloir lambrissé qui dessert les appartements.

Marquant l'extrémité sud d'El Caminito, **La Vuelta de Rocha** (« la boucle de Rocha ») est un bassin semi-circulaire aménagé sur le canal. Sur l'avenue Don Pedro de Mendoza qui longe cette anse, une placette triangulaire est ornée en son centre d'un mât de navire. Elle domine la zone portuaire qui est bien différente de ce qu'elle était il y a un siècle. Les bateaux sont plus souvent couchés sur le flanc que dressés et prêts à descendre le Río de la Plata. Le canal est, dit-on, si pollué qu'il n'abrite aucune forme de vie. La faute en incomberait aux abattoirs édifiés plus haut sur le cours du Riachuelo, qui avaient la triste habitude de déverser leurs déchets dans ses eaux.

Au 1835 de l'avenue Don Pedro de Mendoza se tient le **musée des beaux-arts de La Boca**. Le modeste logement

A gauche et ci-dessous, le quartier populaire de La Boca, aux couleurs éclatantes.

occupé par Quinquela à la fin de sa vie est ouvert aux visiteurs. A l'étage supérieur, l'artiste avait aménagé un atelier qui lui servait aussi d'appartement lorsqu'il était plus jeune. C'est là que sont exposées ses œuvres majeures. De la fenêtre, on découvre la vue des chantiers navals dont le peintre s'est inspiré.

« Cantinas », pizzerias et stade

Après avoir longé le canal vers le nord-est jusqu'au pont d'Avellaneda, tourner à gauche dans la **Calle Necochea**. Entre les Calles Suarez et Brandsen, l'animation des *cantinas* (« restaurants populaires ») contraste fortement avec le calme des grandes tables de Buenos Aires. A l'origine, ces établissements étaient des repaires de matelots ; aujourd'hui, on n'y retrouve guère l'ambiance des bandes de marins en virée à terre... Ils accueillent plutôt des provinciaux venus visiter la capitale en famille et des personnes âgées qui fredonnent un air ancien et dansent au milieu des ballons et des serpentins.

Sur les peintures qui ornent les murs des *manzanas*, des couples de danseurs de tango sont désormais figés pour l'éternité. Dans la rue, des haut-parleurs déversent des flots d'une musique tonitruante et les portiers mettent parfois un peu trop d'empressement à entraîner les touristes dans leur établissement.

A deux *cuadras* à l'ouest de la Calle Necochea, l'avenue Almirante Brown ne présenterait guère d'intérêt si elle ne regroupait d'excellentes pizzerias. Les *Porteños* s'y retrouvent en grand nombre pour déguster une pizza *a la piedra* (cuite dans un four de briques), une *faina* (pizza couverte d'une pâte de pois chiches) ou une *fugazza* (fougasse aux oignons et au fromage). Le **Rancho Banchero** (à l'angle de l'avenue Almirante Brown et de la Calle Suarez) est l'établissement le plus célèbre.

La Boca est aussi célébrissime pour son stade de la Calle Brandsen, qu'on nomme la Bombonera (« la bonbonnière ») et pour son équipe de football, les Boca Juniors, dans laquelle Maradona a joué lorsqu'il était jeune (*cf.* p. 275).

Moment de détente sur la Plaza San Martín.

Les quartiers nord

Dans la partie nord de la capitale s'étendent les *barrios* de Retiro, Recoleta et Palermo, qui forment la zone résidentielle et commerciale la plus chère de la ville. Ces élégantes demeures, du tournant du siècle, ne sont pas sans rappeler certains immeubles parisiens même si le style architectural de ces quartiers est un panaché d'influences différentes.

Jusqu'à la fin du XIXe siècle, l'endroit était désert et en grande partie submergé par des eaux marécageuses. Seul un abattoir se dressait à l'emplacement de l'actuelle Plaza Recoleta. Vers 1870, l'épidémie de fièvre jaune qui commençait à sévir dans Buenos Aires poussa certaines familles aisées à s'établir plus au nord.

Sous l'impulsion du président Roca (1880-1886), la ville devint le Paris de l'Amérique latine. Impressionnés par le nouvel urbanisme haussmannien de la capitale française, les Argentins les plus influents de l'époque rapportèrent des idées et des matériaux de France afin de transformer leur cité en métropole cosmopolite. La politique de Roca a suscité de nombreuses controverses ; ses adversaires préconisaient une politique plus nationaliste et axée sur le développement des provinces.

Une promenade dans les quartiers nord commence **Plaza San Martín**, à laquelle on accède en remontant l'avenue Florida vers le nord. Plantée de vénérables palmiers, jacarandas, *tipus* et *palos borrachos*, au milieu desquels se dresse la statue du libérateur, la place s'étend au sommet d'une petite colline d'où la vue sur **Retiro** est agréable. Sur l'avenue Leandro Alem, qui borde cette élévation au nord-est, on aperçoit l'ancienne **gare de Retiro**. Face à elle, la Plaza Británica – rebaptisée place des Forces-Aériennes après la guerre des Malouines – se caractérise par une réplique de Big Ben, la **tour des Anglais**. Plus au sud sur l'avenue se dressent le Sheraton et un groupe d'immeubles de bureaux en verre et en chrome appelé **Las Catalinas**. Ce complexe de la fin des années 70 compte parmi les rares ajouts des cinquante dernières années à l'architecture fin de siècle du quartier. Seuls le Rolero, avec sa silhouette ronde sur l'avenue du Libertador (au nord de la colline), et quelques autres immeubles viennent rompre l'harmonie de l'ensemble.

De la Plaza San Martín, on distingue également le **Kavanagh** qui pointe sa haute flèche à l'est. Édifié en 1936, il a été le premier gratte-ciel d'Amérique latine. L'immeuble voisin est occupé par le **Plaza** qui accueille la plupart des chefs d'État lorsqu'ils séjournent dans la capitale.

Au sud de la place, deux belles demeures patriciennes : la première, construite en 1909 pour les Anchorena, abrita un temps le ministère des Affaires étrangères qui fut transféré Calle Reconquista en 1984 et, à l'angle de l'avenue Santa Fe et de la Calle Maipu, la seconde, qui date de 1902, est occupée par un club réservé aux officiers et un **Musée militaire** où sont exposées des armes anciennes.

Le quartier de l'élégance

Au sud de la colline, l'**Avenida Santa Fe** est considérée par les *Porteños* comme le

Le monument au héros national.

haut lieu de l'élégance. Sur la portion qui s'étend de la Calle Callao à l'avenue 9 de Julio, d'innombrables magasins vendent du prêt-à-porter, des chaussures, des articles de cuir, des tissus, des confiseries, des antiquités et des bijoux.

Recoleta est surnommé Barrio Norte (le « quartier nord »). La promenade qui conduit de la Plaza San Martín au cimetière de Recoleta permet de découvrir les témoins de ce que les *Porteños* appellent leur « âge d'or » (de 1880 à 1920). C'est en effet sur les avenues 3 Arrollos et Alvear que l'on peut voir les palais les plus somptueux de la capitale.

A tout seigneur, tout honneur, l'**ambassade de France** est à l'extrémité de l'avenue 9 de Julio. Au niveau du 1300 de l'avenue Alvear, qui lui est perpendiculaire, s'étend la **Plaza Carlos Pellegrini** avec deux beaux édifices anciens : l'**ambassade du Brésil** et le très fermé Jockey Club.

Comme l'avenue Santa Fe, l'**Avenida Alvear** compte un nombre impressionnant de boutiques de luxe. Les amateurs de lèche-vitrine se laisseront tenter par les deux passages piétonniers qui débouchent à la hauteur des numéros 1777 et 1885. Parallèle à l'avenue Alvear, l'**Avenida Quintana** regroupe également de nombreux magasins de luxe.

Cette artère monte vers le nord-ouest pour aboutir à la **Plaza Ramón Carcano**. Au numéro 600, **La Biela** propose les meilleurs croissants de la capitale. Dans les nombreux cafés qui donnent sur la place, à l'ombre des hévéas, on a une belle vue sur l'église d'El Pilar, le couvent reconverti en centre culturel, l'entrée du cimetière de Recoleta et les nombreux jardins publics du quartier. La Plaza Ramón Carcano est sans conteste la plus luxueuse de Buenos Aires. Le prix d'un café a beau y être deux fois plus élevé qu'ailleurs, les étudiants s'y retrouvent en été dès la tombée de la nuit. L'après-midi, les dames de la bonne société y flânent.

Cette place si raffinée a pourtant une histoire peu ragoûtante. Elle servait jadis de *hueco de cabecitos*, c'est-à-dire de dépotoir réservé aux têtes des animaux abattus pour leur peau. Comme dans tous les endroits similaires, on jetait les autres

L'élégant clocher de l'église coloniale d'El Pilar.

restes dans un cours d'eau qui coulait non loin. Des esclaves noires étaient chargées de disperser ces déchets dans le courant.

Vers 1770, on aménagea un conduit souterrain qui recueillit le cours d'eau. Les religieux du couvent de Recoleta purent ensuite transformer les terrains avoisinants en cultures d'orchidées et de primeurs. Jusqu'à la moitié du XIXe siècle, le Río de la Plata venait lécher la limite nord-est de la place, recouvrant l'actuelle avenue du Libertador. Le quartier commença à se peupler sous la dictature de Rosas (1829-1852), mais il fallut attendre 1870 pour que la population privilégiée qui fuyait la fièvre jaune vienne s'y établir.

L'église **Notre-Dame-d'El-Pilar** est une ravissante petite *recoleta* (« retraite » ; en espagnol, le terme désigne un couvent hors la ville) franciscaine dont l'édification s'étendit de 1724 à 1732. Comme San Ignacio et San Francisco, elle a été conçue par Andrés Blanqui, qui y donna libre cours à son style si caractéristique. Elle présente une façade blanche à l'andalouse, dont les éléments décoratifs sont peints à l'ocre jaune. Surmontée d'un élégant fronton, la porte est flanquée de pilastres toscans entre lesquels est creusée une niche oblongue. A gauche s'élève une tour d'origine dont seule la flèche en forme de cloche renversée a été recouverte d'azulejos au siècle dernier. En revanche, le charmant clocher-mur surmonté d'une horloge sphérique sur la droite a été rajouté après l'achèvement de la *recoleta*. La pierre, inexistante dans la région, les grilles de fer forgé et les azulejos ont été importés d'Espagne.

L'intérieur est d'une grande noblesse de proportions. La nef unique est surmontée d'une coupole sur pendentifs. Somptueusement orné, le retable central est l'œuvre de Domingo Mendizábal, Diego de Arregui et Manuel Careaga. Il abrite une niche brillamment éclairée qui renferme une statue de la *Vierge à l'Enfant*. Les retables latéraux du Portugais Pedro Carmona sont plus sobres et conçus dans une harmonie de gris et d'or. Le riche autel à plateau d'argent est censé venir du Pérou. Les

Le cimetière de Recoleta.

statues de bois naturel – *Saint Pierre d'Alcántara* et le *Christ en croix* – sont des œuvres du XVIIIe siècle et proviennent apparemment du Pérou méridional. Le sanctuaire abrite aussi un beau *Saint Joseph* sculpté en 1782 par Tomás Cabrera.

Comme tant d'autres édifices de Buenos Aires, cette église a été transformée en hôpital à l'époque des conflits entre *Porteños* et Britanniques. Les restaurations dont elle a fait l'objet ont préservé la lumineuse simplicité voulue par son architecte jésuite. Par sa grâce et sa sobriété, ce monument est sans doute le plus émouvant de la capitale.

Le **couvent franciscain** qui jouxte l'église est un centre culturel consacré à l'art contemporain. Il présente des expositions fort originales qui témoignent de la crudité – voire de la violence – de jeunes créateurs dont la liberté d'expression a longtemps été brimée.

La dernière demeure d'Evita

Le **cimetière de Recoleta** regroupe les tombeaux des familles les plus riches et les plus célèbres de Buenos Aires. Les allées de cette micro-cité illustrent plus d'un siècle d'art et d'architecture funéraires. Depuis son inauguration, en 1882, la nécropole est devenue un véritable musée à ciel ouvert consacré à l'histoire politique du pays. Les plus grands personnages y reposent aux côtés de leurs pires ennemis. Le cimetière reflète les fractures qui caractérisent depuis toujours la société argentine.

Le tombeau de la famille Duarte est celui sur lequel on vient le plus se recueillir. Sous 9 m de terre et de béton, la dépouille d'Evita est protégée des profanateurs qui seraient tentés de la faire disparaître, comme ce fut le cas en 1955 (*cf.* p. 44).

Parcs et jardins

L'avenue du Libertador longe au nord la colline Recoleta. A ses pieds, l'impressionnante **statue équestre du général Alvear** se détache de manière presque surréaliste sur l'arrière-plan formé par les montagnes russes du parc voisin. Prendre

Bain de soleil dans le parc 3 de Febrero.

ensuite l'avenue Figueroa Alcorta, à droite de l'avenue du Libertador. Au tout début de cette artère s'étendent plusieurs parcs où les amateurs de jogging seront comblés.

Au fond du premier parc s'élève le **musée des Beaux-Arts**, dont l'entrée est avenue du Libertador. Il présente, entre autres œuvres, des toiles de Van Gogh, Manet, Renoir et Picasso ainsi que des sculptures de Rodin.

Au milieu de tous ces espaces verts se trouve l'**ambassade du Chili**, derrière laquelle s'étend le jardin le plus agréable du quartier. La **demeure de San Martin** se repère aisément aux statues qui se dressent devant sa façade et qui représentent les amis politiques du libérateur.

On pénètre alors dans **Palermo Chico**, habité par des diplomates, des rois du stade et des vedettes de cinéma. Le quartier se compose d'une suite de palais isolés du reste de la ville par un rideau de verdure et un réseau de rues sinueuses.

La création de Palermo est contemporaine de celle de Recoleta. La plupart de ses vieilles demeures à la française, dont l'entretien était trop onéreux, ont été vendues aux États qui y ont établi leurs ambassades. Des quelques constructions modernes de bois et de brique, aux toits traditionnels de tuiles rouges, seuls les jardins peuvent rivaliser d'élégance avec leurs vénérables voisines. Palermo est célèbre pour ses espaces de loisir et pour ses parcs qui regroupent sur plusieurs centaines d'hectares des espèces aussi différentes que les conifères et les palmiers.

Palermo Chico peut constituer le point de départ d'une promenade agréable, mais un peu longue, dans le quartier de Palermo. En poursuivant sur l'avenue Figueroa Alcorta, on traverse l'avenue Casares pour pénétrer dans les espaces verts dont le nom collectif est **Parc 3 de Febrero**.

Sur 400 ha, le parc regroupe des pelouses, des bosquets et des plans d'eau. Avant d'arriver au croisement des avenues Figueroa Alcorta et Sarmiento, on voit se dresser les bâtiments de la Cavalerie nationale et, juste après, le **complexe sportif KDT** dont les équipements sont

Dans les quartiers chics, on combat le chômage au moyen du dog-sitting.

excellents : courts de tennis, piste de course et piscine couverte.

De l'autre côté de l'avenue, le **Jardin japonais** est l'un des espaces verts les plus charmants de la ville. Ornés de petits ponts de bois, des bassins de poissons exotiques se nichent au milieu d'une végétation entretenue avec art.

Au carrefour des avenues Figueroa Alcorta et Sarmiento trône la **statue du général Urquiza** qui succéda à Rosas après l'avoir renversé, en 1852. A droite, sur l'avenue Sarmiento, s'élève la structure ovoïde du **planétarium municipal**. A gauche du carrefour, l'**Avenida Iraola** commence sur l'avenue Sarmiento. C'est la plus plaisante pour flâner dans les parcs de Palermo. Il est possible de se promener en barque sur les nombreux plans d'eau, d'admirer la roseraie si la saison s'y prête et, plus prosaïquement, d'acheter à l'un des marchands qui sillonnent le lieu un *choripan* (« hot dog »), des cacahuètes grillées, des grains de maïs soufflés ou une glace. La terrasse du **Green Grove**, dans la zone la plus animée des parcs, est agréable pour prendre un café.

Après avoir contourné le grand plan d'eau, l'avenue Iraola débouche au croisement de celles du Libertador et Sarmiento. A l'emplacement de la maison de Rosas, le dictateur du XIXe siècle, le **monument des Espagnols** qui a été offert à la ville par la communauté ibérique.

Le jardin zoologique

A ce même croisement, il est possible de pénétrer dans le jardin zoologique dont c'est l'entrée secondaire – l'entrée principale est avenue Las Heras, au sud du jardin. Lors de son inauguration, en 1874, le zoo comportait des cages qui reprenaient le style architectural et décoratif des pays d'origine des animaux, et des allées bordées de reproductions de statues antiques. De cette ancienne splendeur, peu de choses subsistent. Le zoo abrite surtout une faune sud-américaine, composée de singes, de maras (lièvres de Patagonie), de guanacos, de chats sauvages et de toucans (*cf.* p. 261).

A l'ouest de l'entrée principale du zoo, les terrains de la **Société rurale** – fondée

Un des pompeux monuments de l'Avenida del Libertador.

en 1866 dans le but de « cultiver la terre et servir la patrie » – accueillent chaque année de nombreuses manifestations consacrées à l'agriculture. La plus marquante est la foire à l'Élevage, qui se tient en août. A l'est du zoo, le jardin botanique regroupe plus de 6 000 espèces végétales sur 8 ha.

La **Plaza Italia**, sans grand intérêt, occupe le carrefour des avenues Las Heras, Santa Fe et Sarmiento. Au centre s'élève une statue de Garibaldi. Le samedi et le dimanche, les rues adjacentes accueillent un marché connu sous le nom de « marché hippie », où les vendeurs présentent effectivement les attributs du genre – barbes de prophètes et sandales de pèlerins – et vendent leur production artisanale de céramique, d'articles de cuir, de bijoux et de vêtements teints et brodés. D'autres étals proposent des livres ou des revues d'occasion.

La Plaza Italia est aussi, traditionnellement, le lieu des fêtes organisées par les partis de gauche. On dresse des tables sur lesquelles sont exposés les tracts, journaux et ouvrages destinés à l'information du public, on organise des débats animés et l'on propose des spectacles de marionnettes et de théâtre de rue.

Au nord-ouest, la zone de parcs s'achève par l'**hippodrome** et le terrain de polo, qui témoignent de la passion des Argentins pour les sports équestres.

Tigre, une ville parmi les îles

De la capitale, il est possible d'organiser des excursions d'une journée dans les petites villes du nord qui bordent le Río de la Plata jusqu'au delta du Paraná, ou de l'ouest, dans la pampa.

Pour se rendre à **Tigre**, on a le choix entre le train à la gare de Retiro et l'autobus 60, à la gare ferroviaire de Constitucíon, qui s'arrête devant le somptueux hôtel Tigre.

La petite ville s'étend sur les terres arrosées par le delta du Paraná. Venus du nord-ouest, les bateaux y déchargent leurs cargaisons de fruits, qui iront ensuite remplir les étals de la capitale. Toutefois, c'est le tourisme qui est la principale activité économique de Tigre :

Partie de canotage dans le delta voisin de Tigre.

en été, mais aussi le week-end, les nombreux bras d'eau qui enserrent des centaines d'îles attirent les amateurs de pêche, de canotage, de ski nautique et de voile. En mars et en novembre, la ville organise des régates qui remportent un grand succès.

Seuls 28 km séparent Tigre de Buenos Aires et pourtant, l'air y est pur, la végétation y prend des airs de jungle et le rythme de vie y est mille fois plus calme que dans la métropole. La région est réputée pour les propriétés médicales de ses eaux limoneuses.

Après avoir flâné dans le centre fleuri de Tigre, prendre le **Paseo Victoria** qui longe le fleuve. La promenade est bordée de vieux clubs nautiques anglais et de *parrillas* (restaurants spécialisés dans les grillades). Sur le fleuve, des *lanchas* (« bateaux-taxis ») attendent les excursionnistes le long de nombreux petits embarcadères. Du quai qui jouxte la gare ferroviaire, des transbordeurs – un repas est servi à bord – conduisent aussi aux îles. On peut ainsi visiter l'**île de Martín García**, où débarqua Juan de Solís. Les groupes peuvent même louer un bateau à moteur qui permet de circuler à son gré et d'aller prendre le thé à l'**hôtel El Tropezón**, un superbe palace des années 20 construit au fond du delta. Enfin, un transbordeur au départ de Tigre conduit aux plages uruguayennes de la rive nord du Río de la Plata.

Luján, un haut lieu de pèlerinage

Luján est à 63 km à l'ouest de Buenos Aires. Le train omnibus qui y mène de la gare d'Once effectue ce trajet en deux heures environ.

Fondée dans la première moitié du XVIIe siècle, la ville est un des grands centres religieux du pays : la **Vierge de Luján,** datée de 1630 et conservée dans la cathédrale, fait l'objet d'une vénération particulière. Le 8 décembre, des centaines de milliers de catholiques argentins se rendent en pèlerinage à Luján afin d'y célébrer la Fiesta de Nuestra Señora de Luján (« fête de Notre-Dame de Luján »).

La **cathédrale** néo-gothique, consacrée en 1932, est encadrée de deux tours hautes de plus de 100 m. Les vitraux ont été réalisés à Bordeaux au début du siècle. Les murs sont recouverts d'ex-voto dans la grande tradition latino-américaine ; certains sont en forme de mains, de pieds ou d'autres parties du corps qui ont été guéries par la Vierge. La crypte abrite des autels consacrés aux nombreuses Vierges vénérées sur le continent.

Aménagé dans l'ancien *cabildo* du XVIIIe siècle, le **Musée historique** présente des collections consacrées aux traditions populaires, aux Indiens de la pampa, à l'art *gauchesco* et à l'histoire de la région. Une de ses annexes abrite un **musée des Transports**, où l'on peut voir la *Porteña*, première locomotive à avoir fonctionné en Argentine. Dans le parc Florentino Ameghino, le **musée des Beaux-Arts** expose des œuvres d'artistes contemporains argentins.

Si l'on dispose d'un véhicule, on peut enfin se rendre au parc animalier **Mundo Animal** (« monde animal »), où l'on circule au milieu des lamas, des moutons, des chevaux, des cerfs, des lions et autres animaux sauvages.

A gauche, quel secret cette grille coloniale protège-t-elle ? A droite, l'intérieur néo-gothique de la cathédrale de La Plata.

Pages précédentes : moment de farniente à Mar del Plata. A gauche, l'entretien minutieux du filet garantit une bonne part du succès de la pêche.

LES PLAGES DE L'ATLANTIQUE

La côte atlantique regroupe des lieux de villégiature correspondant à tous les goûts et tous les budgets, où les Argentins s'ébattent dès les premiers beaux jours. Ils ont beau habiter un pays riche en sites exceptionnels, ils n'en continuent pas moins à privilégier la Riviera locale. Année après année, ils reviennent inlassablement séjourner au même endroit. Les plus âgés passent leur temps à jouer au *truco* ou à la canasta tandis que les plus jeunes s'adonnent à la natation ou aux sports de plage.

Les Argentins sont très fiers des stations de l'Atlantique qui se livrent une concurrence féroce. Certaines se vantent de rivaliser avec Punta del Este, en Uruguay, considérée comme le *nec plus ultra* en la matière. Quand les modes ne sont pas lancées sur la côte argentine, elles y sont en tout cas suivies.

Toutefois, entre la capitale et le début du littoral balnéaire proprement dit, une étape s'impose, La Plata, capitale de la province de Buenos Aires.

La Plata, une autre capitale

La Plata est à 60 km au sud de la capitale argentine. Cette proximité avec la métropole ne l'empêche pas d'avoir l'apparence d'une ville de province typique. Propre et spacieuse, la cité vit paisiblement, tout en préservant son indépendance culturelle et politique de l'influence de sa tentaculaire voisine. Un train au départ de la **gare de Constitución** amène en deux heures à La Plata que l'on rejoint, à 7 km plus au sud, par la RN 1.

Fondée en 1880 par Dardo Rocha, la ville a été conçue par l'architecte Pierre Benoît, qui prit soin de lui donner un plan différent du classique damier qu'on retrouve dans la plupart des villes du pays. Aussi les nombreuses rues diagonales de La Plata lui ont-elles valu le surnom de Ciudad de las Diagonales (« ville des diagonales »).

Le **Parlement provincial** et le **palais du Gouvernement provincial** s'élèvent sur la Plaza San Martín. Sur la Plaza Mariano Moreno se font face, d'un côté, la **cathédrale** de La Plata, dessinée par Pierre Benoît sur le modèle des cathédrales gothiques d'Amiens et de Cologne, et, de l'autre, le **palais municipal** de style Renaissance.

Le centre-ville est doté de jolis parcs ornés de lacs artificiels, dont le nom collectif est **Paseo del Bosque**. Ce vaste espace vert regroupe un observatoire, un zoo – plus riche que celui de Buenos Aires –, le **théâtre Martín Fierro**, ainsi nommé en hommage à un héros mythique de la littérature *gauchesca* et le célèbre **musée des Sciences naturelles** fondé en 1884, qui possède d'importantes collections géologiques, zoologiques et archéologiques.

Au numéro 525 de la 51e Rue, le **musée provincial des Beaux-Arts** expose une belle collection de peintures et de sculptures argentines. L'**université de La Plata**, la deuxième du pays par sa qualité, se dresse un peu plus loin.

Mar y Sierras

Quand les premiers Européens sont arrivés en vue de cette côte, le spectacle qui s'offrait à leurs yeux était bien différent de celui d'aujourd'hui. Au début du XVIe siècle, l'océan semblait se prolonger directement par la vaste pampa mais, à notre époque, les flots buttent par endroits sur les agglomérations qui masquent l'horizon plat de leurs tours modernes. Lorsqu'un Argentin – à l'instar de Borges – parle du littoral, il se réfère aux rives du Paraná et du Río de la Plata, et non à la côte balnéaire de l'Atlantique, qu'il appelle **Atlántida Argentina** ou **Mar y Sierras**. Cette dernière expression, qui signifie « mer et collines », rend bien compte de la réalité d'une région où les élévations ondulantes s'abaissent vers les dunes et les rochers qui bordent l'océan.

Se pencher sur le fleuve, qui est de temps et d'eau,
Et penser que le temps à son tour est un fleuve,
Puisque nous nous perdons comme se perd le fleuve
Et que passe un visage autant que passe l'eau.
(J. L. Borges)

C'est entre San Clemente del Tuyú au nord et Mar del Plata au sud que s'étend le cordon des principales stations balnéaires de l'Atlántida Argentina, sur environ 200 km. Véritable centre nerveux du littoral, Mar del Plata a été fondée à la fin du XIXe siècle. A l'époque, elle accueillait les grands bourgeois *porteños* qui disposaient de moyens suffisants pour se lancer dans une expédition de 400 km en voiture à cheval. Le parcours s'effectua ensuite en train, puis en automobile. Mais il fallut attendre les années 30 pour que Mar del Plata connaisse une forte croissance due, notamment, à l'ouverture d'un casino de 36 tables de roulette qui était alors le plus grand établissement de ce genre au monde. En outre, l'aménagement de la Ruta Nacional 2 permit de réduire à quatre heures de route le trajet entre Mar del Plata et la capitale.

La construction d'une autre route côtière (la Ruta Provincial 11) a entraîné l'apparition de nouvelles stations balnéaires au nord et au sud de Mar del Plata. Moins opulentes que leur illustre voisine, elles n'en ont pas moins acquis une identité et une clientèle distinctes : certaines attirent plutôt des vacanciers âgés amateurs de tango, d'autres les jeunes mordus de rock.

Des liaisons faciles

Il y a vingt ou trente ans, une excursion vers une petite station du littoral se transformait vite en aventure, en raison du mauvais état des routes. En revanche, de nos jours, rien n'est plus agréable ni plus confortable que de gagner l'Atlántida Argentina depuis Buenos Aires (en autocar, en train ou en avion). Seules Mar del Plata et Miramar sont directement reliées à la capitale par une ligne ferroviaire où circulent des trains équipés de voitures de première classe ; le trajet dure quatre heures, qu'on peut passer agréablement au restaurant, au bar et même au cinéma. Qui plus est, le prix du train est à peu près identique à celui de l'autocar. Cependant, un nombre croissant de vacanciers préfèrent prendre l'avion en raison de son faible coût et de la fréquence

Le club de golf de Mar del Plata.

des vols estivaux. Les liaisons sont principalement assurées au départ de l'aéroport Jorge Newberry de Buenos Aires et à destination de l'aéroport Camet de Mar del Plata. Cependant, les stations de moindre importance (Santa Teresita, Pinamar, Villa Gesell, Miramar et Necochea) sont de plus en plus souvent reliées à la capitale par de petites navettes aériennes. Les vols sont assurés par les compagnies les plus connues (Aerolíneas Argentinas et Austral) mais aussi par de petits voyagistes (LAPA).

Les ports de pêche du Nord

En règle générale, le terme Atlántida Argentina s'applique au littoral qui borde la province de Buenos Aires à l'est. Du nord au sud, les stations les plus fréquentées s'égrènent entre San Clemente del Tuyú et Villa Gesell. Elles reprennent ensuite au sud de Mar del Plata pour s'achever à Monte Hermoso, non loin de Bahía Blanca, la porte de la Patagonie.

Au sud du **cap San Antonio**, le point le plus oriental de l'Argentine continentale, **San Clemente del Tuyú**, s'étend à l'entrée de la baie de Samborombón, où se déversent les eaux limoneuses du Río Salado et d'autres fleuves pampéens de moindre importance. La baie regorge de poissons qui se nourrissent des substances contenues dans les alluvions. San Clemente del Tuyú est donc très prisé des pêcheurs qui, dès octobre, viennent y prendre la *corvina negra* (« corbeau de mer ») ou la *corvina rubia* (même poisson, mais de couleur blonde), qu'on prépare en soupe et à l'étouffée. Le port est également connu pour son Mundo Marino où évoluent des mammifères marins, ses courts de tennis, ses terrains de football et ses mutiples équipements de sports de plein air. Il compte en outre de nombreux terrains de camping.

La RP 11 quitte San Clemente del Tuyú et file au sud vers **Las Toninas**, puis **Santa Teresita**, qui est la ville la plus importante de la région. Cette portion du littoral comporte d'autres stations, telles **Costa del Este**, **Aguas Verdes**, **La Lucila del Mar**, **Costa Azul**, **San**

La flotte de pêche bigarrée de Mar del Plata.

Bernardo et **Mar del Ajo**. La plupart des vacanciers y viennent pour la natation, le farniente au soleil ou les promenades sur la grève.

Ces ports attirent aussi les amateurs de pêche au gros : le poisson le plus convoité est le requin, dont les plus beaux spécimens atteignent 1 m de long. Aucun danger pour les baigneurs : ce type de prise ne s'effectue qu'au large. Le poisson et les fruits de mer constituent une part importante de l'alimentation locale. On trouve notamment quantité de petits restaurants qui accommodent ces produits à la façon italienne.

Au sud de Mar del Ajo, les plages sont moins fréquentées, les distances qui séparent les localités croissent et l'on peut donc s'isoler plus facilement dans des endroits sauvages.

Phares et épaves

Le littoral balnéaire atlantique est jalonnée d'anciens *faros* (« phares ») de brique et de fer. Entre le cap San Antonio et San Clemente del Tuyú s'élèvent le phare de Medanos et le phare San Antonio. A mi-parcours de la route qui relie San Clemente del Tuyú à Mar del Plata se dresse le phare Querandi et, au sud de Mar del Plata, le phare de Mogotes et le phare de Monte Hermoso.

Certains de ces ouvrages ont été érigés au XIXe siècle, à l'époque où le commerce maritime entre l'Argentine et l'Europe naissait, et présentent donc un intérêt historique autant qu'architectural. Autres témoins des heurs et malheurs de la marine marchande, des épaves de voiliers et de vapeurs ponctuent les plages de leurs sombres squelettes.

A l'ombre des pinèdes

Pinamar, Ostende, Valería del Mar, Cariló et Villa Gesell sont les stations les plus agréables de l'Atlántida Argentina.

Pinamar est un lieu de villégiature fort élégant. Des pinèdes environnantes se dégage un agréable parfum qui, mêlé à la brise océane, confère au port son atmosphère particulièrement tonique. Contrairement aux stations voisines,

Pinamar n'est pas séparée de l'océan par une ligne de dunes, ce qui facilite l'accès aux plages. Parmi de nombreux équipements sportifs, la ville dispose d'un beau golf aménagé dans une pinède. Variant du quatre-étoiles à la pension bon marché, les hôtels ont des chambres libres tout au long de l'année. Mais la plupart des estivants, qui passent quinze jours ou un mois à Pinamar préfèrent y louer un appartement dont le coût est inférieur à celui d'un séjour en pension. Comportant une, deux ou trois chambres, ces logements sont proposés à la location sur place ; il est toutefois possible d'en réserver un de Buenos Aires.

Pour aller d'**Ostende** et de **Valería del Mar** aux plages qui les bordent, il faut franchir un front de dunes élevées. Le casino qui était auparavant à Pinamar a été transféré au sud de Valeria del Mar. Plus au sud encore, **Cariló** cache d'élégantes villas construites à l'ombre des pins. **Villa Gesell** (à 20 km au sud de Cariló) est une station particulièrement appréciée de la jeunesse pour ses bars, boîtes de nuit et pistes de patins à roulettes. Outre une infrastructure hôtelière classique, on y trouve d'excellents terrains de camping.

Entre Villa Gesell et Mar del Plata, la route longe deux autres terrains de camping bien ombragés qui sont malheureusement assez éloignés des plages de **Mar Chiquita** et **Santa Clara**.

La « perle de l'Atlantique »

A l'approche de **Mar del Plata**, le paysage prend un aspect plus tourmenté. La RP 11 surplombe l'océan, d'où les rochers du cap Corrientes et les hautes tours de la ville semblent surgis comme par enchantement. Plus on descend vers la presqu'île où est édifiée la *perla del Atlántico* et plus cette impression de grandeur se renforce.

Hors saison, Mar del Plata compte environ 500 000 habitants, auxquels viennent s'ajouter 2 millions de touristes en été. Les possibilités d'hébergement y sont multiples et quasi illimitées tout au long de l'année : hôtels de luxe

A gauche et ci-dessous, quand les trois grâces vont par quatre.

ou appartements destinés à la location de courte durée. La ville est ornée de vastes places, de parcs, de promenades et de parcours de golf qui sont tous parfaitement entretenus. Quant aux quartiers résidentiels, ils se composent de villas qui rivalisent d'extravagance. Outre les plages et le soleil, la plus grande attraction de Mar del Plata est son **casino** où se pressent les amateurs de roulette, de poker et de *punta blanca*.

Mais Mar del Plata propose une autre distraction de choix : voir et se faire voir. Quiconque prétend faire partie de la haute société de Buenos Aires est tenu d'effectuer au moins un séjour annuel dans la station.

Une visite de Mar del Plata resterait incomplète sans la dégustation de quelques spécialités locales. Une promenade dans le quartier du port de pêche permet de découvrir une série de restaurants qui servent d'excellents plats à base de poissons de première fraîcheur pêchés par les propriétaires des charmantes embarcations amarrées le long des quais. Les nombreuses pâtisseries de la ville proposent des *alforjas marplatenses*, délicieux petits fours au chocolat ou au caramel qui accompagnent à merveille un thé ou un café.

Enfin, si le vent du soir est un peu frais, de jolis lainages multicolores, en vente partout, constitueront autant de souvenirs. Les résidents permanents de Mar del Plata les confectionnent pendant la morte-saison.

La côte sauvage

Entre Mar del Plata et Miramar (trajet de 40 km par la RP 11), le paysage diffère encore plus de celui qui caractérise le nord de l'Atlántida Argentina.

Les vagues ne viennent plus lécher les dunes, elles se brisent sur les rochers qui pointent en contrebas de la route côtière. Au-delà des eaux, d'où surgissent parfois quelques lions de mer, Mar del Plata disparaît dans le lointain, évoquant une cité mystérieuse.

La route traverse quelques petites stations sans grand intérêt avant d'aboutir à **Miramar**. Nettement plus paisible que Mar del Plata, la ville convient aux sportifs qui peuvent y pratiquer la bicyclette, l'équitation, le tennis, la course à pied ou la randonnée.

Entre Miramar et **Necochea**, les petites villes balnéaires se raréfient. Ces 80 km de plages n'abritent que trois villes dotées d'infrastructures touristiques : **Mar del Sur**, **Centinela del Mar** et **Costa Bonita**.

Au sud de Necochea, les plages se font de plus en plus désertes et sauvages. **Claromecó** (à 150 km de Necochea) compte parmi les stations les plus agréables de cette région.

Monte Hermoso mérite incontestablement la plus grande attention. Séparé de Buenos Aires par 700 km, ce site proche de Bahía Blanca a été exploré par Darwin au cours de son voyage sur le *Beagle*. La renommée de Monte Hermoso lui vient aussi des fossiles dont regorgent les rochers qui dominent la plage au sable blanc et fin. Un terrain de camping ombragé accueille le visiteur désireux de goûter plus longtemps le calme et le caractère sauvage qui marquent l'extrémité sud de l'Atlántida Argentina.

A gauche, une prise tardive ; à droite, promenade devant le casino de Mar del Plata.

CÓRDOBA OU LE CHARME COLONIAL

On peut à juste titre considérer la province de Córdoba comme le cœur de l'Argentine, car elle s'étend à mi-chemin entre les Andes et l'Atlantique. Mais, au-delà de ces considérations purement géographiques, la région est un condensé de l'Argentine telle qu'on la rêve. Lorsqu'on pénètre dans cette province en venant de l'est, on passe des immenses étendues de la pampa aux douces lignes ondulantes des sierras du centre.

Córdoba compte parmi les principales villes coloniales d'Argentine. Elle a été fondée en 1573 par Luis de Cabrera qui, à la tête d'un petit groupe originaire de Santiago del Estero, avait descendu le cours de la Dulce et s'était établi sur les rives de la Suquía. Dans les rapports qu'ils adressaient aux autorités de Lima, les chroniqueurs de l'époque insistaient déjà sur certaines caractéristiques de la région qui ont contribué depuis à établir sa renommée. Ils y décrivaient les paysages somptueux des montagnes érodées d'où s'écoulaient des torrents poissonneux, s'étonnaient d'y retrouver un climat proche de celui de l'Espagne et dressaient par le menu l'inventaire de la faune locale composée, notamment, de nandous, de perdrix, de tatous, de loutres, de lièvres, de cerfs et de pumas. Ces textes rendent parfaitement compte de la beauté, de la grâce et du charme qui se dégageaient de la contrée et qui poussent aujourd'hui encore certains Argentins et de nombreux touristes à explorer les centaines de bourgades qu'elle abrite.

A l'arrivée des Espagnols, la région était peuplée d'Indiens: Sanavirones au nord-est, Comechingones à l'ouest et Pampas dans les plaines qui portent leur nom. En dépit des quelques affrontements qui opposèrent les nouveaux occupants aux anciens, les premiers décrivent les seconds comme des gens «pacifiques et conciliants». Un tel jugement reposait avant tout sur le contraste existant entre ces communautés et les nations plus belliqueuses du nord-ouest, du sud et de l'est du pays. Les Sanavirones et les Comechingones étaient des sédentaires. Ils vivaient dans des grottes ou dans des constructions de pisé entourées d'une clôture d'épineux et de cactées. En revanche, les Pampas étaient des nomades dont le territoire couvrait de vastes étendues. Organisées en communautés dirigées par un cacique, ces nations vivaient de la chasse, de la cueillette et d'une agriculture rudimentaire. Leur religion était centrée sur le culte du Soleil et de la Lune. Chacune disposait d'une langue spécifique, elle-même divisée en plusieurs dialectes. Le chiffre exact de ces populations reste sujet à controverse. Pour cette seule région, avant l'arrivée des Espagnols, on l'estime dans une fourchette qui varie de 12 000 à 30 000 individus.

Après que les colons eurent découvert les minerais et les pierres à bâtir que recelaient les montagnes, ils disposèrent d'arguments de poids pour convaincre la mère patrie de la nécessité de fonder une vraie ville dans la région. Un siècle plus tard, Córdoba se présentait déjà dans ses grandes lignes telles qu'à l'heure actuelle. La cité des débuts était devenue un grand centre culturel et religieux. A l'époque, Córdoba s'enorgueillissait de posséder un nombre considérable de chapelles, de couvents et d'églises fondées par les franciscains, les carmélites et les jésuites. En 1621, ces derniers avaient édifié la première université du pays, l'actuelle Universidad Nacional de Córdoba. L'économie de la région reposait alors sur une grande diversité de produits agricoles (maïs, blé, haricots secs, pommes de terre, poires, pêches, abricots et vigne) et sur la domestication d'un cheptel en constante augmentation.

Pages précédentes: l'église de Santa Teresa à Córdoba. A gauche, le plafond de la cathédrale de Córdoba.

Le pays du caroubier

C'est à la hauteur de la province de Córdoba que l'immensité plate de la pampa vient buter sur une des trois chaînes de sierras parallèles qui annoncent les contreforts des Andes. Cette première chaîne est formée des Sierras Chicas («petites sierras»), des Sierras Grandes («grandes sierras») et, enfin, des Sierras del Pocho, prolongées par les Sierras de Guasapampa. Le Champaquí

(2 884 m) est le point culminant de la région.

Les sierras de la province de Córdoba n'ont pas le caractère imposant des autres reliefs montagneux qui bordent le front est des Andes. Vues de la plaine, elles présentent la forme arrondie de vagues déferlant sur une plage. Leur beauté, la sécheresse de leur climat, la qualité des routes qui les parcourent et le nombre impressionnant des cours d'eau qui les arrosent ont conféré à la région sa réputation de lieu idéal pour la détente et le repos.

La province de Córdoba jouit d'un climat continental. L'hiver rigoureux et très sec n'est pas dépourvu de charme. A cette saison, la limpidité de l'air métamorphose le paysage, mettant en relief ses moindres détails. Mais les journées brûlantes et les nuits fraîches de l'été semblent recueillir les suffrages d'une majorité de touristes.

Les précipitations sont nettement plus abondantes au printemps et en été, notamment dans l'est de la province, où pousse une végétation verdoyante. Les plantes qui composent cette flore des *montes* (montagnes) sont surtout des broussailles et des épineux. A mesure qu'on approche du piémont des collines orientales, on trouve un nombre croissant d'arbres plus développés. Parmi eux, l'*algarrobo* (« caroubier ») est le plus connu et le plus utile à l'homme. Depuis l'époque préhistorique, les populations locales l'apprécient pour son ombre, ses fruits, sa résistance au vent et son bois qui sert aussi bien à la combustion qu'à la construction. En raison de toutes ces qualités, les habitants de la région l'appellent tout simplement l'« Arbre ».

La faune des sierras

Les animaux qui peuplent les collines sont moins nombreux et moins diversifiés qu'à l'arrivée des Espagnols. Pourtant, dans les zones les plus reculées, ils sont en nombre suffisant pour qu'on les chasse en saison. Quelques lions d'Amérique, ou pumas, parcourent encore les sierras. Autour des lieux de villégiature, il est rare de rencontrer des guanacos, dont le

La façade de la cathédrale de Córdoba.

territoire est plutôt sur les hauteurs occidentales. Il existe en revanche des lièvres, des perdrix et des viscaches (chinchillidés surnommés « lièvres des pampas ») en grand nombre, qu'on chasse pour leur chair raffinée. Les serpents, parmi lesquels le crotale et le serpent corail, se raréfient en raison de la présence quasi permanente de visiteurs dans les montagnes. De temps à autre, un renard pointe le bout de son museau entre les rochers pour observer goulûment les myriades d'oiseaux qui font de la région un paradis pour ornithologues.

Comment s'y rendre

On rejoint plus facilement la province et la ville de Córdoba par le sud et l'est. De Buenos Aires, des trains, des autocars et des avions assurent la liaison avec la capitale provinciale.

Au départ de la gare de Retiro, les trains de la ligne General Mitre sont assez confortables mais lents. C'est pourquoi il vaut mieux effectuer le trajet de nuit en wagon-lit. Plus rapides, les autocars sont modernes, spacieux et très confortables. En outre, ils offrent un choix d'horaires plus vaste que les trains. Plusieurs compagnies assurent la liaison de Buenos Aires à Córdoba, avec possibilité d'arrêt à Rosario et dans d'autres grandes villes. La durée maximale du trajet en autocar express est de neuf heures et demie. En avion, le même trajet dure environ une heure. Aerolíneas Argentinas et Austral proposent plusieurs vols quotidiens à destination de Córdoba.

Pour se rendre en voiture de Buenos Aires à Córdoba, l'itinéraire le plus court emprunte la RN 9 qui rejoint d'abord Rosario (à 300 km au nord-ouest de la capitale) puis Córdoba (à 400 km au nord-ouest de Rosario). On peut également utiliser la RN 8, un peu plus longue mais plus pittoresque. Ces deux routes traversent des océans de maïs, de blé, de soja et de tournesols. De vastes étendues herbeuses sont parcourues d'immenses troupeaux de chevaux et de bœufs issus de croisements entre les races britanniques et hollandaises et les bovins sauvages d'Argentine. Seuls les clochers des

Les étudiants de l'ancienne université des Jésuites devant l'église de la Compagnie de Jésus.

petites villes brisent l'horizontalité des terres fertiles de la pampa. Chacune de ces bourgades dispose d'hôtels, de petits restaurants, de cafés et de stations-service.

Si on part de Santiago du Chili ou Mendoza (au sud-ouest) vers Córdoba, on peut effectuer le trajet en autocar ou en avion ; de Santiago del Estero, Salta, Tucumán ou Jujuy (au nord-ouest), on pourra, en plus, utiliser le train.

Le damier colonial

Peuplée de plus d'un million d'habitants, **Córdoba** est la deuxième ville d'Argentine. Son économie se fonde essentiellement sur l'agriculture, l'élevage et l'industrie automobile. Au carrefour des principaux axes routiers du pays, cette position privilégiée lui a valu de devenir rapidement un des phares de l'Argentine coloniale. Plus tard, Córdoba et sa région ont été un puissant foyer de résistance face au pouvoir croissant de Buenos Aires. Le caractère sacré et la fonction éducative des constructions les plus anciennes de Córdoba – chapelles, églises, couvents et bâtiments universitaires de l'époque coloniale – ont relativement préservé la cité de la destruction. La ville moderne s'est construite autour d'eux en respectant leur histoire et en les intégrant au mieux.

Comme la plupart des villes fondées par les Espagnols, Córdoba a été construite selon un schéma en damier. Le centre regroupe l'ensemble des édifices civils et religieux autour d'une grand-place (en l'occurrence, la Plaza San Martín). A l'Office du tourisme de Córdoba (Calle Tucumán, 25) et dans les autres centres d'informations, il est possible de se procurer une série de dépliants où sont recensés tous les renseignements qui rendent un séjour sur place plus agréable.

Le circuit des lieux saints

L'une des premières préoccupations de Cabrera, le fondateur de la ville, en 1573, a été de doter le nouvel établissement espagnol d'une **cathédrale**. La première s'effondra le 2 octobre 1677.

Une des promenades du centre de Córdoba.

En 1693, un nouveau chantier fut ouvert pour un édifice plus vaste et plus solide. Les fondations d'un sanctuaire à trois nefs furent vite abandonnées et l'on se borna à une nef et un transept. En 1697, à la demande du conseil municipal, l'architecte José Gonzáles Merguete quitta Sucre, en Bolivie, pour venir s'installer à Córdoba. Assez médiocre, il dota la cathédrale des trois nefs initialement prévues, d'un transept et d'un long presbytère. A sa mort, les architectes qui lui succédèrent assistèrent à l'effondrement des murs qu'ils avaient eux-mêmes commencé à élever. En 1729, à la demande des jésuites, Blanqui – architecte des monuments coloniaux les plus célèbres de Buenos Aires – vint s'établir pour dix ans dans la cité. C'est à lui qu'on doit la majeure partie du superbe édifice qu'on peut contempler sur la Plaza San Martín.

Blanqui fit dresser les murs, fermer les voûtes et aménager le parvis de la cathédrale. On retrouve sur la façade maniériste l'équilibre des pilastres toscans, des niches oblongues et du fronton triangulaire qui constituent son style. Une magnifique grille de fer forgé orne l'entrée. D'autres architectes intervinrent par la suite. Inspirée de l'art roman de l'Espagne septentrionale, la coupole surmontée d'une lanterne fut réalisée au milieu du XVIIIe siècle par le frère sévillan Francisco Muñoz. Les petites tours octogonales qui la renforcent sont l'œuvre de José Rodríguez. Les deux tours qui flanquent la façade existaient à l'époque de Blanqui ; elles ont été surélevées de deux niveaux par un artiste anonyme qui les fit décorer au mortier de petits anges musiciens et de reliefs en forme de fleurs. Leurs clochers sont couronnés de flèches octogonales surmontées de lanternons. La cathédrale a été consacrée en 1758.

Comme trop souvent en Argentine, l'intérieur du sanctuaire est très sombre et inutilement surchargé d'ornementations postérieures à sa conception. Les faux marbres, les vitraux et les peintures qui nuisent à la sobriété et à la spiritualité voulues par Blanqui datent du XIXe siècle. Le sanctuaire renferme une

La petite église de Candonga, dans les sierras, à l'ouest de Córdoba.

belle chaire de la fin du XVIIIe siècle, dont l'auteur est resté inconnu. Remplacé par un lourd autel d'argent au XIXe siècle, l'autel baroque d'origine se trouve dans l'église de Tulumba.

Face à la cathédrale, un ensemble dont l'entrée est située Calle Independencia comprend l'**église Santa Teresa** et un **carmel** du même nom. Fondé au début du XVIIe siècle, le complexe a fait l'objet de pesantes restaurations au XVIIIe siècle. La plupart des bâtiments qu'on peut visiter datent de cette époque. Inspirée des églises romaines, la façade maniériste fait alterner les tons roses et blanc cassé dans une belle harmonie chromatique. A l'intérieur, on s'attardera devant une chaire exécutée par l'artiste anonyme à qui l'on doit celle de la cathédrale, le maître-autel où trônent une statue baroque de sainte Thérèse de l'Enfant Jésus et les stalles du chœur superbement travaillées. Doté d'un curieux portail de styles portugais et brésilien, le couvent abrite un **musée d'Art religieux** où sont exposés la plupart des objets de culte utilisés jadis dans la cathédrale de Córdoba.

Voisine de la **Plaza San Martín**, la **Calle Caseros** abrite l'ensemble de constructions connu sous le nom de **complexe jésuite**. Il comprend une église et des bâtiments à usage d'habitation. A l'origine, il incluait également le collège Máximo et l'université qui sont devenus des institutions nationales.

Les travaux de l'église de la Compagnie de Jésus commencèrent en 1654, grâce à un legs du père Manuel de Cabrera, neveu du fondateur de Córdoba. Ils ont duré jusqu'en 1660, année où l'on fit venir un jésuite flamand, Philippe Lemaire (hispanisé en Felipe Lemer), qui s'était spécialisé dans la construction navale en Flandre, en Angleterre et au Portugal, puis au Brésil et dans la région du Río de la Plata. Pendant les douze dernières années de sa vie, le religieux s'est consacré à parfaire l'édifice qui est un des joyaux de l'architecture coloniale.

La façade de pierres jointoyées au mortier est restée inachevée. Sur ce fond austère, seuls se détachent les portails et les

Paisible paysage des sierras.

fenêtres du chœur. De chaque côté s'élève une tour surmontée d'une flèche pyramidale.

A l'origine le sanctuaire était en forme de croix latine, à transept et abside plane surmontés d'une coupole. On a transformé les vides en deux salles rectangulaires ouvrant sur l'intérieur : la chapelle des Espagnols et la chapelle des Indiens. En 1667, lorsqu'il fut question de recouvrir la nef, Lemer appliqua un procédé français décrit au XVIe siècle par Philibert De l'Orme : il réalisa une coque de navire renversée à la courbe en plein cintre, avec du bois de cèdre qu'il avait fait venir du Paraguay. Cette voûte est formée de couples et de planches incurvées qui comblent les vides entre les éléments portants. Comme l'exige la tradition navale, ce sont des coins de bois et non des clous qui maintiennent l'ensemble. Les planches sont recouvertes d'une épaisse toile encollée qui fut richement décorée de motifs peints. La coupole centrale est construite selon le même procédé : sur les quatre arcs doubleaux est appliquée une structure de bois d'où partent trente nervures qui aboutissent à un médaillon central. En 1961, un incendie a détruit une partie de la couverture ainsi que la peinture représentant le couronnement de la Vierge qui occupait le médaillon. Le sanctuaire a été admirablement restauré.

Outre l'exceptionnelle conception de l'intérieur, on admirera une superbe chaire, un maître-autel de cèdre qui, comme les autres autels de l'église, date du XVIIIe siècle, et des peintures représentant les saints apôtres, attribuées à un peintre du XVIIe siècle : Juan Bautista Daniel.

A deux *cuadras* (« pâté de maison ») de la cathédrale, à l'angle de la Calle Buenos Aires et de la Calle Entre Ríos, l'**église San Francisco** dépend du **couvent franciscain**. Lors de la fondation de Córdoba, Cabrera accorda les terres sur lesquelles se dresse le complexe à des moines qui y édifièrent une chapelle en 1575. Elle fut remplacée par un autre édifice, dont il ne reste rien aujourd'hui. La construction de l'ensemble actuel s'étendit de 1796 à 1813. Les murs de pierre et la

Le terrain de golf de La Cumbre.

décoration de bois de l'église en font un bel exemple d'architecture mudéjare (mélange de styles arabe et chrétien qui a atteint son apogée en Andalousie entre le XIIIe et le XVIe siècle). On y admirera notamment une belle *Descente de croix* de Juan Bautista Daniel.

A l'angle de la Calle 25 de Mayo et de la Calle Rivadavia et à trois *cuadras* de la cathédrale, la **basilique de la Merced** (« Miséricorde ») repose sur des fondations du XVIIe siècle. La construction a été achevée en 1826. Entre autres curiosités, on remarquera, à l'intérieur, un maître-autel d'Antonio Font et une belle chaire de bois polychrome du XVIIIe siècle.

Les édifices civils de Córdoba

Comme de nombreuses villes d'Argentine, Córdoba a conservé peu d'édifices publics de l'époque coloniale. A une *cuadra* de la cathédrale, le **Cabildo** est le siège de la police municipale. Engagée dès 1607, sa construction a duré jusqu'en 1786. Sa façade présente une série d'élégants arcs décorés de lampes coloniales et surmontés d'un balcon. C'est là que les autorités de la ville prenaient place pour assister aux exécutions, aux manifestations publiques, voire aux courses de taureaux qui se tenaient en contrebas.

Plus rare encore en Argentine, l'architecture civile domestique est représentée à Córdoba par la **maison du vice-roi Sobremonte**, qui occupe l'angle de la Calle Santa Fe et de la Calle Ituzaingo, à trois *cuadras* de la cathédrale. Elle abrite un **Musée historique** où sont exposées d'étonnantes collections d'artisanat *gauchesco*, de céramiques indiennes, d'instruments de musique et de mobilier colonial.

Au 40 Calle Entre Ríos, le **musée de la Ville**, aménagé dans une belle demeure, présente de la peinture moderne.

Dans la rue piétonnière qui débouche sur la place de la cathédrale, on peut se reposer un instant à la terrasse d'un café. Dans ce quartier central, de nombreuses boutiques incitent à marquer une pause dans tout programme culturel et à faire un peu de lèche-vitrine.

*L'église de l'*estancia *jésuite d'Alta Gracia.*

Les fêtes villageoises

Pour explorer les environs de Córdoba, il est possible de prendre les autocars locaux ou – mieux encore – un véhicule de location. En effet, les autorités touristiques locales ont élaboré un certain nombre d'itinéraires qui permettent de découvrir les routes de montagne (asphaltées ou non), et les paysages spectaculaires qu'elles traversent. Ici et là, des terrains de camping sont autant d'étapes pour passer la nuit.

Le *camino de la Punilla* (RN 38) est une bonne route pavée qui relie sur environ 150 km Córdoba à **Cruz del Eje** au nord-ouest, et traverse la plupart des stations implantées sur les hauteurs et dans les vallées. On parvient d'abord à **Carlo Paz** (à environ 45 km de Córdoba), réputée pour sa vie nocturne, ses casinos, ses restaurants, ses boîtes de nuit et pour les infrastructures sportives aménagées sur la rive du lac San Roque. En saison, la bourgade est littéralement envahie de vacanciers qui logent dans ses coquets chalets et ses hôtels confortables.

A 18 km au nord de Carlo Paz, **Cosquín** est un pittoresque village où un festival de folklore latino-américain est organisé dans la deuxième quinzaine de janvier.

A 15 km plus au nord, la route rejoint **La Falda**, qui propose pendant la première semaine de février un festival de musique argentine, notamment de tango. Le reste du temps, on peut, dans les environs, pratiquer le golf, la randonnée, l'équitation, la natation et la voile. Les pensions et les petits hôtels y sont nombreux. De plus, les étudiants sont hébergés au centre de vacances de l'université de Córdoba, à **Vaquerías**, juste à côté de La Falda.

La route se poursuit vers le nord et traverse **La Cumbre**, à 11 km de La Falda. De novembre à avril, on y pratique la pêche de la truite et, en toutes saisons, le golf, le tennis et la natation. Construite à 1 142 mètres d'altitude, la station jouit d'un climat fort agréable et apaisant. Un grand nombre d'écrivains viennent y chercher l'inspiration.

Fête de la Bière à Villa General Belgrano.

A 15 km plus au nord, la route rejoint **Capilla del Monte**, où un festival espagnol est organisé en février. Les alentours de cette station paisible construite au cœur des sierras se prêtent à la randonnée et à l'escalade.

Les « estancias » jésuites

C'est au nord de Córdoba que l'on peut visiter les plus belles *estancias*, exploitations agricoles créées par les jésuites. Contrairement à ce qui se produisait dans d'autres régions, le but des religieux n'était pas d'établir des communautés de convertis, mais de subvenir aux besoins des institutions qu'ils possédaient en ville. Des esclaves noirs et des Indiens travaillaient donc sur ces terres. En fonction de l'importance du domaine sur lequel elles étaient édifiées, les *estancias* se composaient d'une église et de logements destinés aux religieux et aux ouvriers, et organisées autour de patios et de cloîtres. Les *estancias* les mieux conservées sont celles de Santa Catalina et Jesús María.

Santa Catalina a été construite entre 1622 et 1767, année où l'ordre fut dissous par la couronne espagnole. Les bâtiments se composent d'une église, de cloîtres, d'un premier patio réservé aux domestiques, d'un second réservé aux travaux agricoles, et de dépendances diverses.

L'église et le portail qui ouvre sur le cimetière sont probablement l'œuvre d'un frère allemand nommé Antonio Harls. La façade se caractérise par son corps en saillie et son couronnement, qui présentent tous deux des courbes très germanisantes. Elle est flanquée de deux hautes tours parfaitement proportionnées. L'intérieur raffiné, en forme de croix latine, est recouvert d'une coupole.

L'*estancia* de **Jesús María** (à 20 km au nord) présente un plan plus simple que la précédente. Son église reprend toutefois les caractéristiques de Santa Catalina, ce qui laisse à penser que les deux édifices furent conçus par le même religieux.

Le sud de Córdoba

Alta Gracia (36 km au sud de Córdoba par la RP 5) est une jolie ville paisible où il est très agréable de s'arrêter. Elle s'étend sur les terres d'une ancienne *estancia* jésuite. On y trouve la **maison du vice-roi Liniers**, bel exemple d'architecture civile domestique, qui abrite un musée.

Puis, on se rendra dans l'**église** voisine, plus complexe que les précédentes. Sa nef unique se distingue en effet par des éléments très novateurs : le mur droit est incurvé à hauteur de la coupole, elle-même percée de lucarnes qu'on trouve d'ordinaire dans le tambour. Ornée de paires de pilastres toscans qui ont poussé certains érudits à attribuer l'édifice à Blanqui, la façade assez lourde présente un fronton interrompu tout en courbes. Celles-ci sont reprises et amplifiées dans les ailes en forme de console renversée qui flanquent la façade. Achevé en 1762, l'intérieur contient de jolis détails rococo.

La piste qui conduit d'Alta Gracia à **La Isla**, au bord de l'**Anizacate**, est mauvaise mais elle traverse un paysage somptueux. De petites fermes s'élèvent çà et là, et leurs propriétaires invitent parfois le voyageur à partager un *asado*, à boire un verre de vin rouge corsé ou un maté brûlant et à jouer à la *taba*, un jeu de hasard dans lequel les gauchos utilisent la rotule gauche d'un cheval.

Entre Alta Gracia et le barrage de **Los Molinos**, la RP 30 serpente à travers les sierras sur une vingtaine de kilomètres. Les eaux de retenue du barrage permettent de s'adonner aux sports nautiques. Dans un petit restaurant situé au-dessus de l'ouvrage, on peut déjeuner correctement en admirant le panorama du lac et des sommets environnants.

A vingt kilomètres plus au sud s'étend **Villa General Belgrano**, où se réfugia l'équipage du *Graf Spee*, un sous-marin allemand endommagé par les Britanniques au large de Mar del Plata en décembre 1940. De nos jours, les chalets et les jardins impeccables de la bourgade lui confèrent un petit air germanique assez exotique. Le dépaysement sera encore plus total si on passe par Villa General Belgrano et **La Cumbrecita**, le village voisin, pendant la première semaine d'octobre pour assister à une véritable fête de la Bière, qui n'a rien à envier aux célèbres manifestations bavaroises...

LA MÉSOPOTAMIE

Au nord-est du pays, une région marécageuse s'étend entre le Paraná et l'Uruguay, d'où son nom de Mésopotamie – *mesos* signifiant en grec « milieu » et *potamos* « fleuve ». De faible altitude, elle est quadrillée par un grand nombre de cours d'eau et comprend les provinces d'Entre Ríos, Corrientes et Misiones ; cette dernière, qui abrite les chutes de l'Iguazú, est mondialement célèbre depuis le film *Mission*.

Rosario

A 150 km environ de Buenos Aires par la RN 9, **Zarate** occupe la rive ouest du fleuve. En 1979, la ville s'est dotée d'un pont routier et ferroviaire sur le Paraná, par lequel on accède directement à la pointe sud de la Mésopotamie. L'ancien transbordeur dont le service était souvent interrompu par les crues reste donc à quai.

Toujours sur la rive ouest, **Rosario** (à 200 km de Zarate par la RN 9) a longtemps été la deuxième ville d'Argentine par sa population. Elle compte plus d'un million d'habitants qui ont parfois du mal à accepter que leur ville soit passée en troisième position, après Córdoba. On peut avoir une idée de l'importance de Rosario au début du siècle en visitant les beaux quartiers Arts déco du centre. Dans le parc Belgrano se dresse la curiosité la plus connue de la ville, le **Monumento a la Bandera** (« monument au drapeau ») : au sommet d'un escalier monumental, un obélisque devant lequel brûle une flamme éternelle commémore le geste du général Belgrano qui, le 27 février 1812, fit hisser en ce lieu le premier drapeau argentin. Rosario possède un **Musée historique** consacré à la région, et un **musée Che Guevara** (Calle Entre Ríos, 480) créé en l'honneur de cet enfant du pays.

Santa Fe et Paraná

Plus en amont sur la rive ouest s'étend **San Lorenzo** (à 35 km au nord de Rosario par la RN 11). Construit au XVIIIe siècle, le **monastère San Carlos** a été le théâtre d'un célèbre épisode de la guerre d'indépendance. Écrasé par son cheval tombé à terre, le général San Martín fut dégagé par le sergent Cabral qui fut mortellement blessé par l'ennemi. Symbole de cette abnégation, l'arbre sous lequel Cabral expira est encore debout.

A 140 km au nord de San Lorenzo, la RN 11 traverse **Santa Fe** qui, bien que moins importante que Rosario, est la capitale de la province à qui elle a donné son nom. Sa première fondation remonte à 1573. Édifiée sur ordre de Garay au lieu dit Cayastá, au nord de l'actuelle cité, la bourgade fut dépeuplée par les attaques des Indiens et les maladies. En 1651, Santa Fe fut transférée à l'emplacement qu'elle occupe aujourd'hui, où elle fut reconstruite sur le même plan. Première ville latino-américaine fondée (en l'occurrence « refondée ») par des *criollos*, Santa Fe est une agréable ville de province.

Deux lieux saints sont à découvrir rue San Martín. Le premier, l'**église Notre-Dame-des-Miracles**, élevée par les jésuites lors de la seconde fondation de la ville, a été considérablement remaniée au fil du temps. Elle a conservé sa voûte en bois de caroubier qui est clouée, et non chevillée comme celle de l'église jésuite de Córdoba. La *Vierge immaculée*, ou *Vierge des miracles*, peinte en 1633 par le jésuite français Louis Berger, est considérée comme le plus ancien tableau d'Argentine.

Le second, l'**église San Francisco**, faisait partie d'un grand couvent de franciscains. Construite de 1680 à 1689, elle se compose d'une nef unique recouverte d'une coupole aplatie, ou calotte. Entièrement réalisée en bois, la couverture présente à l'intérieur un joli plafond mudéjar (d'influence musulmane) à caissons, qui ressemble fort à celui du réfectoire du couvent franciscain de Córdoba. L'église abrite deux rares peintures de Bernardo Rodrígues, mort en 1650 : une *Descente de croix* et un tableau intitulé *La Conquistadora*. A l'extérieur, les deux pans de la toiture se prolongent au-dessus de la sobre façade qu'ils protègent du soleil et de la pluie. La tour isolée, à gauche du sanctuaire, se compose de trois corps dont le dernier, surmonté

Pages précédentes : dès le plus jeune âge, les Argentins vouent au cheval une passion inconditionnelle ; pêche au filet dans la lagune. A gauche, le site le plus majestueux d'Argentine : les chutes de l'Iguazú.

d'une élégante petite coupole, renferme les cloches. Les bâtiments monastiques qui entourent l'église abritent aujourd'hui un **Musée historique** consacré à la province.

Santa Fe est reliée à la rive est du fleuve par un tunnel d'environ 30 km, seul exemple du genre en Amérique latine, sous lequel passe la RN 18 qui débouche à **Paraná**, capitale de la province d'Entre Ríos, construite à une trentaine de mètres au-dessus du cours d'eau dont elle porte le nom. La ville comporte de beaux parcs et quelques édifices anciens qui rappellent son passé de capitale (de 1853 à 1861). De belles perspectives s'y ouvrent sur les environs de Santa Fe qui, au-delà du Paraná, regorgent de lacs et de marais. Quant aux terres ondulantes qui s'étendent à l'est de Paraná, elles sont ponctuées de forêts d'acacias et parcourues d'une multitude de ruisseaux et de rivières. Ici et là, un village ou une bourgade se détache sur le damier régulier des champs cultivés.

Les violentes crues de 1983 ont provoqué la destruction partielle d'un pont suspendu sur le Paraná construit par Gustave Eiffel au milieu du XIXe siècle.

Des ruines émouvantes

A 80 km au nord de Santa Fe par la RP 1, le Paraná longe le site de **Cayastá**, où s'était établie la première colonie de Santa Fe. Recouverte d'une végétation centenaire, la première ville était tombée dans l'oubli jusqu'à ce qu'on la redécouvre, au XXe siècle.

Depuis, on a minutieusement dégagé ses fragiles constructions de pisé – la pierre est inexistante dans la région. En dépit de sa petite taille, la bourgade ne comptait pas moins de sept églises, aujourd'hui protégées par des couvertures métalliques ; un parcours a été spécialement aménagé pour les découvrir. Cayastá abrite également un **musée** qui retrace l'histoire du site.

Les quelque 250 km qui séparent Cayastá de **Reconquista** (par la RP 1) ne présentent guère d'intérêt. Entre Reconquista et **Goya**, juste en face, sur la rive est du Paraná, un service de transbordeur permet d'admirer le paysage fluvial. Le bateau parcourt la multitude de bras d'eau qui enserrent des îlots boisés et met environ cinq heures pour atteindre sa destination.

Resistencia et Corrientes

Le Paraná arrose **Resistencia** (290 km au nord de Reconquista par la RP 1) qui, comme toutes les villes de la rive ouest, est construite sur un terrain plat où le fleuve se divise en de multiples bras. Resistencia est célèbre pour les nombreuses sculptures qui ornent ses rues et pour son quartier de **Toba**, où les Indiens vendent un artisanat de grande qualité. Elle est reliée à Corrientes, sa voisine de la rive est, par un gigantesque pont. En février, Corrientes vit à l'heure du carnaval, le plus important d'Argentine. Par ailleurs, le 3 mai, la ville commémore le miracle auquel elle doit son existence : en 1588, six jours après sa fondation, le site fut attaqué par des Indiens ; ils furent vaincus lorsqu'on eut placé une croix au centre du fortin. Cette croix est conservée en l'**église de la Très-Sainte-Croix-du-Miracle**.

A gauche, de nombreux fuchsias poussent à l'état sauvage dans les forêts de Misiones ; à droite, le carnaval de Corrientes rappelle que le Brésil est tout proche.

La petite ville de **San Luis del Palmar** (à 30 km à l'est de Corrientes par la RN 12), baignée d'une agréable atmosphère coloniale, est un lieu d'excursion conseillé.

C'est au niveau de Corrientes que s'effectue la jonction du Paraná, qui coule du nord-est où il se nomme haut Paraná, et du Paraguay, qui descend du nord-ouest. A **Paso de la Patria**, les eaux mêlées sont peuplées de *dorados* («dorés») qui attirent les pêcheurs en grand nombre. Ce poisson est considéré comme le plus combatif du monde, donc le plus intéressant pour les amateurs qui, de juillet à novembre, trouveront tout le nécessaire pour pratiquer ce sport: hébergement, bateaux, guides et équipement.

Itatí (à 25 km à l'est de Corrientes par la RN 12) compte parmi les lieux de pèlerinage les plus célèbres d'Argentine. Dressant la masse incongrue de son dôme au-dessus des plaines environnantes, la basilique contemporaine abrite une image miraculeuse de la Vierge. Apportée en 1589 par des prêtres espagnols, l'effigie avait disparu à la suite d'un raid indien et était réapparue en 1608 à Itatí. Un premier sanctuaire fut aussitôt dressé à cet endroit et, en 1615, eut lieu la fondation du village.

Les **îles de Yaciretá et Apipe** (à environ 250 km à l'est de Corrientes par la RN 12) accueillent un vaste chantier où Argentins et Paraguayens travaillent à l'édification d'un barrage colossal. L'ampleur du projet est telle qu'il faudra des années pour en venir à bout.

Avant d'atteindre **Posadas** (à une centaine de kilomètres en amont des îles par la RN 12) le haut Paraná change radicalement d'aspect. Les courbes amples et majestueuses qu'il décrivait en plaine disparaissent au profit d'un cours plus nerveux, et le fleuve coule entre des berges abruptes où s'achèvent brusquement des terres tourmentées. A partir de cette région, le haut Paraná traverse une coulée de basalte qui naît au Brésil, à 1 290 km plus au nord. Le sol même se modifie: la végétation luxuriante de la province de Misiones laisse à penser que la latérite rouge où elle pousse est très fertile. Or, seul l'abondant humus formé par les

Vestiges de l'église jésuite de San Ignacio Mini.

feuilles qui tombent constamment des arbres parvient à compenser sa pauvreté.

Les missions jésuites

Capitale de la province de Misiones, **Posadas** est une petite ville de 220 000 habitants, où rien ne retiendra le visiteur. Un pont sur le haut Paraná la relie à **Encarnación**, en territoire paraguayen, et permet aux paysans de l'État voisin de proposer leurs produits sur un marché qui se tient sur la Costanera, en bordure du fleuve.

La province de Misiones doit son nom aux établissements jésuites, qui étaient nombreux dans cette région, comme dans le sud du Paraguay et du Brésil. Arrivés à la fin du XVIe siècle, les missionnaires de la compagnie de Jésus entreprirent la conversion des populations guarani. Ils fondèrent en 1609 leur première *reducción*, village dans lequel les Indiens, traditionnellement nomades, se trouvaient réduits à la vie sédentaire. Les néophytes vivaient librement, selon un idéal communautaire, à l'intérieur de la *reducción*, où ils apprenaient divers métiers artisanaux. Quant aux membres de l'ordre, ils se consacraient en priorité à l'évangélisation, mais aussi à l'étude des langues et des traditions indiennes, sur lesquelles ils rédigèrent de nombreux ouvrages.

Les rues de Colón après l'ondée.

Leur succès et leur influence croissants suscitèrent l'animosité des négriers qui traversaient la région dans le cadre de leur sinistre activité, puis celle des autorités espagnoles, qui supportaient mal de voir ce qui leur paraissait un «État théocratique» jésuite, ou plutôt guarani, se constituer au sein de la colonie. En 1767, l'ordre fut dissous par Charles III et les jésuites durent abandonner les missions et leurs ouailles, ce qui mit un terme brutal à la vie de ces villages, au bout de cent cinquante années d'existence. C'est cependant grâce aux *reducciones* que les Guaranis échappèrent aux massacres dont d'autres Indiens furent les victimes. Leurs descendants constituent d'ailleurs la majeure partie de la population du Paraguay, et leur langue y dispute la première place à l'espagnol.

Il existe une douzaine de missions en ruine dans la province. Mais la plus importante et la mieux restaurée est celle de **San Ignacio Mini** (*mini* signifie «petit» en guarani), à ne pas confondre avec San Ignacio Guazú (*guazú* signifie «grand»), qui se trouve au Paraguay. Situé à une cinquantaine de kilomètres au nord-est de Posadas (par la RN 12), le village a été fondé une première fois en 1610, puis une deuxième fois en 1655. En 1696, il fut établi à l'emplacement qu'il occupe actuellement. On sait qu'en 1731, il rassemblait 879 familles qui représentaient près de 4 000 habitants. En 1739, une épidémie de peste décima les Indiens. A la suite de l'expulsion des jésuites, le site tomba dans l'oubli et la jungle le recouvrit jusqu'en 1897, année où il fut redécouvert.

Le village comportait une place d'armes, des entrepôts, un cimetière, un «collège» dans lequel résidaient les missionnaires et des maisons alignées où vivaient les convertis. Bâtiment principal du village, l'église mesurait environ 62 m de longueur sur 24 m de largeur. Toute la structure intérieure de bois – notamment la couverture – a disparu. Le sol était recouvert de dalles de céramique à reliefs en forme d'animaux. Construite en pierres de grès rouge, la façade se composait d'un portail central et de deux portails latéraux encadrés de lourdes colonnes. Le fronton s'interrompait pour faire place à la fenêtre du chœur, flanquée de reliefs exécutés par les Indiens à partir des directives des jésuites. Deux architectes italiens appartenant à la compagnie de Jésus travaillèrent sur le site : le frère coadjuteur Camillo Petragrasse (mort en 1729) et le père José Brasanelli (mort en 1728).

C'est à l'heure où, effleurant la pierre, les rayons du soleil couchant font ressortir sa couleur chaude et ses ornements naïfs, que l'on découvre vraiment le charme qui se dégage de la ville morte. Et on peut sans doute rester songeur quant au mode de vie novateur – qualifié par certains de communisme avant la lettre – qui s'était établi en ces lieux et ce, comme le proclame la devise des jésuites, *Ad majorem Dei gloriam* («Pour la plus grande gloire de Dieu»)...

Les chutes de l'Iguazú

Les villages typiques de Misiones sont édifiés avec le bois de la région. Les maisons et les églises présentent une architecture inspirée de l'Europe du Nord, d'où est originaire la majorité des habitants.

Puerto Iguazú (à 220 km au nord-est de San Ignacio par la RN 12) est dotée d'une excellente infrastructure touristique qui en fait un point de départ idéal pour une visite au **parc national d'Iguazú**, serti dans le site naturel le plus fameux d'Amérique du Sud.

Une jungle luxuriante sert d'écrin aux chutes de l'Iguazú (Iguazú en indien guarani signifie «eau grande»), le fleuve qui longe en partie la frontière argentino-brésilienne. On prétend que c'est l'Argentine qui possède les chutes et le Brésil qui profite de leur spectacle. Il est vrai que c'est en territoire brésilien, au terme d'une marche d'environ un demi-kilomètre, que l'on peut jouir d'un point de vue exceptionnel sur cette merveille de la nature. Il suffit de se munir d'un passeport: le visa n'est pas nécessaire si l'on

Un tourbillon près de la gorge du Diable.

ne passe que quelques heures du côté brésilien. Le côté argentin permet non seulement de voir les chutes, mais aussi de les approcher sous des angles aussi nombreux que différents.

La promenade la plus époustouflante est celle qui traverse le cours supérieur de la rivière entre **Puerto Canoas** et la **Garganta del Diablo** (« gorge du Diable »). Du haut d'un ponton d'environ 1 km de long – le plus beau kilomètre du monde, dit-on –, on peut voir les eaux se déverser en cataractes dans le bassin naturel, 70 m en contrebas. C'est au crépuscule que l'on apprécie le mieux le spectacle, non seulement en raison de la luminosité particulière, mais aussi parce que c'est l'heure où des nuées de petits martinets à tête grise, les *vencejós*, traversent le rideau des chutes écumantes pour regagner leurs nids accrochés à la roche.

Sur le cours inférieur de la rivière, le **Salto de las Dos Hermanas** (« chute des deux sœurs ») se compose de deux cataractes voisines ; on peut s'en approcher grâce à un parcours balisé qui compte parmi les plus beaux du parc.

La traversée qui mène en canoë à l'**île San Martín** est également une expérience inoubliable, car elle conduit au cœur même de ce décor grandiose. L'excursion est d'autant plus agréable que l'île est festonnée de petites criques où l'on peut se baigner.

Le parc est sillonné de pistes et de routes qui permettent d'explorer – en voiture ou à vélo tout terrain – la forêt subtropicale au milieu de laquelle coule l'Iguazú. Avec un peu de chance et beaucoup d'attention, on peut apercevoir l'un des nombreux animaux sauvages qui peuplent la jungle.

Le **centre d'accueil** dispose d'une documentation sur les mammifères, les oiseaux et la flore du parc, tandis qu'un petit **musée** présente des spécimens.

L'hôtel International se dresse dans l'enceinte du parc, juste à côté du centre d'accueil. Il marque le point de départ des circuits balisés qui permettent un accès rapide et pratique à l'ensemble des sites. En dehors du parc, il existe une autre possibilité d'hébergement : l'hôtel Las Orquídeas. Enfin, Puerto Iguazú compte

Le ciré est de rigueur pour une promenade au pied des chutes.

de nombreux établissements, dont les prix sont plus abordables que ceux des hôtels indiqués ci-dessus.

En amont des chutes, l'Iguazú coule sur 900 km, et est jalonné de plusieurs barrages. Le déboisement des berges permet aux eaux de pluie de se déverser immédiatement dans le fleuve, faisant alterner les crues et les périodes de sécheresse. Ces mêmes ruissellements charrient de grandes quantités de latérite qui viennent salir les eaux de l'Iguazú.

Thé ou maté ?

Pour rejoindre Buenos Aires, on pourrait emprunter le cours de l'Uruguay si des rapides, tels les **chutes de Moconá,** ne rendaient la descente impossible ; seule l'organisation d'une petite expédition permet de les atteindre par voie de terre.

A **Obera** (à 300 km au sud d'Iguazú par la RN 14) les descendants des immigrés européens semblent rivaliser d'ordre afin de faire de leur cité un modèle du genre. Le sud de la province compte une poignée de villes intéressantes.

Apóstoles (à 80 km au sud d'Oberá par la RN 14) est la capitale du thé et de la *yerba* mate, dont les Argentins ont fait leur boisson nationale. Les plantations de maté se reconnaissent à leur aspect foisonnant et celles de thé à la rigueur avec laquelle sont taillés leurs arbustes.

A environ 230 km plus au sud (toujours par la RN 14) s'étend **Yapeyú**, où une mission jésuite a été transformée en garnison espagnole à la fin du XVIIIe siècle et finalement détruite par les Portugais en 1817. C'est là qu'en 1778 naquit San Martín, dont le père était colonel de l'armée espagnole. On peut visiter la maison natale de San Martín et le petit musée qui lui est consacré. Le motel de l'Automobile Club argentin est à retenir si l'on souhaite passer la nuit à Yapeyú.

Concordia (à 300 km au sud de Yapeyú par la RN 14) est une grande ville dont l'économie est centrée sur la culture des agrumes. Avant l'édification du barrage de Salto Grande – sur l'Uruguay au nord de la ville –, les eaux du fleuve étaient claires. Depuis, le déboisement et ses inévitables corollaires les ont profondément troublées.

A environ 50 km de Concordia, la RN 14 longe le **parc national d'El Palmar**, qui recèle de nombreuses espèces animales (loutres, renards, nandous, hérons, cigognes). Parmi les espèces végétales, les plus connues sont les palmiers qui s'élèvent au-dessus de la pampa et ont donné leur nom au site. On pourra passer la nuit dans les terrains de camping prévus dans l'enceinte du parc ou au motel d'**Ubajay**, le village le plus proche.

Colón (à 75 km au sud du parc par la RN 14) était jadis un grand centre de l'industrie de la viande. Aux environs, on peut visiter le **Palacio de San José**, où résida le général Urquiza, successeur du sanglant Rosas. Classé parmi les monuments historiques argentins, le palais reste fort impressionnant en dépit des menus outrages que le temps lui a fait subir.

Avant de prendre le pont qui traverse le Paraná et relie **Brazo Largo** à **Zarate**, il ne faut pas manquer de se rendre à **Paranacito**, à l'extrémité sud de la Mésopotamie, pour y admirer de nouveaux paysages du delta.

A gauche, le palais de San José, résidence du général Urquiza ; à droite, un garde à cheval du parc d'El Palmar, devant les palmiers d'où le lieu tire son nom.

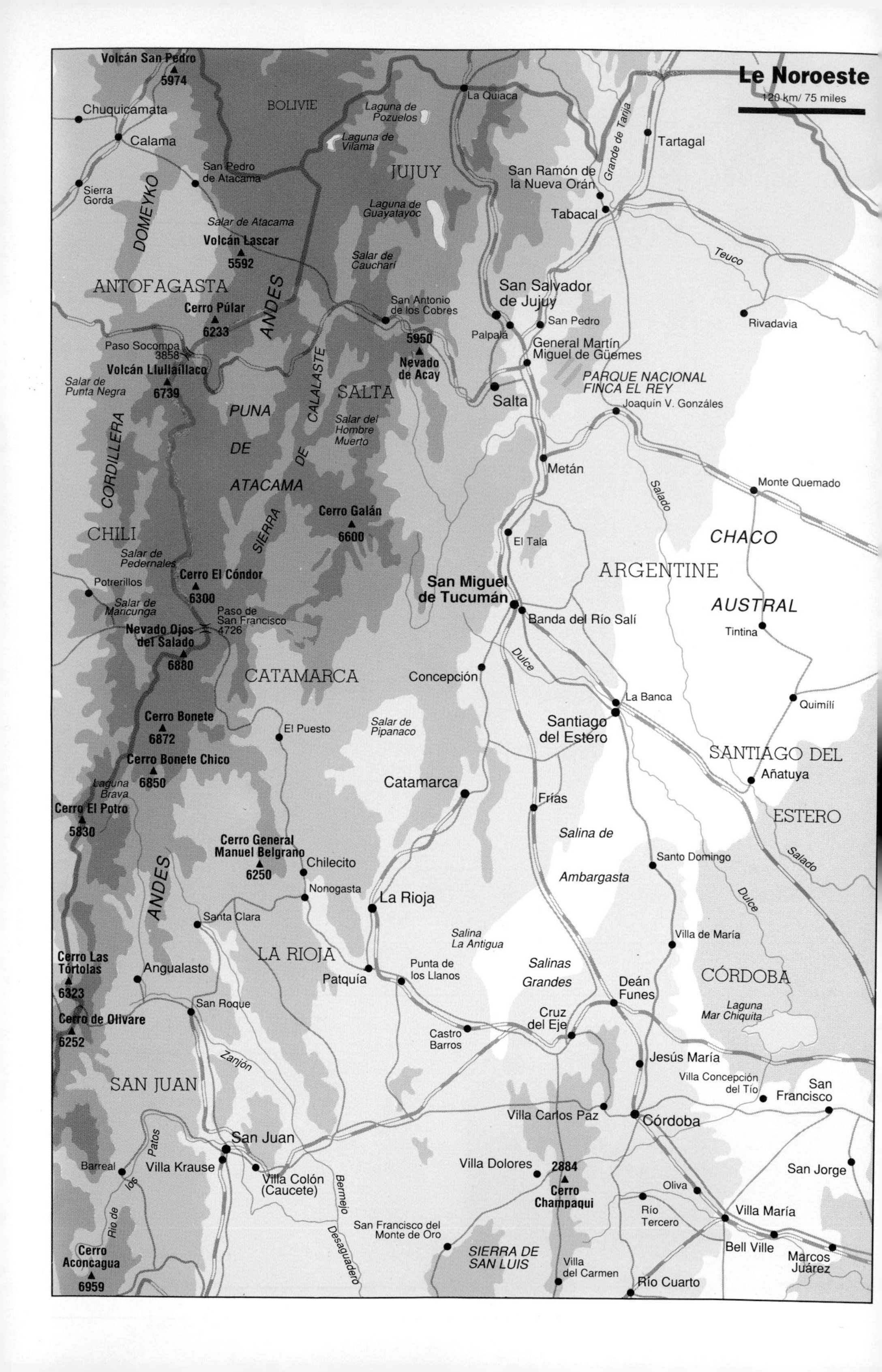

Le Noroeste
120 km/ 75 miles
Volcán San Pedro
5974
Chuquicamata
Calama
Sierra Gorda
BOLIVIE
Laguna de Pozuelos
Laguna de Vilama
La Quiaca
Grande de Tarija
Tartagal
JUJUY
San Pedro de Atacama
DOMEYKO
San Ramón de la Nueva Orán
Laguna de Guayatayoc
Tabacal
Salar de Atacama
Volcán Lascar
5592
Salar de Cauchari
Teuco
ANTOFAGASTA
ANDES
San Salvador de Jujuy
Cerro Púlar
6233
San Antonio de los Cobres
San Pedro
Palpalá
Rivadavia
Paso Socompa
3858
5950
General Martín Miguel de Güemes
Volcán Llullaillaco
6739
Nevado de Acay
PARQUE NACIONAL FINCA EL REY
Salar de Punta Negra
CALALASTE
SALTA
Salta
Joaquín V. Gonzáles
CORDILLERA
PUNA
Salar del Hombre Muerto
DE
DE
Metán
ATACAMA
Salado
Monte Quemado
SIERRA
Cerro Galán
6600
CHILI
El Tala
CHACO
Salar de Pedernales
ARGENTINE
Cerro El Cóndor
6300
Potrerillos
San Miguel de Tucumán
AUSTRAL
Salar de Maricunga
Paso de San Francisco
4726
Banda del Río Salí
Nevado Ojos del Salado
6880
Tintina
Dulce
CATAMARCA
Concepción
La Banda
Quimilí
Cerro Bonete
6872
Santiago del Estero
El Puesto
Salar de Pipanaco
SANTIAGO DEL
Cerro Bonete Chico
6850
Laguna Brava
Añatuya
Catamarca
Cerro El Potro
5830
Frías
ESTERO
Salina de
Salado
Ambargasta
Cerro General Manuel Belgrano
6250
Chilecito
Santo Domingo
ANDES
Nonogasta
La Rioja
Dulce
Santa Clara
Salina La Antigua
Villa de María
Cerro Las Tórtolas
6323
LA RIOJA
Salinas
Angualasto
Punta de los Llanos
Patquía
Grandes
CÓRDOBA
Deán Funes
San Roque
Laguna Mar Chiquita
Cerro de Olivare
6252
Cruz del Eje
Castro Barros
Zanjón
Jesús María
SAN JUAN
Villa Concepción del Tío
San Francisco
Villa Carlos Paz
Córdoba
Patos
San Juan
Barreal
Villa Krause
Villa Colón (Caucete)
los
Bermejo
Villa Dolores
2884
Cerro Champaqui
San Jorge
Oliva
Río Tercero
Villa María
Río de
San Francisco del Monte de Oro
Cerro Aconcagua
6959
Desaguadero
SIERRA DE SAN LUIS
Bell Ville
Villa del Carmen
Marcos Juárez
Río Cuarto

Pages récédentes : l'église El Carmen, à Salta ; audace d'un jeune torero de Casabindo, dans la province de Jujuy (il n'y a pas de mise à mort lors de ces spectacles traditionnels).

LES SPLENDEURS DU NOROESTE

Dominé par un ensemble de hauts plateaux et de sommets gigantesques, le nord-ouest de l'Argentine est en grande partie désertique. Si la région conserve des traces de son passé colonial, elle n'en est pas moins extrêmement dépaysante pour un Européen à cause de l'omniprésence des vestiges préhispaniques et de la démesure des sites : les paysages des *altiplanos* sont grandioses. Parsemés de gigantesques cactées, ces hauts plateaux sont cernés de montagnes dont les pierres se teintent du même bleu intense que le ciel.

Un peuple de sédentaires

Sur les plans archéologique, historique et géologique, le Noroeste présente un ensemble de paysages relativement homogène. La région comprend les provinces de Jujuy, Salta, Tucumán, Santiago del Estero, Catamarca et La Rioja, ces deux dernières étant parfois considérées comme appartenant au Cuyo.

Pour mieux comprendre cette grande zone relativement aride, il faut remonter à la période préhispanique. Tandis que les vastes plaines de la Patagonie et les prairies onduleuses de la pampa et de la Mésopotamie étaient parcourues par des nomades qui vivaient de cueillette, de chasse ou de pêche, le Noroeste était peuplé depuis plus de dix mille ans par des sédentaires qui pratiquaient l'agriculture et l'élevage.

Les innombrables rivières et torrents qui arrosent les vallées de la région avaient permis à ces peuples de s'y établir. Parmi eux, certains avaient prospéré jusqu'à édifier d'importantes cités dont les vestiges, en bon état de conservation, jalonnent la *precordillera* (les contreforts andins), entre la province de La Rioja au sud et les hauts plateaux de la Puna au nord qui occupent l'ouest des provinces de Salta et de Jujuy. Les *pucarás* (« places fortes », en quechua) de Tilcara, Tastil ou Quilmes ne sont que quelques exemples parmi bien d'autres de la maîtrise architecturale dont faisaient preuve les peuples du Noroeste. S'il est certain que ces constructions ne peuvent rivaliser avec celles des Mayas, des Aztèques ou des Incas, elles n'en sont pas moins impressionnantes.

La vallée de la Lune

Deux sites très originaux, accessibles en autobus à partir des villes de San Juan et de La Rioja, sont une excellente introduction à l'étonnante polychromie du Noroeste : le Valle de la Luna (la « vallée de la lune ») et le canyon de Talampaya.

La **vallée de la Lune** est à la limite des provinces de San Juan et de La Rioja. Pour s'y rendre en voiture à partir de San Juan, on empruntera la RN 141 vers l'est, puis la RP 150 à Marayes. De La Rioja, on suivra la RN 38 vers le sud, puis la R 74 à l'ouest de Patquía, et enfin la RP 150 en direction du sud.

La vallée est une vaste dépression naturelle que le vent et l'eau ont érodée sans relâche depuis des millénaires, sculptant dans le grès d'étranges formations aux couleurs et aux contours les plus variés. La beauté du paysage n'est pas le seul attrait du site qui présente également un grand intérêt du point de vue géologique et paléontologique. Il y a fort longtemps, bien avant la formation des Andes, un immense lac recouvrait la région. Au début de l'ère secondaire, ses alentours regorgeaient d'une riche flore et d'une faune exceptionnelle ; les fouilles s'y sont révélées particulièrement fructueuses : les paléontologistes ont répertorié quelque 63 espèces d'animaux fossilisés, dont un reptile de 2 m de long, le *dicinodonte*.

Pour installer leur base, les paléontologistes amateurs ont le choix entre trois petites villes : **San Augustín del Valle Fértil** au sud, **Patquía** à l'est, et **Villa Unión** à l'ouest.

Le canyon de Talampaya

Le **canyon de Talampaya** s'étire à environ 80 km à l'ouest de la route provinciale qui relie Patquía et Villa Unión.

Si la vallée de la Lune a passionné les paléontologistes, cet autre site majestueux, dominé par des parois rocheuses de plus de 145 m de hauteur, a plutôt suscité l'intérêt des archéologues. Les communautés indiennes qui le peuplaient ont laissé d'innombrables peintures rupestres, ainsi que quantité de symboles gravés dans le roc, dont un pied humain doté de six orteils. On remarquera par ailleurs les très nombreux nids de condors accrochés aux falaises.

A **Villa Unión**, il faut apprécier les délicieux vins blancs de la région (le *patero* fait maison est particulièrement bon). En suivant la RP 26 sur environ 70 km en direction du nord, on parvient à **Vinchina**. Outre son vieux moulin à eau, le village recèle une seconde curiosité : une étrange étoile multicolore à dix branches, que vénèrent les Indiens. En continuant sur la même route, qui se transforme en piste, on atteint, au bout d'une quarantaine de kilomètres, le minuscule hameau de **Jagüe**, niché dans un cirque au pied d'un imposant volcan, le **Bonete**. Un sentier muletier relie ensuite les vertes prairies de l'Argentine aux villes minières du désert d'Atamarca, au sud du Chili.

Également à partir de Villa Unión, on rallie **Chilecito** (« petit Chili ») par les 16 km de lacets de la RN 40, qui franchit le col de la **Cuesta de Miranda**. Édifié sur le versant oriental de la majestueuse chaîne de Famatina, Chilecito peut faire l'objet d'une halte : le vin y est exquis, l'hôtel de l'Automobile Club argentin confortable et on y admirera un lieu saint fort ancien, la chapelle des Sarmiento.

Salines et volcans

Au départ de San Juan, des autocars confortables desservent régulièrement **La Rioja**. En voiture, on empruntera la RN 141, puis la RN 38. Bien que très endommagée en 1894 par un tremblement de terre, cette capitale provinciale animée compte plusieurs sanctuaires anciens ; parmi eux, l'**église Santo Domingo**, érigée en 1623, est la plus vieille d'Argentine. Deux musées méritent également le détour : un **Musée folklorique** et un **musée d'Archéologie** dont la pièce maîtresse est le seul retable argentin du XVIe siècle qui ait subsisté jusqu'à nos jours.

Un peu plus au nord s'étend la province de **Catamarca**, qui présente un grand intérêt géographique, à savoir une dénivellation importante entre des altitudes extrêmes. A l'est, vers Córdoba et Santiago del Estero, les **Salinas Grandes** (« grandes salines ») – gigantesque dépression recouverte de champs de sel gemme – sont à un peu plus de 400 m au-dessus du niveau de la mer, tandis qu'à l'ouest, près de la frontière chilienne, le plus haut volcan du monde, l'**Ojos del Salado**, culmine à 6 930 m.

La capitale de la province, **San Fernando del Valle de Catamarca** (ou plus simplement Catamarca), a conservé son aspect colonial. Les rues du centre se prêtent à d'agréables flâneries et l'on ne manquera pas de visiter le **Musée archéologique** et le **Musée historique**. Les villes de **Belén**, **Tinogasta**, **Santa María** et d'**Andalgalá** sont également dotées de musées, mais de moindre

A gauche, maïs en épis ; à droite, maïs au menu.

importance. Villages indiens à l'origine, ces bourgades se sont développées autour des chapelles construites par les premiers missionnaires européens.

Après avoir quitté Catamarca en direction des plaines poussiéreuses de la province de Santiago del Estero, on est frappé par l'aridité croissante du paysage. Cette région désertique s'étire en direction du nord-est jusqu'aux rives du Paraguay et du Paraná, dans les provinces de Formosa et du Chaco.

La capitale de la province, **Santiago del Estero**, fondée en 1553 par Francisco de Aguirre, est la plus vieille cité de la région et compte encore de nombreux témoignages de l'époque coloniale. Facile à atteindre du centre-ville, le parc Aguirre propose, outre de belles allées boisées, un zoo et une piscine.

Les stations thermales

La ville de **Río Hondo** (à une soixantaine de kilomètres à l'est de Santiago del Estero par la RN 9) est la principale attraction d'une région dont seules les forêts de caroubiers et les plantations de coton présentent un réel intérêt.

Proche d'un lac artificiel propice aux sports nautiques, Río Hondo est l'une des stations thermales les plus courues d'Argentine. On y trouve plusieurs hôtels trois et quatre étoiles, ainsi que d'excellents restaurants. La ville est même pourvue de salles réservées aux séminaires. En hiver, la vie y est aussi animée que sur les plages de Mar del Plata en été.

Le Noroeste compte bien d'autres stations thermales renommées et fréquentées tout au long de l'année. Les plus appréciées sont **Rosario de la Frontera** (à 175 km au sud de Salta), **Termas de Reyes** (à 22 km au nord-ouest de San Salvador de Jujuy) et **Copahue-Caviahue** ; cette dernière est construite à 2 000 m d'altitude, sur le versant d'un volcan éteint, à environ 250 km de Neuquén (près de la région des lacs de Patagonie). Parmi la quarantaine de thermes recensés dans le pays – dont les eaux, selon les médecins, seraient bénéfiques à un très large éventail d'affections –, il faut encore citer **Pismanta** (province de San Juan), **Cacheuta** et **Los Molles** (province de Mendoza), **Domuyo** (province de Neuquén) et, enfin, **Epecuén** (province de Buenos Aires).

A l'autre extrémité de la province, en bordure du Chaco, se déploie le fantastique cratère du **Campo del Cielo** (« champ du ciel ») à une quinzaine de kilomètres au sud de Gancedo (à 260 km à l'ouest de Santiago del Estero par la RN 89). Ce cratère résulte de la chute d'une météorite de 3,3 t, baptisée El Chaco, qui resta ensevelie pendant deux siècles avant d'être exhumée en 1989.

Le jardin de la république

L'aride monotonie des provinces de Formosa, du Chaco et de Santiago del Estero cède la place, après Río Hondo, en direction de la province de Tucumán, à une exubérante végétation subtropicale. D'ailleurs, cette luxuriance vaut à la plus petite province d'Argentine son surnom de « jardin de la république ».

La chaîne de l'Aconquija domine la province à l'ouest ; le contraste entre ses sommets enneigés – certains culminent à plus de 5 500 m – et le vert intense du

Dans la vallée de la Lune.

« jardin de la république » est particulièrement saisissant.

La région de **Tucumán**, qui bénéficie d'un taux de précipitations annuel élevé, est l'une des plus riantes et des plus prospères d'Argentine. En plaine, l'agriculture constitue la principale activité de la population. La province tire l'essentiel de ses ressources de la canne à sucre, qui est traitée dans les sucreries dont les cheminées cernent sa capitale.

San Miguel de Tucumán est particulièrement fière de sa **Casa de la Independencia** (« maison de l'indépendance », Calle Congreso, 151), où la déclaration d'indépendance de l'Argentine a été signée le 9 juillet 1816 après les victoires de San Martín face aux Espagnols. Cette demeure du XVIIIe siècle, dont la façade a été refaite en 1941 à partir de matériaux d'origine, abrite le **musée de l'Indépendance**. Par ailleurs, le spacieux **parc 9 de Julio**, la **Casa de Gobierno** (la « maison du gouvernement »), de style baroque, plusieurs édifices patriciens et bon nombre d'églises anciennes témoignent du passé colonial de la ville.

Autour de San Miguel de Tucumán

Les deux magnifiques excursions à **Villa Nougués** et à **San Javier**, sur les cimes enneigées de la chaîne de l'Aconquija, permettent d'embrasser du regard la capitale et ses faubourgs, ainsi que les *ingenios* (« sucreries ») et les champs de tabac qui l'entourent.

Une demi-journée est nécessaire pour se rendre à **El Cadillal**. Après une promenade autour du lac artificiel du barrage et une visite du **Musée archéologique**, il peut être agréable de goûter la chair délicate d'un *pejerrey* (sorte de poisson chat) fraîchement pêché ou de participer à une visite guidée de quelques sucreries.

Pour poursuivre vers le nord, deux itinéraires sont possibles : la RN 9, qui traverse les villes thermales de Rosario de la Frontera et Metán avant de serpenter parmi les buissons rabougris jusqu'à Salta, puis San Salvador de Jujuy ; et la RN 38, jusqu'à **Acheral** d'où il faut prendre l'étroite RP 307 qui s'élève à travers une végétation tropicale dense pour déboucher ensuite sur une belle

Une piste du parc national de Calilegua.

vallée verdoyante. Sous un ciel souvent nuageux, plusieurs villages se nichent, notamment celui de Tafi del Valle, qui possède une petite chapelle de pisé érigée par les jésuites.

Les pierres dressées des Tafis

La vallée dans laquelle se cache **Tafi del Valle**, sorte de village suisse, est creusée au cœur même de la chaîne de l'Aconquija, à 2 000 m d'altitude. Avant la conquête espagnole, ce site était occupé par de nombreuses communautés indiennes – dont celle des Tafis, qui appartenaient au grand groupe linguistique et culturel des Diaguites. A El Mollar, à 8 km avant l'entrée de Tafi del Valle, un chemin sur la droite mène au **Parque de los Menhires** (« parc des menhirs »). Érigés par les Tafis il y a plus de dix siècles, 129 monolithes, parfois hauts de plus de 3 m, se dressent vers le ciel andin. Certains d'entre eux sont ornés de reliefs reproduisant des traits humains.

Après avoir rejoint la RP 307 à Tafi del Valle, la piste grimpe en serpentant jusqu'à une ligne de partage des eaux, le col d'**El Infernillo** (3 000 m), avant de plonger vers Amaicha del Valle.

Au dire des habitants d'**Amaicha del Valle**, le soleil y brillerait 360 jours sur 365. Quoi qu'il en soit, cette bourgade indienne mérite une halte, ne serait-ce que pour la beauté de son cadre ou la qualité de ses tissages artisanaux.

Une vallée ensoleillée

En quittant Amaicha del Valle, on pénètre dans la **vallée de Calchaquí**, véritable paradis de la couleur et du soleil. Avant la conquête espagnole, cette région était densément peuplée par les Indiens calchaquis qui, comme les Tafis, appartenaient au groupe des Diaguites. Au premier embranchement, il faut prendre à gauche la RP 337, qui se dirige vers le sud et parvient à **Santa María**, dont l'activité principale s'organise autour d'une importante usine de traitement du piment rouge. De forts bons vins et de magnifiques tapis peuvent être l'occasion d'achats opportuns.

Collecte du sel dans les Grandes Salines de la Puna.

Mieux vaut cependant continuer en direction du nord. Peu après avoir rejoint la RN 40 – la route la plus longue du pays –, prendre une piste d'environ 5 km qui mène au site archéologique de **Quilmes**, où subsistent les vestiges d'un fortin et d'une cité inca où vivaient autrefois 2 500 personnes. Les Indiens quilmes, qui appartenaient également au groupe des Diaguites, s'affrontèrent farouchement aux colons espagnols avant d'être finalement vaincus et déportés. Si les poutrelles de cactus géants qui soutenaient les toits ont disparu depuis longtemps, les murailles de pierres plates, soigneusement assemblées, sont encore en excellent état. Un guide fait découvrir les fortifications, le gigantesque barrage et le réservoir, ainsi que le petit musée aménagé sur le site.

En couvrant la cinquantaine de kilomètres qu'il reste à parcourir avant d'arriver à Cafayate (RN 40 en direction du nord), on traverse des villages perdus, tels **Colalao del Valle** ou **Tolombón**, où est produit le roi des vins blancs argentins : le torrentes.

La «fraîche» Cafayate

Environnée de vignobles et de nombreux vestiges archéologiques, la charmante petite ville de **Cafayate** n'est qu'à 260 km de San Miguel de Tucumán. Outre sa cathédrale à cinq nefs, son musée archéologique, ses *bodegas* («caves à vins») et ses artisans (tisserands et orfèvres), l'attrait principal de Cafayate, perchée à 1 600 m d'altitude, réside dans la fraîcheur de son atmosphère et de ses patios délicieusement ombragés de tonnelles de vigne.

Pour gagner Salta, deux trajets sont possibles. Le premier est très agréable et il permet de couvrir d'une traite les 180 km qui séparent Cafayate de Salta en moins de quatre heures. Si l'on est un peu pressé, on empruntera cet itinéraire, qui suit la RN 68 (asphaltée) dans la **vallée des Guachipas**, également appelée **vallée de Cafayate**. Au bout d'une vingtaine de kilomètres, de part et d'autre de la route, se dressent de nombreuses formations de grès rouge, que l'eau et le vent ont singulièrement érodées.

Séchage du piment rouge pour l'industrie locale.

Le chemin des écoliers

Si l'on dispose d'un peu plus de temps, on devra absolument quitter Cafayate par la RN 40, qui serpente dans la splendide **vallée de Calchaquí** où coule la rivière du même nom.

Les nombreux petits villages qui s'y succèdent méritent tous une halte pour leur délicate architecture coloniale et les joyaux d'art hispanique, particulièrement bien conservés, qu'ils abritent. A une vingtaine de kilomètres de Cafayate, le petit village endormi de **San Carlos**, où le temps semble s'être suspendu, aurait connu cinq fondations : celle des conquistadors espagnols en 1551, puis celles de différentes vagues de missionnaires.

A la sortie de San Carlos, la piste se fait encore plus sinueuse. Des modestes maisons qui la bordent s'échappent souvent les délicieuses odeurs des plats traditionnels qui y mijotent. Les nez les plus fins distingueront le fumet du *locro* (ragoût accompagné de maïs), du *puchero* (soupe) et de la *mazamorra* (dessert). On reconnaîtra également la bonne odeur du pain que les femmes font cuire dans un four de pisé construit derrière leur maison.

La route quitte ensuite brusquement le lit de la rivière pour traverser l'impressionnante **vallée de la Flecha**. Là encore, l'érosion a taillé dans le grès une forêt d'étranges rochers qui semblent changer de forme selon les jeux de l'ombre et de la lumière.

Angastaco, un peu plus au nord, était autrefois un hameau indien, comme en témoignent ses huttes de pisé adossées aux dunes de sable. Un hôtel confortable se dresse dans le centre du village, encore environné de vastes vignobles.

Plus on monte vers le nord, plus la vigne cède la place aux plantations de piments rouges. **Molinos** mérite également un arrêt pour sa massive église de pisé du XVIIe siècle et ses rues encore empreintes de l'atmosphère coloniale. Sur la berge de la Calchaquí, le vieux moulin (*molino*) à eau municipal, qui produit toujours de la farine de maïs et d'autres céréales, a donné son nom au village.

Cuisson du pain.

Ce maintien des coutumes dans la vallée de Calchaqui est loin d'être unique. A **Seclantas** ainsi que dans le hameau voisin, **Solco**, les tisserands continuent à fabriquer, dans le plus pur respect de la tradition, les célèbres ponchos de Güemes. Ces ponchos rouges et noirs tissés à la main avec une laine très fine sont ceux-là même que les fiers gauchos de Salta jettent sur leurs épaules.

Une église en bois de cactus

Cachi, nichée à 2300 m d'altitude, est sans nul doute la plus jolie ville de ce pittoresque parcours ; de Cafayate, on l'atteint au bout de quelque 175 km de lacets. Sa place centrale, l'un des rares abris contre le soleil en été, est plantée de poivriers immenses, de pins et de palmiers. Sans doute à cause de son isolement, ce village a conservé son authenticité coloniale, ses maisons basses, ses rues pavées et son calme.

L'**église** de Cachi date du XVIIIe siècle. L'autel, les confessionnaux, les stalles, le plancher et le toit sont en bois de cactus, l'un des seuls bois de charpente de la région. Le **Musée archéologique** abrite, parmi ses trésors, une momie admirablement bien conservée, la *Dama* (« dame ») de Cachi, ainsi que de superbes céramiques incas. Avec l'autorisation du conservateur, il est possible de se rendre sur le chantier archéologique de **Las Pailas** (à 18 km de la ville), au pied du **Cachi** (6300 m d'altitude). Ce site important, qui n'a pas encore livré tous ses secrets et fait toujours l'objet de fouilles, est loin d'être unique dans la région, très densément peuplée avant la conquête espagnole.

Peu après **Payogasta**, la RN 40 devient presque impraticable. Pourtant, à une cinquantaine de kilomètres vers le nord, le village assoupi de **La Poma**, qui fut partiellement détruit par un tremblement de terre en 1930, mérite sinon une étape, du moins une visite. Sinon, il est possible d'emprunter la RP 33 vers l'est, en direction du haut **plateau de Tin-Tin**, terrain d'élection du cardon, un gigantesque cactus candélabre caractéristique des paysages de la Puna. La route

Restauration rapide à Bermejo, dans la province de Salta.

longe le **parc national de Los Cardones** (70 000 ha), qui abrite de nombreux mammifères – vigognes, chats sauvages, viscaches, guanacos, pumas, renards – ainsi que quantité d'oiseaux, dont le majestueux condor (*cf* p. 261).

On franchit le spectaculaire **col de la Cuesta del Obispo** (« côte de l'évêque ») avant de descendre vers la **vallée d'Escoipe** et d'atteindre les riches plaines de la **vallée de Lerma**. A **Pulares**, prendre la direction d'El Carril, où l'on rejoindra la RN 68 qui mène à Salta. Sans aucune halte, cet itinéraire peut s'effectuer en huit heures. La région se visite de préférence en automne (d'avril à mai) ou au printemps (de septembre à novembre). Car, en été (de Noël à Pâques), bon nombre de routes du Noroeste sont impraticables à cause des pluies.

Salta, un bijou colonial

Salta est sans conteste la plus belle ville du Noroeste, ce qui lui vaut le surnom de *Salta la Linda* (« Salta la belle »). Construite dans un cadre magnifique, elle abrite toujours en son centre de nombreux monuments et édifices coloniaux ; sa visite mérite deux bonnes journées.

Le **couvent San Bernardo** (à l'angle des rues Caseros et Santa Fe) est l'une des principales merveilles de la ville. Édifié au XVIe siècle, il est orné d'une admirable porte (1726) en bois de caroubier. L'**église San Francisco** (à l'angle des rues Caseros et Córdoba) est classée monument historique national. Construite en 1796 à l'emplacement d'un sanctuaire du XVIe siècle détruit par un incendie, elle se distingue par son clocher rose de proportions très harmonieuses.

Élevé en 1582, le **Cabildo** (« hôtel de ville ») est le bâtiment le plus ancien de la ville et a été classé monument historique. Sous ses arcades, particulièrement élégantes, se niche le **musée historique du Nord** (entrée par la Calle Caseros).

Le **Musée archéologique** mérite également une visite, ainsi que le marché artisanal qui rassemble des objets provenant de la province tout entière (Calle Martín, 2555). Pour avoir une vue d'ensemble

Procession religieuse à Jujuy.

sur la ville, il faut gravir la colline de San Bernardo, à 7 km du centre.

Salta (à 2 h d'avion de Buenos Aires) est un bon point de départ pour des excursions dans la région en circuits organisés, avec les autocars locaux ou avec un véhicule de location.

Par la route ou à bord du *Tren a las Nubes* (« le train à destination des nuages »), il est possible se rendre à **San Antonio de los Cobres** (une journée), où l'on peut découvrir le site préhispanique de **Tastil**, particulièrement bien conservé.

Le **parc national de Finca El Rey** (à 80 km environ au sud de Salta) mérite une visite d'au moins trois jours, en raison de la richesse et de la rareté de sa faune et de sa flore. Accessible en autobus, en voiture, voire en avion, ce parc est une véritable serre naturelle. Au sein d'une végétation exubérante, il est agréable de s'adonner aux plaisirs de la pêche, d'y étudier la faune et la flore ou, tout simplement, de s'y reposer. On y trouve un hébergement simple mais agréable : un bon hôtel, des bungalows et même quelques cabanes destinées au logement des étudiants.

Le « train à destination des nuages »

Le **Tren a las Nubes**, équipé d'un wagon-restaurant, fonctionne tous les jours, d'avril à novembre. On peut acheter les billets – très bon marché – à Buenos Aires, dans l'agence des Ferrocarriles Argentinos du centre-ville, jusqu'à 45 jours à l'avance. Le train quitte Salta vers 6 h 45 pour revenir vers 22 h le soir même. Sur un trajet aller-retour de 438 km, il franchit 21 tunnels, 31 ponts et 13 viaducs. La voie, dont les rails sont dépourvus de système de crémaillère, est une merveille d'ingénierie. Le parcours est pourtant très pentu et cette prouesse technique ainsi que les somptueux paysages qui jalonnent le trajet font de ce voyage une aventure absolument inoubliable.

Une heure après le départ, on surplombe la profonde **Quebrada del Toro** (« gorge du taureau ») d'une hauteur de 54 m. Le train ne cesse de grimper

L'église San Francisco de Salta.

jusqu'au dernier tronçon, qui relie San Antonio de Los Cobres – ancienne capitale du territoire national de Los Andes, aujourd'hui disparu – au **viaduc de La Polvorilla**. Le demi-tour s'effectue le souffle coupé par cette impressionnante carcasse d'acier qui se déploie, sur 63 m de hauteur et 224 m de longueur, dans la démesure du paysage andin. Entre la gare de Salta et le viaduc de La Polvorilla, on passe, en un peu plus de 200 km, de 1 200 m à 4 197 m d'altitude.

San Salvador de Jujuy

De Salta, prendre **La Cornisa**, une route de montagne sinueuse mais superbe, pour gagner **San Salvador de Jujuy**, au terme d'un trajet d'environ une heure et demie. La ville a été fondée le 9 avril 1593 par Francisco de Arganáraz y Murguía. Les jésuites y développèrent la culture de la canne à sucre. Tout comme Salta, sa localisation sur la route entre La Plata et le Pérou a favorisé son essor. Sur la place centrale, la **cathédrale** du XVIIe siècle, qui a été abondamment remaniée par la suite, conserve une rare chaire baroque en bois de nandubay. De style baroque français, le **palais du Gouvernement** renferme la salle du Drapeau où est exposé le trésor de Jujuy, le premier drapeau argentin, créé par le général Belgrano. Il en fit don à Jujuy en signe de reconnaissance pour son aide dans la victoire de Salta, en 1812.

A quelques kilomètres de la ville, **Termas de Reyes** est une agréable ville d'eaux qui se niche dans une étroite vallée.

La vallée de Humahuaca

Au-dessus de San Salvador de Jujuy, le ciel est parfois nuageux mais on retrouve très vite le soleil en quittant la ville pour se diriger vers le nord par la RN 9, qui ne cesse de s'élever vers les sommets. La **vallée de Humahuaca**, longue de 60 km et large d'environ 3 km, suit le cours du Río Grande. En été, les pluies torrentielles qui viennent grossir le lit de la rivière provoquent parfois d'importants dégâts. A mesure qu'on progresse dans la vallée, les couleurs se font plus intenses

Cimetière dans la vallée de Humahuaca.

et plus marquées. On sera également frappé par les teintes très vives des vêtements dont se parent les habitants de ces hauts plateaux : les Coyas.

La première étape est le petit village indien de **Purmamarca** (le « village du lion », en quechua), blotti dans un calme absolu. Derrière sa petite église de pisé édifiée en 1648 se dresse le **Cerro de los Siete Colores** (la « montagne des sept couleurs »), dont la gamme s'étend du beige au violet. Sur la place ombragée par un majestueux caroubier qui aurait plus de cinq cents ans, les artisans locaux proposent des sculptures en bois, des tapis tissés à la main ainsi que diverses herbes médicinales censées guérir tous les maux possibles et imaginables.

On parvient ensuite assez rapidement à **Tilcara** (qui signifie « étoile filante » en quechua), dont l'intérêt principal est la *pucará* qui couronne une colline au milieu de la vallée, à 1 km du village. Cette ville fortifiée fut érigée à l'époque précolombienne par des peuples appartenant au grand groupe des Omaguacas, qui possédaient une culture assez semblable à celle des Diaguites, mais une langue différente. Les *pucarás* sont nombreuses dans la région, mais celle-ci a été restaurée et permet donc de comprendre plus aisément son fonctionnement. L'architecture et l'urbanisme, très élaborés, témoignent du haut degré de civilisation de ses constructeurs. Cette visite doit se compléter par celle du **Musée archéologique**. Enfin, un petit jardin botanique aménagé au pied de la *pucará* fera le bonheur des amis des plantes, qui déambuleront parmi les différentes essences de la région, notamment celles de la Puna.

A **El Angosto** (à quelques kilomètres au nord de Tilcara), la vallée se retrécit en une gorge large de 200 m avant de s'évaser à nouveau. Partout où l'irrigation est possible, de minuscules champs et des vergers d'un vert lumineux ponctuent l'ocre sombre des pentes qui s'élèvent de part et d'autre de la rivière.

A l'entrée de **Huacalera**, à gauche de la route, une borne indique que l'on franchit le tropique du Capricorne (23° 27' au sud de l'équateur).

Chahut d'écoliers.

Des chapelles isolées

Humahuaca et la vallée qui porte son nom – depuis le nord de San Salvador de Jujuy – s'appellent ainsi en souvenir des Indiens qui occupaient la région.

Fondée en 1591, la ville déploie ses étroites rues pavées à 2 900 m d'altitude. Chaque année, en février, est organisé le carnaval, événement haut en couleur auquel sont associées des réminiscences de culte indien. Pour les autres mois de l'année, le **Museo del Carnaval Norteño** (musée du carnaval du Nord) propose un fabuleux voyage à travers les coutumes, les croyances et les cultes des hauts plateaux andins. Le marché artisanal, près de la gare, propose de très beaux objets et quantité d'herbes médicinales. La ville possède également un imposant monument qui commémore la guerre d'Indépendance ainsi qu'un **musée des Arts et Traditions populaires**, un hôtel confortable et de bons restaurants, où l'on pourra déguster des spécialités locales.

Il faut un véhicule tout terrain pour se rendre au lieu-dit **Coctaca** (à 8 km au nord-est de la ville) où s'étendent les ruines d'un important site préhispanique, dont une équipe de scientifiques continue à découvrir les secrets.

Une excursion d'une journée permet d'atteindre le minuscule petit hameau d'**Iruy**a niché au pied d'imposantes montagnes (à une soixantaine de kilomètres au nord-est de Humahuaca).

Plus loin, à environ 160 km de Humahuaca par la RN 9 – qui n'est plus asphaltée à partir d'Abra Pampa –, **La Quiaca**, la ville la plus septentrionale d'Argentine, est reliée par un pont à Villazón, en Bolivie.

A l'ouest d'**Abra Pampa**, la RP 7 traverse d'inoubliables paysages jusqu'au **lac de Pozuelos**. Sur le trajet, de nombreux troupeaux de vigognes broutent au bord de la piste (il est d'ailleurs possible de visiter un élevage de vigognes près d'Abra Pampa). Le lac, classé monument naturel par les autorités argentines, et ses alentours abritent une multitude de flamants roses des Andes.

On est alors au cœur même de la Puna, dont l'altitude moyenne est de 3 500 m. Sur ces hauts plateaux andins, nombreuses sont les petites églises et chapelles, aux styles architecturaux les plus divers. On en admirera de beaux exemples à **Pozuelos**, **Casabindo**, **Cochinoca**, **Tafna** et **Rinconada**.

Un joyau étincelant

Avant de clore ce périple dans le Noroeste, il faut aller visiter une des plus belles richesses du pays : la **chapelle de Yavi**.

Le minuscule village de **Yavi** se niche dans une petite dépression à 3 300 m d'altitude, sur un haut plateau aride et venteux qui jouxte la frontière bolivienne. De La Quiaca, on y parvient après une quinzaine de kilomètres sur la RP 5, en direction de l'est. Yavi était le fief des Campero, une des familles espagnoles les plus prospères qui se soient établies dans la région à l'époque coloniale. La chapelle fut édifiée en 1690 ; par la suite, un des derniers marquis de Campero fit dorer l'autel et la chaire qui étincellent dans la douce lumière diffusée par les fines plaques d'albâtre des vitraux.

A gauche, église typique du Noroeste ; à droite, le « train à destination des nuages ».

LE CUYO

Vers 1550, les Espagnols établis dans les colonies occidentales de l'Amérique du Sud décidèrent d'étendre leur domination vers l'est, au-delà des Andes, sur les territoires de l'actuelle Argentine. En effet, on prétendait que cette contrée recelait des gisements d'or aussi importants que ceux du Pérou et de la Bolivie. Les premières tentatives d'implantation en provenance du Chili furent repoussées par les Indiens. Plus chanceux, les conquistadors partis du Pérou parvinrent à étendre leur mainmise sur le nord de l'Argentine. En 1553, Francisco de Aguirre fonda Santiago del Estero pour le compte de la vice-royauté de Lima. Cette ville est donc la plus ancienne du pays, exception faite de Buenos Aires, dont la première et éphémère fondation remonte à 1536. Les colons « nordiques » fondèrent ensuite San Miguel de Tucumán sur un site où s'était déjà installée une expédition chilienne, puis Salta et enfin Xiu-Xiu (Jujuy). Quant aux conquistadors du Chili, ils réussirent finalement à s'imposer plus au sud, dans une région parallèle à la vallée centrale du Chili, très aride, mais traversée par des cours d'eau alimentés par la fonte des neiges des sommets andins : le Cuyo.

Les premières villes

Le premier peuplement permanent du Cuyo s'établit au sud de l'actuelle Mendoza, dans l'alignement de Santiago du Chili, auquel il était relié par la principale voie transandine de la région : le col d'Uspallata. En 1562, Pedro del Castillo fonda une colonie à laquelle il donna le nom du gouverneur du Chili, Hurtado de Mendoza. Un an plus tard, cette ville fut déplacée un peu plus au nord par don Juan de Jufré.

En 1562 également, ce même don Juan avait créé la cité de San Juan, au nord de Mendoza ; en 1594, Luis Jufré y Meneses développait celle de San Luis dans l'est de la région.

En 1776, la couronne espagnole créait le vice-royaume du Río de la Plata pour protéger ses territoires contre un certain nombre de puissances étrangères, dont le Portugal, la France et l'Angleterre. Jusqu'alors rattaché au Chili sur le plan administratif, le Cuyo passa sous cette nouvelle juridiction, comme les possessions espagnoles qui dépendaient de Lima. Toutefois, le Cuyo resta isolé du reste du pays pendant de nombreuses années, au cours desquelles il entretint avec le Chili central des liens étroits, d'ordre à la fois culturel et économique.

Désenclavée en 1884 grâce à l'achèvement du réseau ferroviaire, la région est parfaitement intégrée à l'économie argentine. Elle constitue le cœur de l'énorme industrie vinicole du pays et produit un large éventail de primeurs destinés à l'approvisionnement des marchés de l'est. Le Cuyo regorge également de ressources minières, même si l'or que les premiers colons espéraient y trouver fait défaut. Il fournit un tiers du pétrole brut argentin ; de plus, ses montagnes recèlent des gisements d'uranium, de cuivre et de plomb. On y a construit quelques modestes ouvrages hydroélectriques ; par ailleurs, sur les berges des eaux de retenue de ces barrages ont été aménagés des parcs d'attraction très appréciés des citadins. La région est aussi célèbre pour ses stations de ski, ses sources chaudes et ses *bodegas*.

Mendoza, capitale provinciale

Le Cuyo comprend les provinces de Mendoza, San Juan et San Luis. La ville la plus importante est celle de Mendoza, qui compte 121 000 habitants. Les tremblements de terre, parfois de très forte amplitude, qui ébranlent régulièrement la région ont été fatals à l'architecture coloniale d'origine et parfois à la population : en 1861, le tiers des habitants de Mendoza périt au cours d'un séisme. On reconstruisit la ville, presque totalement en ruine, en respectant un certain nombre de mesures antisismiques. En 1985, un nouveau tremblement de terre priva 40 000 personnes de toit, mais ne fit que peu de victimes. Le centre-ville, entièrement rénové en 1991 et planté de nombreux arbres, donne à cette dynamique capitale provinciale une atmosphère méditerranéenne.

En dépit de son aspect moderne, la ville a derrière elle une longue histoire dont les habitants sont très fiers. C'est de

Pages précédentes : randonnée à cheval vers la face sud de l'Aconcagua ; route ombragée dans les environs de Mendoza. A gauche, un vigneron du Cuyo admire sa récolte.

Mendoza que partirent, en 1817, les 5 000 hommes regroupés par San Martín en une « armée des Andes » qui joua un rôle essentiel dans la libération du Chili.

Au cours de la seconde moitié du XIXe siècle, l'industrie vinicole connut un essor considérable. Le chemin de fer y fut pour beaucoup, ainsi que l'arrivée d'un grand nombre d'immigrés – essentiellement des Italiens, mais aussi des Français. Cette industrie est restée l'une des principales activités économiques de la région qui doit également sa prospérité au développement de l'exploitation pétrolière amorcée dans les années 50.

Bien que Mendoza ne puisse rivaliser avec Buenos Aires, elle est loin d'être dénuée de charme et fait preuve d'un grand dynamisme culturel. Les transfuges *porteños* clament haut et fort qu'ils n'ont eu aucun mal à se faire au rythme de la capitale provinciale, beaucoup moins frénétique que celui de la capitale.

Il est vrai que l'atmosphère de la ville est très apaisante. Les nombreuses rivières de la région ont permis de transformer le désert aride en une luxuriante oasis. Certains canaux d'irrigation creusés par les Indiens avant l'arrivée des conquistadors sont toujours utilisés et le réseau a été considérablement développé. Les bâtiments sont peu élevés et, le long des rues bordées d'arbres, des rigoles d'eau courante rafraîchissent l'atmosphère. Des jardins soigneusement entretenus entourent la plupart des maisons et les nombreux parcs de la ville sont d'agréables lieux de promenade. A l'ombre des épaisses frondaisons, on oublierait presque que ces millions d'arbres ont été plantés par les fondateurs de la ville, puis par ses habitants successifs, et que pas un seul peuplier, orme ou sycomore n'est indigène. Cette verdure est, de plus, dominée par les Andes, somptueuse toile de fond aux teintes sans cesse changeantes.

Visite de la ville

Mendoza est riche d'un grand nombre de musées et de sites intéressants : le **musée historique du général San Martín**, consacré au héros de l'indépen-

La place centrale de Mendoza vers 1850.

dance et à ses hauts faits (Avenida San Martín 1843), ainsi que le **Musée historique** (Calle Montevideo 544), qui présente une belle collection d'objets typiques de la région et une petite exposition sur le général. Quant au **musée d'Histoire naturelle** (aménagé Plaza Independencia), il fera le bonheur des passionnés d'anthropologie, d'archéologie et de paléontologie. Dans le parc San Martín, à l'ouest de la ville, l'université du Cuyo abrite un **Musée archéologique**, où sont exposées des céramiques d'Amérique du Sud ainsi que quelques objets folkloriques. On visitera également l'**aquarium municipal** (aménagé sous les Calles Huzaingo et Buenos Aires).

Seul sanctuaire ancien de la ville, l'**église San Francisco** (à l'angle des Calles Beltrán et Ituzaingo), bâtie par les jésuites au XVIIIe siècle, a été en grande partie détruite lors du tremblement de terre de 1861. Seuls subsistent quelques vestiges.

Derrière l'édifice assez disgracieux baptisé **palais du Gouvernement** se cache le **musée du vin Giol**, établi dans une extension d'un établissement vinicole étatique. De taille modeste, ce musée présente un certain nombre de photographies anciennes fort intéressantes et organise des dégustations de plusieurs excellents crus. Au **marché artisanal** (Calle Lavalle, 97), on pourra faire l'acquisition de beaux objets. Et si l'on désire parfaire sa connaissance de la ville, on obtiendra toutes sortes de renseignements auprès de l'**Office du tourisme** (Avenida San Martín, 1143).

L'**Aconcagua** et le **Plaza** sont les deux meilleurs hôtels de Mendoza. Construit en 1978 à l'occasion de la Coupe du monde de football, le premier est équipé de l'air conditionné et d'une piscine ; quant au second, il y règne une ambiance un peu surannée qui fait tout son charme.

On se reposera un peu en flânant dans les magasins qui bordent l'**Avenida Las Heras**, ou en s'installant à la terrasse ombragée d'un des petits cafés du centre. La plupart servent une bonne restauration rapide et certains proposent des pichets de *clericó*, la sangria argentine qui,

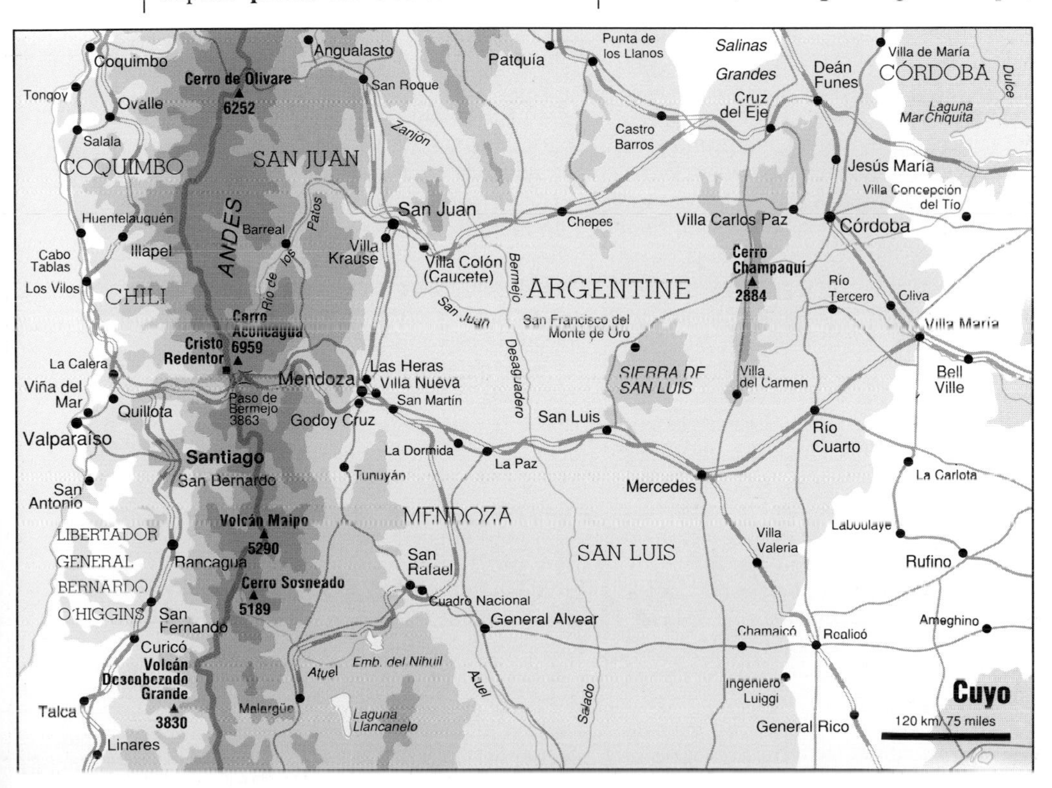

LES VINS ARGENTINS

Avec un rendement moyen de 20 millions d'hectolitres par an, l'Argentine est le quatrième producteur de vin du monde. Près de 90 % de la production provient des provinces andines de Mendoza et San Juan, et les 10 % restants des provinces du Río Negro, de Salta et de La Rioja. D'ailleurs, l'expression *estar entre San Juan y Mendoza* signifie « être soûl ». Les vins fins représentent entre 6 et 8 % de la production. Le reste se partage entre les vins ordinaires, les vins régionaux et quelques vins fortifiés (xérès, porto et vermouth).

Si la consommation annuelle de vin par habitant – environ 61 litres – s'est considérablement réduite au cours des dernières années, elle reste néanmoins élevée. Bien que la production de vin argentin remonte à l'époque coloniale, elle est devenue une véritable industrie depuis cent ans à peine ; le pays ne compte que quatre ou cinq propriétés qui fonctionnent depuis plus d'un siècle. A présent, plus de 2000 exploitations vinicoles sont réparties sur l'ensemble du territoire mais seules quelques-unes élaborent des vins fins ; quant aux domaines qui embouteillent et vendent sous leur propre nom, ils sont encore plus rares.

Les cépages du vignoble argentin sont presque tous d'origine européenne. Parmi eux figurent des célébrités : cabernet sauvignon, merlot, chardonnay, chenin, riesling et pinot noir. Cependant, une assez grande confusion règne dans les appellations, sans doute à cause du manque de rigueur qui prévalait dans les premiers temps et de l'insuffisance du contrôle ampélographique dans les années plus récentes. Un examen scientifique de la production de certains vignobles parmi les meilleurs s'est révélé édifiant. On a ainsi découvert que le pinot blanc argentin était en réalité du chenin, et le riesling rhénan du riesling italien (également appelé « tokay du Frioul »). Si ce désordre dans les appellations n'affecte en rien la qualité des vins, il rend cependant assez difficile toute comparaison entre la production argentine et celle des autres pays.

L'Argentine a toujours été un pays de vins rouges dont, au dire des experts étrangers et des œnophiles locaux, la qualité est toujours supérieure à celle des blancs. Les vins rouges les plus appréciés et les plus chers sont presque essentiellement issus du cépage cabernet sauvignon. Cependant, les Argentins ont récemment découvert les grandes qualités du malbec qui, bien que considéré comme un cépage de second choix dans son Bordelais natal, a développé dans la région de Mendoza des qualités organoleptiques tout à fait exceptionnelles. Des experts internationaux qui font autorité en la matière l'ont élu meilleur vin rouge argentin et il peut être considéré comme un vin spécifiquement et exclusivement argentin, puisque aucun autre pays au monde n'a réussi à lui donner les caractéristiques qu'il a acquises dans le Cuyo.

Les vins blancs sont surtout issus des cépages chardonnay et chenin. Le pays produit également quelques bons rieslings, ainsi qu'une poignée d'autres vins, dont le gewurztraminer. Cependant, tout comme les vins rouges, les vins blancs argentins ont leur roi, supérieur et unique. Ce n'est pas un vin de Mendoza – bien que le cépage dont il est issu soit également cultivé dans cette région et dans celle de San Juan –, mais un vin de la province de Salta, plus septentrionale. Ce cépage, le torrontes, est d'origine espagnole et il ne réalise entièrement ses extraordinaires potentialités que dans le sol de la haute vallée andine de Cafayate, au sud de Salta. Le vin de torrontes, le plus fruité d'Argentine, a un bouquet extrêmement puissant, une belle robe couleur or et du corps : il laisse d'abord une légère impression de douceur qui se révèle ensuite trompeuse. Par ailleurs, le pays produit des vins champanisés d'inégale qualité, dont certains sont cependant excellents. La société Moët et Chandon est la seule à avoir reçu l'agrément des autorités argentines. Se méfier donc des vins qui portent des étiquettes de célèbres marques concurrentes !

On ne boit guère de rosé en Argentine, bien que l'introduction de deux vins « rougis », provenant essentiellement du cépage cabernet sauvignon, y ait suscité un certain intérêt. En guise d'apéritif, le vin pétillant est de plus en plus à la mode. Quant aux vins fortifiés, tels le brandy, le xérès ou le porto, il est très rare qu'on les voie sur les tables argentines.

A droite, fûts de xérès baignés par le soleil.

contrairement à son modèle espagnol, est faite à base de vin blanc.

Dans ce climat désertique où la température se rafraîchit le soir, il est bien agréable de dîner dehors. Les faubourgs de Mendoza abritent notamment un établissement remarquable, **La Bodega del 1900**, qui organise des dîners-spectacles dans son charmant patio. Le petit musée vinicole, aménagé dans la cave, est ouvert à la visite. Parmi les spécialités proposées par la carte des meilleurs restaurants, on ne manquera pas de goûter les asperges sauvages et les truites.

De nombreux établissements – cafés et boîtes de nuit – perchés sur les contreforts à l'ouest de la ville sont ouverts jusqu'à une heure avancée de la nuit. **Le Per**, entre autres, propose de finir la soirée dans une ambiance sympathique et offre, du patio, une vue magnifique sur Mendoza.

La « colline de la gloire »

Le **Cerro de la Gloria** (la « colline de la gloire ») domine les 400 ha du parc San Martín, qui est pourvu de nombreux aménagements sportifs, dont un stade construit à l'occasion de la Coupe du monde de football. Pour se rendre au sommet de la colline depuis l'entrée principale du parc, il faut emprunter l'Avenida del Libertador, longer la cité universitaire et le **parc zoologique** – où des sentiers ombragés serpentent parmi les enclos en plein air – et suivre les indications.

Au sommet, une vue splendide embrasse les sierras de la précordillère et la vallée de Mendoza. Le **monument de San Martín**, en pierre et bronze, y a été érigé en l'honneur de l'armée des Andes. Audessus du socle décoré d'un haut-relief illustrant les différentes étapes des campagnes de libération se dressent des statues de chevaux cabrés et de la Liberté brisant ses chaînes.

A l'arrière du parc, l'**amphithéâtre Frank Romero Day** est le lieu de nombreuses festivités organisées par la ville, dont la célèbre fête des Vendanges, instaurée en 1913. Pendant quelques jours, les spectacles s'y succèdent, tandis que

Le rude labeur des vendanges.

dans les rues défilent des chars décorés venus des quatre coins de la province. Le clou de la fête est constitué par l'élection de la *Reina Nacional de la Vendimia* («reine nationale des vendanges»), pour laquelle chaque département envoie une candidate: la joie est alors à son comble, et tout le monde danse au milieu des feux d'artifice.

La tournée des «bodegas»

La région de Mendoza compte plus de deux mille *bodegas*, ou exploitations vinicoles, disséminées dans la vallée qui borde la précordillère. Certaines sont de petites structures familiales et d'autres, de gigantesques propriétés d'État. La vigne n'a pu être cultivée dans le Cuyo aride que grâce à la mise en place d'un vaste réseau d'irrigation. La région, bénie des dieux, réunit ainsi tous les paramètres pour que le rendement soit excellent: eau en abondance, sol sablonneux, climat sec et soleil tout au long de l'année.

Au XVIe siècle, les jésuites plantèrent les premiers ceps de vigne dans le Cuyo. Pourtant, il fallut attendre 1850 et l'arrivée d'immigrants italiens et français pour que l'industrie vinicole argentine prenne vraiment son essor. La plupart des nouveaux venus travaillèrent comme simples ouvriers agricoles, mais une poignée d'entre eux apportèrent d'Europe un savoir-faire qui améliora considérablement le rendement et la qualité de la production.

Certaines propriétés sont proches de la ville et se visitent en prenant part à un circuit organisé ou individuellement, en toute liberté. On sillonnera alors la campagne environnante, sur de délicieuses petites routes bordées de peupliers et de fleurs sauvages; c'est le meilleur moyen de découvrir réellement la vie du Cuyo. On croisera des pelotons de cyclistes amateurs et, avec un peu de chance, on peut même apercevoir un groupe de vieux viticulteurs disputant paresseusement une partie de *bochín* («cochonnet» et, par extension, «pétanque»).

Si l'on choisit un circuit organisé, on aura droit à la tournée classique des principales exploitations: **Giol** et **Trapiche**

La fonte des neiges.

Peña Flor, aux environs de **Maipú**, et **Arizú**, à Godoy Cruz, toutes trois bordées de torrents. Il est possible de visiter chacun des endroits associés aux différentes étapes de la production. Si les énormes fûts de chêne sont montés sur roulettes, c'est tout simplement pour minimiser les dégâts en cas de tremblement de terre. La visite s'achève en général par une dégustation de vins, dont on pourra acheter quelques bouteilles à prix réduit.

Mars, le mois des vendanges, est le meilleur moment pour parcourir la région qui déborde d'activité, et dont les étroites petites routes sont envahies de camions qui croulent littéralement sous leur cargaison de raisin.

Si l'on dispose d'une voiture, on peut se rendre dans deux *bodegas* peu fréquentées mais intéressantes. La première, la **Bodega González Videla**, est située à Las Heras, dans la banlieue de Mendoza. Attention, la piste qui y mène étant assez difficile à trouver, mieux vaut ne pas hésiter à demander son chemin. Créée en 1840, cette propriété est la plus ancienne de toutes celles qui sont en activité dans la région. Ici, aucune visite guidée n'est organisée ; on découvrira donc les lieux à son propre rythme. On remarquera quelques belles machines anciennes, qui ne sont plus utilisées mais ont été conservées telles des pièces de musée. La maison familiale, décorée de meubles et d'objets anciens, est comprise dans l'enceinte du domaine, ainsi qu'une vieille église communale où une messe est encore célébrée le dimanche soir.

La seconde, la **Bodega La Rural**, qui commercialise son vin sous le nom de San Felipe, se trouve à Maipú. Créé en 1889, le domaine a conservé ses bâtiments d'origine en pisé rose et l'ensemble a beaucoup de charme. On peut y voir le plus joli petit musée vinicole de la région, où sont exposés des fûts et des pressoirs anciens, ainsi que des récipients en cuir taillés d'une seule pièce dans des peaux de vaches.

D'autres *bodegas* méritent une visite comme celles de **Toso** et **Santa Ana** par exemple, situées dans la banlieue de Guaymallén, ou encore celle de **Nórton**, à Luján.

Le col de Villavicencio.

Le col d'Uspallata

Si l'on ne doit faire qu'une seule promenade au départ de Mendoza, il faut se rendre à la frontière chilienne en franchissant le **col d'Uspallata**.

L'excursion prenant la journée, quitter Mendoza de bonne heure afin d'avoir le temps de flâner en chemin. Là encore, on peut choisir un circuit organisé, mais le mieux est de louer une voiture. Toutefois, en hiver, il est déconseillé de s'aventurer dans cette région à moins de vouloir accéder au territoire chilien. En effet, de juillet à septembre, on risque d'avoir de très mauvaises surprises sur les hauteurs, où des avalanches et des glissements de terrain peuvent survenir. Quelle que soit la saison, prévoir des vêtements chauds et prendre garde aux éventuels malaises dus à la différence d'altitude (2 000 m de dénivellation entre Mendoza et la frontière chilienne).

Un visa est nécessaire pour entrer au Chili, le retirer au consulat de Mendoza (Calle Emilio Civit, 296), car il n'est pas possible de l'obtenir au poste-frontière.

On quittera Mendoza par le sud, en direction de **Luján** (cette localité n'a rien à voir avec le célèbre lieu de pèlerinage), où la RN 7 mène au col d'Uspallata. Principal passage transandin de la région, ce col était déjà utilisé bien avant la domination inca. Baptisé *Camino de los Andes*, ce tronçon de route fait partie du grand réseau routier panaméricain.

Dès qu'on s'éloigne de la zone irriguée pour s'enfoncer dans la vallée du Río Mendoza, le paysage retrouve sa stérilité naturelle. En un clin d'œil, les arbres cèdent la place à des arbustes rabougris et le sol se colore çà et là de quelques fleurs éclatantes.

On traverse tout d'abord la ville thermale de **Cacheuta**, qui se cache dans un joli méandre de la rivière. Hélas, on ne peut profiter de ses sources chaudes que si l'on est muni d'une ordonnance dûment signée par un médecin.

Portrerillos, un peu plus à l'ouest, est une splendide oasis. Nombreux sont les habitants de Mendoza qui y possèdent une résidence secondaire où ils viennent chercher un peu de fraîcheur. Les jardins en terrasse de l'**hôtel Portrerillos** dominent la vallée. Ce bel établissement est aussi pourvu d'une piscine, d'un court de tennis et d'un centre équestre. On trouvera également des campings à proximité.

A l'ouest de Portrerillos, une route en cul-de-sac grimpe à la petite station de ski de **Vallecitos** (2 900 m), ouverte de juillet à septembre.

La RN 7 rejoint enfin la ville d'**Uspallata**, dans une vaste prairie, à 1 900 m d'altitude. Ses curieuses *bóvedas*, sortes de greniers à céréales ou à minerai, ont été construites au XVIIIe siècle et ont servi d'abri à l'armée des Andes. Une soixantaine de kilomètres plus loin, la vallée s'élargit à nouveau à la **Punta de las Vacas** (« pointe des vaches »), où l'on rassemblait autrefois les troupeaux pour les conduire au Chili.

Un peu plus loin, la station de ski de **Los Penitentes** (à 67 km d'Uspallata), à 2 500 m d'altitude, dispose d'un domaine skiable de 2 500 ha. De juillet à septembre, des autocars de Mendoza y transportent les skieurs pour la journée. La station doit son nom – « les pénitents » – à des rochers qui font songer à des moines encapuchonnés ; leurs formes étranges se déploient sur la pente de la montagne, qui se dresse telle la flèche d'une cathédrale. En hiver, lorsque la neige glacée tourbillonne sous l'effet du vent, l'illusion est encore plus saisissante.

L'Aconcagua

Le **Puente del Inca** (« pont de l'Inca »), à 7 km, a été utilisé jusqu'à la construction de celui de la RN 7. Située à 2 720 m d'altitude, cette superbe arche rocheuse doit sa couleur aux dépôts minéraux des sources chaudes qui bouillonnent en dessous.

Un peu plus loin, à **Piquíos**, on arrive à la hauteur d'un petit cimetière mélancolique, à gauche de la route. Il abrite les dépouilles d'alpinistes morts en tentant l'ascension de l'Aconcagua tout proche.

Quelques kilomètres plus haut, on découvre le panorama le plus impressionnant de toute l'excursion. La paroi rocheuse s'interrompt momentanément et, en regardant à travers cette trouée vers la droite de la vallée, on verra se dresser l'imposante masse de l'**Aconcagua** (6 959 m). Le massif est en permanence recouvert de neige et, à 3 000 m, sa face sud présente un mur de glace et de roc. La plupart des expéditions s'attaquent à la face nord qui est la moins difficile. L'époque la plus propice pour se mesurer au géant s'étend entre la mi-janvier et la mi-février. Si l'on souhaite réaliser cet exploit, en tout ou en partie, se renseigner à Mendoza, auprès du Club andin (à l'angle des Calles Pardo et Rubén Lemos).

L'atmosphère est si limpide qu'on a l'impression de voir l'Aconcagua s'élever relativement près de la route, alors qu'il en est éloigné de 45 km. La **Laguna de los Horcones** (le « petit lac des fourches »), dont la belle eau verte miroite à la base du massif, est accessible à pied.

Avant de faire demi-tour, il faut aller jusqu'à la **statue du Christ Rédempteur**, qui se dresse à la frontière chilienne. En chemin, on traverse la ville de **Las Cuevas**, où la route se divise : à droite, le poste douanier et le tunnel international réservé au trafic routier et ferroviaire (le transport des passagers par chemin de fer de Mendoza à Santiago du Chili a été suspendu il y a quelques années, faute de clientèle) et, à gauche, l'ancienne route du Chili qui grimpe abruptement parmi roches et graviers jusqu'au **col de La Cumbre**, à 4 200 m d'altitude. C'est là que la statue fut érigée en 1914, afin de symboliser le règlement pacifique des problèmes frontaliers entre l'Argentine et le Chili. Son principal intérêt réside dans les petits morceaux de tissus multicolores que les gens de passage y accrochent, dans l'espoir de voir leurs prières exaucées.

On sera récompensé d'être monté jusque-là car, où que se porte le regard, le spectacle est grandiose. C'est à peine si l'on prend garde au vent âpre et glacial qui balaie fréquemment le col, tant on est émerveillé par la splendeur des sommets andins sous le soleil déclinant. Et, pour couronner le tout, on aura peut-être la chance de suivre des yeux le vol d'un condor, majestueux et solitaire au-dessus de l'immensité désertique.

On peut faire une autre excursion d'une journée aux thermes de **Villavicencio** (à 45 km au nord-ouest de Mendoza par la RP 52). Les sources chaudes de cette ville d'eaux sont célèbres dans tout le pays. La RP 52 continue ensuite (ce tronçon de route n'est plus asphalté) jusqu'au col d'Uspallata, où elle rejoint la RN 7.

Le sud du Cuyo, San Luis

Dans le sud de la province, l'oasis de **San Rafael**, s'étend à 240 km de Mendoza. Pour s'y rendre, emprunter la RN 40 jusqu'à **Pareditas**, puis la RN 143. Aux alentours de San Rafael, plusieurs plans d'eau artificiels, résultant de la construction de centrales hydroélectriques, sont très prisés des vacanciers. La pêche en rivière, réputée fructueuse, se pratique également beaucoup dans la région.

Au sud-ouest de la ville, dans le **Valle Hermoso** (la « belle vallée »), **Las Leñas** est un célèbre lieu de villégiature. Pour y accéder, suivre la RN 144 puis, une vingtaine de kilomètres après **El Sosneado**, prendre la RP 222 sur la droite. Équipée de 2 000 lits, Las Leñas est la station de sports d'hiver la plus moderne d'Amérique du Sud. De juin à octobre, c'est aussi le lieu de rendez-vous de la haute société. Pour pouvoir glisser sur ses 45 km de pistes, les skieurs de Mendoza prennent des vols charters jusqu'à **Malargüe**, puis l'autocar jusqu'à la station.

La ville de **San Luis** (à 230 km environ à l'est de Mendoza par la RN 7) ne présente pas d'intérêt particulier. On pourra néanmoins y faire une halte pour se reposer si l'on a l'intention de se diriger vers Buenos Aires. Construite au nord-ouest de la pampa, la ville a longtemps été un avant-poste isolé, mais rares sont les édifices coloniaux qui y ont survécu. Dans les environs, plusieurs plans d'eau artificiels font le bonheur des pêcheurs et des véliplanchistes.

La région est également riche en carrières d'onyx, de marbre et de quartz rose. Si l'on est amateur, on sera tenté par la modicité des prix. L'onyx vert est la spécialité de **La Toma** (à une soixantaine de kilomètres au nord-est de San Luis par la RP 20). De La Toma, on peut rallier la bourgade thermale de **Merlo** en empruntant la RN 148, puis la RP 5.

Le nord du Cuyo, San Juan

La ville de **San Juan,** à 177 km au nord de Mendoza sur la RN 40, a été en grande partie détruite par le tremblement de terre de 1944. Peu connu à l'époque, Juan Perón se démena pour trouver les fonds nécessaires à sa reconstruction, ce qui lui permit de s'inscrire sur le devant de la scène nationale.

Comme Mendoza, San Juan est un important centre de production vinicole. Mais la ville s'enorgueillit surtout d'avoir vu naître Domingo Faustino Sarmiento, qui fut président de la République de 1868 à 1874, et dont la grande œuvre a été la démocratisation de l'enseignement. La maison où il vit le jour abrite un musée qui lui est consacré, le **musée Sarmiento** (à l'angle de l'Avenida del Libertador et de la Calle Sarmiento). Deux autres musées sont également à visiter à San Juan : le **musée des Sciences naturelles** et le **Musée archéologique**.

Les pentes des montagnes qui surplombent San Juan à l'ouest ne sont pas aussi ardues que celles des pics de la région de Mendoza. Si l'on est tenté par le rafting sur les rapides des environs, on trouvera tous les renseignements nécessaires à l'Office du tourisme de la ville.

Le **Valle de la Luna** (la « vallée de la lune »), riche de rochers sculptés et de trésors paléontologiques, s'étend au nord de la province de San Juan. Cette vallée, ainsi qu'un autre site très curieux tout proche, le **canyon de Talampaya**, est décrite dans le chapitre consacré au Noroeste (*cf.* p. 173).

Partout dans le Cuyo et en toute saison, de nombreuses festivités sont organisées, pour célébrer le vin, la bière, les noix, les abricots, etc. Les gauchos de la province participent à des rodéos qu'il ne faut pas manquer si l'on a la chance de passer par un endroit où l'un d'eux est organisé. Au mois de janvier, à l'est de Mendoza, a lieu un festival de *cueca*. Cette danse de cour chilienne compte parmi les plus anciennes d'Amérique du Sud. La musique entraînante sur laquelle les danseurs évoluent est extrêmement populaire en Argentine en général, et dans le Cuyo en particulier.

Coupe du monde de ski « andin » à Las Leñas.

Patagonie
200 km/ 125 miles
Temuco
PARQUE NACIONAL LAGUNA BLANCA
Zapala
Neuquén
Cipolletti
General Roca
Villa Regina
Colorado
Coronel Eugenio del Busto
Bahía Blanca
Punta Alta
Río Colorado
BUENOS AIRES
Embalse El Chocón
Volcán Lanin
3776
Valdivia
CHILI
ARGENTINE
Navado de Queñi
2290
Río Bueno
Villalonga
Negro
RIO NEGRO
Osorno
PARQUE NACIONAL
San Antonio Oeste
Monte Tronador
3554
Aguada Cecilio
Viedma
Carmen de Patagones
Aguada de Guerra
Lago Llanquihue
San Carlos de Bariloche
Maquinchao
Puerto Montt
Golfo San Matías
Arroyo Salado
PATAGONIE
LOS LAGOS
Cerro Aguja
2350
Puerto Lobos
Cerro Chato
2440
Gan Gan
PENÍNSULA VALDÉS
Puerto Pirámides
Volcán Minchinmávida
2404
El Mayoco
Chubut
Puerto Madryn
Punta Delgada
Carahue
Esquel
2300
PARQUE NACIONAL LOS ALERCES
Trelew
Volcán Corcovado
Colán Conhué
Rawson
Golfo Corcovado
ANDES
Las Plumas
Chubut
Paso de Indios
Embalse Florentino Ameghino
DE
MESETA
Punta Tombo
José de San Martín
CHUBUT
MONTEMAYOR
Canal de Moraleda
Río Pico
Cabo Raso
ISLA MAGDALENA
Cerro Dedo
2020
Cerro Colorado
1271
Camarones
Cabo dos Bahías
CASTILLO
Cabo Aristizábal
Puerto Aisén
Lago Musters
Lago Colhué Huapi
Puerto Visser
Coihaique
Mayo
Sarmiento
DEL
Río Mayo
Comodoro Rivadavia
Balmaceda
PAMPA
Golfo San Jorge
Puerto Ingeniero Ibáñez
Simpson
Colonia Las Heras
Koluel Kayke
Caleta Olivia
Océan Atlantique
Lago Buenos Aires
Cerro San Valentin
4058
Los Antiguos
Perito Moreno
Deseado
1335
Fitz Roy
Monte Zeballos
2726
Cerro Cojudo Blanco
Jaramillo
Cabo Tres Puntas
CHILI
ARGENTINE
Monumento Natural Bosques Petrificados
Cabo Blanco
Lago Cochrane
Puerto Deseado
Cerro San Lorenzo
3700
PARQUE NACIONAL FRANCISCO PERITO MORENO
Deseado
Punta Pozos
SANTA CRUZ
Punta Medanosa
ANDES
Monte Inés
GRAN ALTIPLANICIE CENTRAL
Tres Cerros
Tamel Aike
1120
Bahía Laura
Cerro O'Higgins
2910
Gobernador Gregores
Punta Dañoso
Lago Cardiel
San Julián
Monte Fitzroy
Lago San Martín
Punta Desengaño
3375
Lago Viedma
Tres Lagos
Chico
Cerro Murallón
3600
Lago Viedma
PARQUE NACIONAL LOS GLACIARES
PATAGONIE
Santa
Cruz
Santa Cruz
Lago Argentino
Calafate
Bahía Grande
Cerro Balmaceda
2035
Río Gallegos
El Turbio
Puerto Natales
ISLA RENNELL
Cabo Vírgenes

LE PAYS DU VENT, LA PATAGONIE

Le naturaliste britannique Charles Darwin est sans doute le voyageur qui a exprimé avec le plus de justesse l'émotion qu'on ressent face à l'immensité patagone. En 1836, de retour en Angleterre après cinq ans de navigation sur le *Beagle*, il nota ses impressions dans *Voyage d'un naturaliste autour du monde*: *« Quand j'évoque les souvenirs du passé, les plaines de la Patagonie se présentent fréquemment à ma mémoire, et cependant tous les voyageurs sont d'accord pour affirmer qu'elles sont de misérables déserts. On ne peut guère leur attribuer que des caractères négatifs ; on n'y trouve, en effet, ni habitations, ni eau, ni arbres, ni montagnes ; à peine y rencontre-t-on quelques arbustes rabougris. Pourquoi donc ces déserts – et je ne suis pas le seul qui ait éprouvé ce sentiment – ont-ils fait sur moi une si profonde impression ? »*

La Patagonie est l'extrême pointe du continent sud-américain baptisée par Magellan et son chroniqueur Pigafetta qui, un jour d'hiver de 1520, accostèrent sur un rivage froid et désolé. D'après certains historiens, ce nom viendrait des traces de pied de grande taille qu'ils y découvrirent (en espagnol, *patagón* désigne un individu aux grands pieds), traces laissées par les chaussures en peau des Indiens. D'autres pensent que c'est au géant Patagon – personnage d'une histoire de chevalerie très appréciée en Espagne à l'époque – que la région doit son nom.

De hardis explorateurs

Magellan, Sarmiento de Gamboa, Drake et Cavendish n'ont pas été les seuls explorateurs à aborder dans la région. Et sur ces mornes rivages, la loi et les coutumes européennes étaient souvent remplacées par les passions les plus déchaînées. Révoltes, mutineries, bannissements et exécutions étaient monnaie courante. La potence à laquelle Magellan pendit haut et court ses mutins dans le port de San Julian (à présent dans la province de Santa Cruz) fut à nouveau utilisée en 1578, un demi-siècle plus tard, par Francis Drake.

Pages précédentes : les glaciers andins ; trekking au-dessus du lac Nahuel Huapi.

En 1584, Sarmiento de Gamboa fondait les premiers établissements dans le détroit de Magellan. Il les baptisa Jesús et Rey Felipe. Deux ans plus tard, le chef des corsaires britannique Thomas Cavendish découvrit quelques survivants de l'expédition qui erraient sur la côte et, après avoir passé quatre jours dans les ruines, il baptisa le site : Port Famine.

L'immense *meseta* (« plateau ») patagone, qui s'étend des Andes aux blanches falaises de la côte Atlantique, est restée inexplorée pendant des siècles. Seuls quelques jésuites attirés par la mythique *Ciudad de los Césares* (« cité des Césars ») osèrent s'y aventurer. Dès le XVIe siècle, une légende prétendait qu'il existait, quelque part entre la Puna et la Patagonie, une ville renfermant des richesses fabuleuses. Ce mythe perdura très longtemps et, au XIXe siècle, nombreux étaient encore ceux qui sillonnaient vainement le pays à la recherche de la fastueuse cité. En 1670, des jésuites du Chili traversèrent les Andes mais ils restèrent dans la région des contreforts orientaux de la cordillère et ne s'enfoncèrent guère à l'intérieur de l'Argentine. Ils fondèrent une mission sur la rive du lac Nahuel Huapí, dont les occupants furent, pour la plupart, assez rapidement massacrés par les Indiens.

La conquête du désert

Les colons gallois arrivés dans la basse vallée du Chubut en 1865 ont été les premiers à découvrir l'intérieur de la Patagonie. Quelques décennies plus tard, ils étaient suivis par un certain nombre d'explorateurs, dont un célèbre aventurier, le Britannique George Musters. Pendant six mois, il parcourut la région à cheval avec un groupe d'Indiens ; parti de la ville chilienne de Punta Arenas (au bord du détroit de Magellan), il rallia le lac Nahuel Huapí, d'où il regagna l'Atlantique. Il relata son périple dans un récit qui reste le témoignage le plus précieux et le plus complet sur la Patagonie intérieure de la fin du XIXe siècle.

Les communautés indiennes qui habitaient alors le nord de la Patagonie appartenaient toutes à un même groupe linguistique et culturel, les Mapuches, originaires du sud du Chili. Dès le XVIIIe siècle, les Mapuches avaient commencé à émigrer au nord de la Patagonie et dans la pampa, en raison de l'invasion de leurs territoires chiliens. Quant au sud de la Patagonie, il était occupé par les Tehuelches, qui appartenaient au même grand groupe que les Onas de la Terre de Feu et étaient les ennemis jurés des Mapuches. Tout au long du XIXe siècle, les Mapuches et les colons de la pampa se livrèrent une guerre féroce. Les Indiens attaquaient régulièrement les grandes *estancias* qui empiétaient sur leurs territoires traditionnels. Ils tuaient leurs habitants et volaient le bétail qui, avant l'arrivée des colons, leur appartenait de fait. De son côté, à partir de 1874, l'armée argentine mena plusieurs expéditions en direction du sud, et commença à raffermir ses positions en territoire indien en y établissant une ligne de forts.

Le gouvernement décida finalement de lancer une offensive de grande envergure, qui provoqua de terribles affrontements entre les Indiens et l'armée commandée par le général Roca. En 1879, au terme de cette dernière campagne du Désert, les communautés indiennes décimées capitulèrent les unes après les autres. Buenos Aires assit sa souveraineté sur la Patagonie, ouvrant un immense territoire à la colonisation.

Les rares Indiens qui survécurent aux campagnes du Désert et aux maladies importées par les vainqueurs se firent parfois embaucher dans les grandes *estancias* patagones. Peu nombreux, leurs descendants sont aujourd'hui regroupés dans quelques petites réserves.

La colonisation européenne

La colonisation de la Patagonie s'intensifia dès que les Indiens rendirent les armes. Les broussailles arides et les lacs volcaniques de cet immense plateau virent peu à peu s'établir une population très diversifiée : des Espagnols, des Italiens, des Écossais et des Anglais dans l'extrême sud, des Italiens dans la vallée du Río Negro, des Suisses et des Allemands dans la région des lacs du Nord, et enfin quelques Nord-Américains

éparpillés sur l'ensemble du territoire, sans oublier les Gallois qui vinrent grossir les premiers peuplements fondés par leurs compatriotes (*cf.* p. 223).

Dans le Grand Sud, les colons reproduisirent le modèle ouest-américain. Ils construisirent des villes et des ports sur les côtes pour exporter la production de laine et importer tout ce dont ils avaient besoin. L'élevage ovin se développa dans les plaines et certaines de ces gigantesques *estancias* sont encore gérées par les descendants des premiers colons. A l'ouest, à la limite des plaines et des Andes, plusieurs parcs nationaux ont été créés afin d'affirmer la présence argentine dans les zones frontalières. Ces parcs ont également le mérite de protéger l'extraordinaire patrimoine naturel et de contribuer au développement du tourisme.

Nombreux furent ceux qui, partis d'Argentine et du Chili, rallièrent la Patagonie pour y commencer une nouvelle vie dans le calme des montagnes, des forêts et des lacs. Mais la plupart des arrivants venaient exploiter le charbon et le pétrole, construire des barrages et développer l'industrie ainsi que l'agriculture. La croissance des villes a été rapide et la région se transforma en pays industriel moderne.

Quelques données géographiques

La Patagonie s'étire sur plus de 2 000 km, du Río Colorado au nord, au cap Horn, pointe australe du continent sud-américain. Elle représente environ le quart de la superficie totale de l'Argentine. La question frontalière empoisonna longtemps les relations entre l'Argentine et le Chili. Un accord fixant la frontière fut signé en 1881 mais, en 1895, la paix était à nouveau menacée et l'Argentine alla même jusqu'à donner une formation militaire à tous les hommes âgés de plus de vingt ans. Mais elle finit par consentir des concessions assez importantes et la question fut réglée de façon pacifique. En 1899, une rencontre symbolique eut lieu entre les présidents des deux pays à l'extrémité du continent.

Pages précédentes : vieille calèche marquant l'entrée d'une estancia. *Ci-dessous, Carmen de Patagones au début du* XIX*e siècle.*

Cette « Accolade du détroit de Magellan » mit fin aux tensions. En 1978, une rencontre similaire eut lieu à Puerto Montt, au Chili. Enfin, les deux pays se mirent d'accord au sujet d'une poignée de petites îles du canal de Beagle.

La Patagonie argentine couvre environ 800 000 km² et se divise en trois parties bien distinctes : la côte, le plateau et les Andes. Seulement 3,7 % de la population totale y vit, et la densité y est de 1,3 habitant au km² (par comparaison, celle de la France est de 103 habitants au km²). La province de Santa Cruz est la moins peuplée : 0,5 habitant au km².

En Patagonie, les saisons sont bien marquées. Cependant, compte tenu de la latitude, les températures moyennes sont étonnamment modérées. Les minimales de l'hiver et les maximales de l'été n'y atteignent jamais les records enregistrés sous les latitudes équivalentes dans l'hémisphère nord. Dans la partie méridionale, les étés sont plus frais et les hivers plus froids que dans la partie septentrionale ; à Ushuaia, la température moyenne annuelle est de 6° et, à Bariloche, de 8°. Sur le plateau désertique, le climat est beaucoup plus continental que dans le reste de la région et il peut se révéler extrêmement rude. Dans l'ensemble de la Patagonie, les précipitations sont peu élevées mais le vent est permanent. Il souffle tout au long de l'année, des montagnes vers l'océan.

Les changements de saison

Le printemps est la saison de la fonte des neiges et de l'éclosion d'une myriade de fleurs (sabots-de-Vénus, boutons-d'or, orchidées de montagne, etc.). C'est aussi l'époque où, dans les *estancias*, on se prépare au gros travail de la tonte. La saison touristique débute à la fin du printemps mais la plupart des voyageurs préfèrent l'été, c'est-à-dire jusqu'en février. A cette période, toutes les routes sont dégagées, les aéroports sont ouverts et le calendrier des réservations hôtelières est extrêmement chargé.

En automne, le plateau et les montagnes se métamorphosent. Le feuillage des peupliers qui entourent les *estancias*

Le littoral dans la province de Santa Cruz.

isolées prend une somptueuse teinte dorée, tandis que sur les hauteurs, les hêtres virent au rouge et au jaune avant de se dépouiller de leur parure. L'air devient plus frais et les touristes se font rares. Le piémont andin, de San Martín de los Andes à Bariloche, se transforme alors en paradis pour chasseurs. Dans l'extrême Sud, le parc naturel des Glaciers ferme en hiver et les vastes plaines entrent en léthargie. Seules les stations de ski sont prises d'une activité fébrile : San Martín de Los Andes, Bariloche, Esquel et même Ushuaia attirent chaque année des milliers d'amateurs.

Les deux grands axes

En Patagonie, il n'existe que deux grands axes routiers nord-sud : la RN 40, qui longe le piémont andin de la Puna au grand sud, et la RN 3, qui suit la côte. La première est asphaltée dans sa quasi-totalité. Elle est un peu encombrée dans la région des lacs du Nord mais, au sud d'Esquel, elle devient l'une des routes les plus désertes du monde avant de rejoindre la RN 3 pour se terminer à Río Gallegos, sur le littoral atlantique.

La RN 3, elle aussi presque intégralement asphaltée, déploie ses 3 000 km le long de la côte orientale, entre Buenos Aires et le parc national de Lapataia, qui débouche sur le canal de Beagle. Elle dessert les grandes villes de la côte patagone : Bahía Blanca, Trelew, Comodoro Rivadavia, Río Gallegos et Ushuaia. Entre ces différentes villes, les seuls endroits habités qui ponctuent l'immense désert sont les grosses *estancias* d'élevage ovin, dont on aura peut-être l'occasion d'apprécier la chaleureuse hospitalité.

Un certain nombre de routes relient les Andes à la côte. De Buenos Aires à Bariloche, on peut emprunter une voie dont le tracé suit le sentier sur lequel l'explorateur George Musters avait chevauché au XIXe siècle, et qui relie les riches plaines de la pampa aux étendues désertiques de Patagonie.

Le temps, dans cette région, semble s'écouler beaucoup plus lentement qu'ailleurs. La solitude infinie des routes,

L'automne descend sur les plaines.

les longs hivers venteux et l'immensité du ciel ont façonné une existence dépouillée, proche de l'essentiel. Même si le confort fait parfois défaut dans la région, l'extrême gentillesse des habitants le remplace avantageusement et l'on succombera certainement au charme de la décontraction patagone.

La Patagonie septentrionale

Le **Río Colorado** forme la limite nord de la Patagonie. La steppe, ou le « désert », selon l'expression consacrée en Argentine, commence encore plus au nord et s'étend sans interruption sur la Patagonie intérieure et côtière jusqu'au détroit de Magellan. La haute vallée du **Río Negro**, qui coule au sud du Río Colorado, est une véritable oasis ; le contraste entre cette bande d'agriculture intensive – cultures fruitières (pommes, poires et raisin) et industrie agro-alimentaire (transformation et conditionnement) – et le désert environnant est saisissant. Les principales villes de cette région sont **Neuquén**, **Cipoletti** et **Roca**, sur la RN 22.

A proximité de la côte Atlantique, les villes jumelles de Carmen de Patagones et Viedma sont séparées de Neuquén par environ 540 km. On suivra le Río Negro en empruntant successivement la RN 22 et la RN 250, le long desquelles alternent portions de désert et étroites bandes cultivées. Fondée en 1779 par les Espagnols, **Carmen de Patagones** est une des plus anciennes villes de Patagonie. **Viedma**, de l'autre côté du Río Negro, fut distinguée par le président Raúl Alfonsín dans les années 80 : à l'extrême pointe du continent, elle devait être la nouvelle capitale du pays – la Brasília argentine – et symboliser le transfert progressif des centres de décision économique et politique dans ce sud encore en voie de développement. Le projet fut finalement abandonné lorsqu'il devint évident que le coût de ce changement de capitale était prohibitif.

Non loin de la ville, les **grottes** dans lesquelles s'abritaient les premiers colons sont ouvertes à la visite. Sur la côte, à la hauteur de l'estuaire du Río Negro, vit une des nombreuses colonies de lions de

La montagne dans son manteau d'hiver.

mer du littoral patagon. C'est du port de **San Antonio Oeste** (à 180 km à l'ouest de Viedma par la RN 3) qu'est exporté l'ensemble de la production fruitière de la vallée du Río Negro.

Des touristes et des cygnes

De Neuquén, la RN 237 parvient – à environ 200 km en direction du sud-ouest – à l'un des rares ranchs-hôtels de Patagonie : le **Piedra del Águila**. Tout près de la petite ville du même nom, cet important complexe propose toutes sortes d'activités aux estivants : camping, randonnées équestres, pêche, tonte de moutons, etc.

A l'ouest de Neuquén en direction des Andes, la RP 22 gagne la région des lacs du Nord. Si l'on aime les oiseaux, on ne manquera surtout pas de s'arrêter en chemin au **parc national de Laguna Blanca**, auquel mène la RP 46, sur la droite à quelques kilomètres de la sortie de **Zapala**. Sur une superficie de 11 250 ha, des centaines d'espèces d'oiseaux, dont des cygnes à col noir, s'y rassemblent en colonies pouvant atteindre 2 000 individus. C'est d'ailleurs essentiellement pour protéger ces splendides volatiles que le parc a été créé. Le lac accueille aussi des flamants roses et, dans les collines environnantes, nichent quantité d'aigles, de faucons pèlerins et autres rapaces.

La région des lacs du Nord

Du nord au sud de la Patagonie, la région des lacs s'étire sur 1 500 km le long des Andes, entre le lac Alumine et le parc naturel des Glaciers. On peut la diviser en deux régions : celle des lacs du Nord et celle des lacs du Sud.

La région nord, qui se présente comme une suite de montagnes, de lacs et de forêts, s'étend sur 500 km, du lac Alumine au lac Amutui Quimei. Reliée à la région des lacs du Chili, elle est constituée de quatre parcs nationaux : du nord au sud, le parc national de Lanín et la ville de San Martín de los Andes, le parc national de Nahuel Huapí et la ville de Bariloche, le parc national de Lago Pueblo et le village d'El Bolsón et, enfin, le parc national de Los Alerces et la ville d'Esquel.

Les localités les plus importantes de la région sont régulièrement desservies par les avions des lignes intérieures. On y trouve des agences de voyages et des loueurs de voitures. De Buenos Aires à Bariloche, le voyage en train prend trente-deux heures (départs bihebdomadaires de la gare de Constitución). De plus, de nombreuses compagnies d'autocars relient la capitale à la Patagonie. Les autocars qui desservent la région des lacs poussent jusqu'au Chili, par les cols de Tromen, de Huahum ou de Puyehue.

De Bariloche, il est possible de gagner Puerto Montt, au Chili, en traversant successivement trois lacs en bateau, comme le faisaient les jésuites et les premiers colons allemands. Proposée par toutes les agences de voyages, cette excursion mène jusqu'à l'océan Pacifique. Elle est assez longue, mais la beauté des sites – forêts, volcans et lacs cristallins – est telle qu'elle vaut la peine d'être entreprise. Du côté argentin, on traverse le bras ouest du Nahuel Huapí ainsi que le lac de Puerto Alegre et, du côté chilien, le lac de Todos los Santos. On passe d'un lac à l'autre en bus. Cette excursion est réalisable en toute saison mais, en hiver, il faut compter deux jours pour atteindre Puerto Montt, avec un arrêt d'une nuit à Peulla. On regagne Bariloche en avion ou par le même chemin, après une nuit à Puerto Montt. Il est très difficile d'y trouver une chambre en été et les agences de voyages ne se chargent pas des réservations. Un visa est nécessaire pour entrer au Chili ; le consulat chilien de Bariloche (à l'angle des rues Panozzi et 12 de Octubre) le délivre en vingt-quatre heures.

Dans la région, hiver et été sont des saisons touristiques. En été, outre la découverte des alentours, de nombreux sports sont praticables : escalade, pêche en torrent, voile, équitation, etc. En hiver, la principale activité est, bien entendu, le ski. C'est au mois de juillet qu'il y a le plus de monde, à cause des vacances scolaires d'hiver. Si l'on aime la tranquillité, on préférera donc le mois d'août.

Araucarias et truites

Les réserves indiennes qui s'étendent autour du **lac Alumine** sont la terre d'élection de l'un des plus curieux arbres qui soient au monde, l'*araucaria araucana*. Cet arbre à feuilles persistantes, qui pousse à très haute altitude, a été surnommé « casse-tête de singe », car il est très difficile d'y grimper. Ses pignons étaient particulièrement appréciés des Indiens.

Les 378 000 ha du **parc national de Lanín** s'étendent près de **San Martín de los Andes** (à environ 140 km au sud du lac Alumine). Ce parc doit son nom à l'imposant volcan qui dresse ses 3 780 m au-dessus de la frontière chilienne, surplombant tous les sommets des alentours.

Les eaux du parc sont très poissonneuses ; la pêche y est ouverte entre le 15 novembre et le 15 avril. Les rivières et les torrents (Alumine, Malleo, Chimehuin et Calcufu) qui coulent aux environs de la petite ville de **Junín de los Andes** sont réputés pour leurs différentes variétés de truites. Des pêcheurs au lancer y viennent du monde entier les capturer. Dans la région, on se souvient encore d'une prise record : une truite (brown) de 12 kg (il est rare que ce poisson excède 5 kg). Junín compte plusieurs excellents restaurants et des hôtels très agréables, dont l'**hôtel Chimehuin**. Mais la plupart des pêcheurs préfèrent être hébergés dans les relais de pêche aménagés à l'intérieur même du parc : par exemple l'**hôtel San Humberto**, sur la rive du Malleo, près de la frontière chilienne, ou encore l'**hôtel Paimún**, sur le lac du même nom, au pied du volcan Lanín.

Le parc national de Lanín est également renommé comme excellent terrain de chasse. Les daims et les sangliers attirent beaucoup d'amateurs en automne, lors de la saison du rut. Pour obtenir un permis de chasse valable dans l'enceinte de parc national, il faut adresser une demande à la direction. On peut également s'arranger avec les *estancieros* afin de chasser sur leurs terres. Pour de plus amples informations, se renseigner à San Martín de los Andes.

De San Martín de los Andes, de nombreux circuits sont organisés en autocar dans la campagne, ou en bateau sur différents lacs. On peut également louer une voiture, camper, pêcher ou encore s'offrir les services d'un guide de chasse

Préfabriqués à Calafate, sur les rives du lac Argentino.

ou d'escalade pour un prix tout à fait abordable. Les **lacs de Huechulaufquen** et de **Paimún** ainsi que l'extraordinaire forêt d'araucarias du **volcan Lanín** sont incontournables. En hiver, on peut faire du ski de piste ou de fond sur le **Chapelco**, à une vingtaine de minutes de San Martín en voiture. Une petite station de sports d'hiver y a été aménagée à 1 980 m d'altitude.

Après avoir quitté San Martín – à l'origine une garnison fondée en 1898 – par la RN 234 en direction du sud et parcouru 26 km, deux itinéraires rallient Bariloche : à gauche, le plus court (133 km), par la RP 63 qui rejoint la RN 237 ; à droite, le plus long (168 km), par les RN 234, 231 et 237.

La RP 63 franchit le **col de Córdoba** et traverse d'étroites vallées qui offrent de splendides paysages, tout particulièrement en automne, époque où les versants se couvrent d'un camaïeu d'ors et de rouges. De **Confluencia Traful**, où la RP 63 rejoint la RN 237, on peut faire un petit détour – en retournant un peu vers l'intérieur du pays – jusqu'à la ferme trutticole qui appartient à l'**Estancia La Primavera**. Après avoir repris la route de Bariloche, on traverse le **Valle Encantado** (la « vallée enchantée »), dont les singulières formations rocheuses font songer à toutes sortes de personnages et d'animaux.

Le second itinéraire, « **la route des Sept Lacs** », traverse le sud du parc de Lanín, puis le nord du parc de Nahuel Huapí, parmi de somptueux paysages de lacs et de forêts. Les sept lacs sont le Lacar, le Hermoso, le Villarino, le Falkner, le Traful, le Correntoso et l'Espejo. On parvient finalement à Bariloche en longeant la rive nord d'un huitième, le lac Nahuel Huapi. En été, les agences de Bariloche organisent des excursions d'une journée à San Martín, en empruntant l'un des deux itinéraires à l'aller et l'autre au retour.

La Suisse argentine

Au beau milieu du **parc national de Nahuel Huapi**, la ville de **Bariloche** est véritablement le cœur de la région des

Une vision éthérée du Lanín.

lacs du Nord. Le petit parfum européen qui plane sur la ville est indéniable. Elle a en effet été fondée par des émigrés suisses, allemands, ainsi que par des Italiens du Nord, ce qui explique les chalets, les fabriques de céramique, les chocolateries et les vitrines impeccables des magasins. Toutefois, l'impression d'être en Europe est fugace : l'immense lac est trop calme – rares sont les bateaux qui y évoluent –, ses rives trop obscures dès que le soir tombe et les environs immédiats de la ville sont beaucoup trop sauvages.

Le **centre administratif** de Bariloche surplombe le lac. L'architecture de cet édifice de pierre et de bois, qui date des années 30, n'est pas étrangère à l'ambiance européenne de la ville. Il héberge, notamment, le **musée de la Patagonie**, qui illustre la formation géologique de la région, la faune et le mode de vie des tribus indiennes avant la colonisation.

De nombreuses excursions sont organisées au départ de Bariloche. Le grand classique que proposent les agences est le *Circuito Chico* (« petit circuit »), qui dure une demi-journée. Un téléphérique, qui fonctionne aussi en été, monte jusqu'au sommet de l'**Otto** (1 485 m), où l'on peut déjeuner dans le restaurant giratoire. La station de sports d'hiver de Bariloche est distante de 17 km. Sur le **Catedral**, la station du même nom est l'une des plus grandes de l'hémisphère sud avec 25 km de pistes. On s'élève de 1 000 à 2 000 m en téléphérique et en télésièges d'où l'on a une vue superbe. La saison de ski commence à la fin du mois de juin et se poursuit jusqu'en septembre. D'autres excursions – à San Martín de los Andes, au volcan Tronador, à l'île Victoria ou à Puerto Blest – prennent la journée. Le **volcan Tronador**, le plus haut sommet de la région (3 554 m), doit son nom aux avalanches tonitruantes qui surviennent dans ses hauteurs et qui retentissent jusqu'en bas. Le bateau qui va jusqu'à l'**île Victoria**, sur le lac Nahuel Huapí, s'arrête d'abord sur la presqu'île de Quetrihue : on peut y admirer une petite forêt d'*arrayanes* unique au monde.

Si l'on est tenté par la découverte de la Patagonie à cheval, un ranch propose des

Au-dessus des nuages, sur le Cerro Catedral.

randonnées équestres d'une matinée, d'une journée ou d'une semaine. Ce ranch a été aménagé dans l'**Estancia Nahuel Huapí** que Jared Jones, un Texan, fonda en 1889 au bord du lac. Pour de plus amples renseignements, contacter l'agence Polvani ou se rendre directement au ranch.

Emplettes, hôtels et restaurants

Les produits les plus caractéristiques de la région sont les chocolats, les confitures, les objets de céramique et les lainages. L'importante industrie chocolatière est toujours entre les mains des descendants des quelques familles italiennes qui l'ont fondée. Il est intéressant de visiter quelques-unes des chocolateries du centre de Bariloche, ainsi qu'une fabrique de céramique où l'on voit les artisans au travail. Il est facile de trouver des lainages, mais on n'achètera rien sans avoir au préalable fait un tour chez **Árbol**, dans la rue principale. Également dans la rue principale, **Tito Testone** propose des bijoux et des objets d'artisanat.

La ville possède une excellente infrastructure hôtelière et l'éventail des hébergements va de la petite auberge intime aux luxueux hôtels quatre étoiles : le **Tronador**, l'**Edelweiss** et le très huppé **El Casco**. Les restaurants proposent des mets aussi variés que les fondues, les truites et le gibier (notamment le sanglier). On essayera la **Casita Suiza,** le **Kandahar**, ainsi qu'**El Viejo Munich**, où les habitants de Bariloche aiment à se retrouver. Mais c'est à 18 km de la ville qu'on dégustera un *asado* typique de la région, dans un vieux hangar qui, au début du siècle, abritait un magasin, le **Viejo Boliche**.

Le refuge des hippies

Pour atteindre **El Bolsón** (à 130 km au sud de Bariloche), on suit la RN 258. Construite dans une étroite vallée fertile, la ville bénéficie d'un agréable microclimat. Du houblon et des fruits rouges sont cultivés sur de petites exploitations. Dans les années 60, de nombreux hippies vinrent s'installer à El Bolsón et dans ses

L'hôtel Llao-Llao, au bord du lac Nahuel Huapí.

environs. Quelques-uns sont toujours là et mènent une existence paisible dans leurs fermes montagnardes.

Les 23 700 ha du **parc national de Lago Puelo** s'étendent à quelques kilomètres au sud-ouest d'El Bolsón. La RP 16 mène à ce paradis des pêcheurs. Ses sommets couverts de hêtres à feuilles caduques et de cyprès font aussi le bonheur des randonneurs. Gîte et couvert sont proposés au restaurant **Don Diego** et à l'**auberge Amancay**.

La vallée de Butch Cassidy

A une quarantaine de kilomètres au sud d'El Bolsón, on quitte la RN 258 peu après Epuyén pour emprunter à droite la RP 71 qui se dirige vers le parc national de Los Alerces. On traverse la superbe **vallée de Cholila** qui, dit-on, servit un temps de refuge aux célèbres bandits nord-américains Butch Cassidy et Sundance Kid, alors qu'ils cherchaient à échapper aux limiers de l'agence Pinkerton. Une lettre qu'ils envoyèrent à Matilda Davis, dans l'Utah, fut postée le 10 août 1902 dans la petite ville de Cholila, sur la RP 15, à quelques kilomètres de la RP 71. Après avoir attaqué la banque de Río Gallegos en 1905, ils furent à nouveau contraints de fuir et tombèrent finalement sous les balles des forces de l'ordre boliviennes. Quelques années plus tard, les membres du gang qui étaient restés dans la région trouvèrent la mort au cours d'une embuscade tendue par la police argentine.

Un thé gallois

A l'est de Cholila, on peut rejoindre la RN 40 qui mène à Esquel en traversant l'immense **ranch Leleque**. Si l'on choisit de gagner Esquel par la RP 71, se diriger vers le **parc national de Los Alerces**, qui couvre 263 000 ha. Ses paysages ressemblent à ceux des autres parcs de la région mais ils sont plus sauvages. En été, il est possible de camper, de prendre une chambre à l'hôtel Futalaufquen ou de séjourner dans un des relais de pêche construits sur la berge du **lac de Futalaufquen** (par exemple, l'**auberge**

Communauté hippie d'El Bolsón.

Quimei Quipán). Une excursion d'une journée est organisée sur le lac de **Menéndez** (tous les lacs du parc sont reliés entre eux par un système de canaux), d'où la vue sur les **glaciers des Torrecillas** (2 200 m) est splendide. De superbes *alerces* (appartenant à la famille des séquoias d'Amérique du Nord) poussent dans le parc dont certains ont plus de deux mille ans.

On laisse peu à peu derrière soi les lacs du Nord pour se rapprocher d'Esquel et de Trevelin, où une importante colonie galloise s'établit en 1888, au terme d'un long périple qui l'avait menée du littoral atlantique à cette région, en passant par la vallée du Chubut (*cf.* p. 223).

Le petit village de **Trevelin** (à environ 40 km à l'est du parc) a conservé son atmosphère galloise. En gallois, *trevelin* signifie « la ville du Moulin ». Le vieux **moulin** dont il est question a été transformé en musée où sont évoqués, à travers toutes sortes d'outils, de vieilles photographies et une bible écrite en gallois, les premiers temps de la colonie. Comme dans chacune des communautés galloises de Patagonie, on peut boire à Trevelin un bon thé accompagné de petits gâteaux. On y trouve également un excellent restaurant de viande, El Quincho.

L'express patagon

Esquel (à 23 km au nord-est de Trevelin) est également une ville galloise. Édifiée à mi-chemin des Andes et du désert patagon, elle compte environ 20 000 habitants. Esquel était à la fois l'arrêt le plus méridional et le terminus de l'*Expreso Patagónico* qui, jusqu'en 1992, la reliait à **Ingeniero Jacobacci** (à l'est de Bariloche) en traversant une petite partie de la Patagonie. Tracté par une antique locomotive à vapeur, le convoi circulait sur une voie étroite dont les rails ne présentaient qu'un écartement de 75 cm – ce qui avait valu à la ligne le surnom de *trochita* (« petite voie »). Le voyage à bord de ce pittoresque petit train était une merveilleuse façon de nouer des liens avec la Patagonie et ses habitants. Tout comme les touristes, mais pour des raisons plus vitales, les localités qu'il

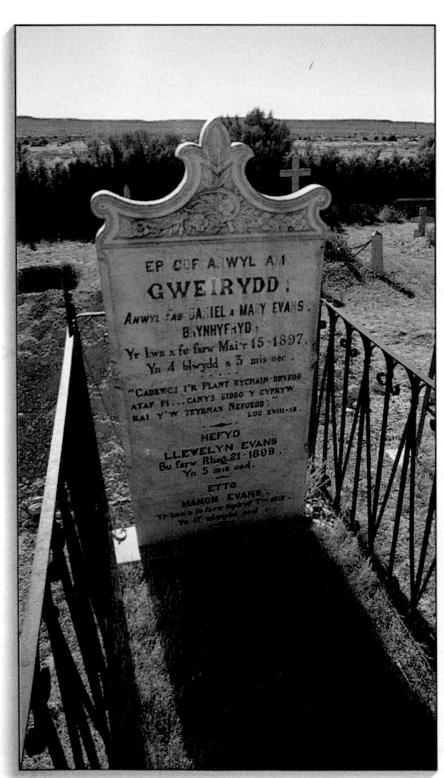

Ci-dessous : à gauche, stèle d'une tombe galloise et, à droite, bible galloise ; à droite, fermier gallois présentant fièrement sa récolte.

LES GALLOIS DE PATAGONIE

Les raisons qui ont poussé de nombreux Gallois à émigrer en Patagonie entre 1865 et 1914 sont à la fois d'ordre économique, politique, religieux et culturel.

Les changements brutaux provoqués par la révolution industrielle en Angleterre ont déraciné bon nombre de petits paysans gallois. L'acheminement de la production vers les villes était devenu extrêmement coûteux par l'instauration d'un péage sur les routes. Lorsque le droit de pacage fut supprimé, de nombreux paysans, sans terres, décidèrent de s'expatrier.

D'autant plus que la mainmise croissante des Anglais sur les affaires galloises, l'interdiction de l'usage de la langue et de l'expression de la culture galloise leur étaient insupportables.

A la même époque, le pays de Galles connut un renouveau religieux qui se traduisit par un piétisme dont l'influence se fit sentir jusqu'à la Première Guerre mondiale. Convaincus que le matérialisme de la vie moderne était incompatible avec la calme spiritualité d'antan, de nombreux Gallois estimaient que leur salut résidait dans ces terres lointaines et désertes qui s'ouvraient à la colonisation.

Quant à la communauté galloise qui avait déjà émigré aux États-Unis ou au Canada, elle commençait à craindre pour sa spécificité en voyant affluer d'autres nationalités. Certains de ses membres se laissèrent, eux aussi, séduire par l'appel de l'Argentine où des terres étaient proposées à bas prix aux immigrants qui viendraient occuper et mettre en valeur les vastes espaces patagons avant que le Chili ne s'en empare. Au terme d'un voyage long et aventureux, ces Gallois débarquèrent de petits navires à Puerto Madryn, d'où ils essaimèrent dans la vallée du Chubut.

Malgré des débuts difficiles, la colonie prospéra. Les Gallois utilisaient leur savoir-faire en matière d'irrigation pour fertiliser le désert et le blé patagon ne tarda pas à remporter des prix dans les concours agricoles internationaux. Le gallois était parlé dans les rues et enseigné à l'école. A la fin du XIXe siècle, on put croire que le rêve était devenu réalité. Mais, à l'aube du XXe siècle, les temps devinrent difficiles. Le gouvernement argentin imposa son autorité sur le Chubut et beaucoup d'immigrants de langue espagnole arrivèrent avec leur famille, attirés par la réussite des Gallois. Des inondations ravagèrent les cultures de la région. Beaucoup de colons gallois émigrèrent alors au Canada ou en Australie, mais le noyau de la communauté demeura en Patagonie.

Le Chubut doit beaucoup à ses premiers occupants. Leurs descendants se sont peu à peu intégrés aux autres Argentins venus les rejoindre dans les villes qu'ils avaient fondées et il n'y a plus guère que la « vallée galloise » qui ait conservé quelques traces de leur colonisation.

Cependant, certaines traditions demeurent. Les Gallois de Patagonie continuent, par exemple, à organiser des concours de chant et de poésie, les *Eisteddfodau* ; ils font montre du plus grand respect pour leur Église, même s'ils ne pratiquent pas, et ils entretiennent avec une grande fierté les liens qui les unissent à la terre de leurs ancêtres.

desservait déplorent sa disparition et se battent avec l'administration pour que la ligne soit rétablie.

Cette ville entre montagnes et désert donne parfois l'impression d'être dans un bourg de l'Ouest américain à l'époque de la conquête. Les gens se déplacent beaucoup plus volontiers à cheval qu'en voiture et les gauchos sont revêtus de leurs habits traditionnels. Chaque année, plusieurs grandes foires drainent vers Esquel les habitants de la région qui viennent vendre et acheter du bétail ainsi que diverses denrées.

Les passionnés de cheval seront tentés par les nombreux magasins de la ville où l'on vend du matériel d'équitation et des équipements utilisés dans les ranchs. On y voit côte à côte des étriers travaillés, des selles cousues main, des lassos en cuir tressé et des ustensiles de cuisine en fonte, le tout baignant dans une bonne odeur de cuir. Chez **El Basco**, on peut se vêtir de pied en cap comme d'authentiques gauchos.

Esquel et Trevelin sont les hauts lieux de la chasse à l'oie qui est ouverte de la mi-avril à décembre. Pendant l'hiver, les skieurs investissent également Esquel pour dévaler les pistes de **La Hoya** (à une dizaine de kilomètres de la ville). Cette station, plus petite et plus intime que celle de Bariloche, dispose de tout l'équipement nécessaire. L'hébergement est notamment assuré par l'**hôtel Tehuelche** et l'**auberge Los Troncos**. Quant au **restaurant Tour d'Argent**, il compte parmi les meilleurs de cette partie de la Patagonie.

La belle vallée

La **vallée du Chubut** relie Esquel à la côte Atlantique. Seule la basse vallée, qui couvre environ 50 km², est fertile, le reste étant trop aride pour être cultivé. C'est par cette gorge, que la RN 25 traverse aujourd'hui, que la communauté galloise parvint à Esquel et à Trevelin. Les colons baptisèrent leur nouvelle patrie *Cwm hyfrwd*, ce qui signifie « la belle vallée ».

A mi-chemin entre Esquel et la côte, le Chubut entaille un plateau et forme un impressionnant canyon rouge et blanc, constitué par la **vallée des Autels** et la **vallée des Martyrs**. C'est là que, en 1883, un groupe de jeunes Gallois périt au cours d'une embuscade tendue par les Indiens. Les tombes de ces malheureux s'alignent le long de la route.

Avant d'arriver dans la partie basse du val du Chubut, on parvient au **barrage F. Ameghino** et à son lac artificiel, tous deux coincés dans une étroite gorge rocheuse. C'est dans ce bassin que furent créés les premiers établissements gallois, Gaiman, Trelew et Rawson, entourés aujourd'hui des cultures intensives.

Le petit musée de **Gaiman** est aménagé dans la gare désaffectée depuis 1959. Tout comme celui de Trevelin, il est consacré aux premiers temps de la colonie. C'est également à Gaiman que se déroule en août l'*Eisteddfod*, au cours duquel sont disputés des concours de chant choral et de poésie galloise. **Trelew** (à une dizaine de kilomètres plus loin) est la ville la plus importante de la basse vallée. L'ancien petit village gallois s'est mué en grande cité moderne, industrielle et dynamique.

A gauche, constitution d'une meule de foin dans la province du Chubut ; à droite, gros plan sur la selle rembourrée d'un gaucho et sur la capture du jour

Rawson, non loin de l'estuaire du Chubut, est la capitale de la province. L'après-midi, le petit port de pêche est le cadre d'un sympathique spectacle qui accompagne le retour des bateaux : les marins pêcheurs débarquent leurs prises de la journée, environnés de nonchalants lions de mer qui se saisissent de tout ce qui tombe par-dessus bord.

Les manchots de Magellan

Puerto Madryn (à 65 km au nord de Trelew par la RN 3) a été fondée en 1865 par un colon gallois, Parry Madryn. C'est une étape agréable de quelques jours, pour visiter la péninsule de Valdés et la pointe de Tombo. On peut séjourner à l'**hôtel Tolosa** ou au **Península Valdés**, dont les chambres donnent sur la mer. Non loin de ce dernier hôtel, le **Receptivo Puerto Madryn** (l'Office du tourisme local) donne tous les renseignements sur les excursions, les locations de voiture et les services des guides. Enfin, si l'on aime les fruits de mer, on appréciera particulièrement les restaurants **La Caleta** et le **Club Náutica**.

Pour rallier la **pointe de Tombo** (à 165 km au sud de Puerto Madryn), suivre la RP 1 qui longe le littoral. Entre septembre et mars, le site abrite une gigantesque colonie de manchots de Magellan que l'on peut approcher de très près (il est interdit de leur donner à manger). La colonie est extrêmement bien organisée, et la vie sociale très poussée : les bains se prennent en commun et la surveillance des poussins ainsi que l'éducation des jeunes sont également collectives.

La péninsule de Valdés

La **réserve naturelle de la péninsule de Valdés** concentre une faune particulièrement riche. Depuis Puerto Madryn, emprunter la RN 3 en direction du nord, puis la RP 2 sur la droite. Les eaux qui bordent la péninsule sont renommées pour leurs colonies d'éléphants et de lions de mer, ainsi que pour les baleines franches australes qui viennent s'y reproduire. Elle héberge en outre bien d'autres

Pompes à pétrole dans le Sud patagon.

espèces animales, dont toutes sortes d'oiseaux, des guanacos, des nandous et des *maras*, qu'on voit bondir le long de la route. L'**Estancia La Adela** possède à elle seule un cheptel de 60 000 moutons, qui paissent sur 100 000 ha.

D'autre part, c'est sur la péninsule que se trouve la dépression la plus importante d'Amérique du Sud (40 m au-dessous du niveau de la mer) : les **Salinas Grandes** (« grandes salines »). Autrefois, la presqu'île produisait de grandes quantités de sel qui était ensuite exporté de Puerto Madryn.

Après avoir parcouru une centaine de kilomètres à partir de Puerto Madryn, on parvient au petit hameau de **Puerto Pirámides**, composé essentiellement d'hôtels, de restaurants et de terrains de campings. On y pratique le surf, le ski nautique et la plongée sous-marine pour laquelle les eaux limpides du Golfo Nuevo sont tout indiquées. Des cormorans et une colonie de lions de mer sont installés au pied d'une falaise nommée **Punta Pirámides**, à 2 km de Puerto Pirámides. Mais ce sont les baleines franches australes qui sont la grande attraction de cette partie de la péninsule. Massacrées pendant des lustres (au XIXe siècle, plus de 700 baleiniers croisaient dans les eaux voisines), elles avaient fini par pratiquement disparaître ; de nos jours, comme les autres baleines, elles sont théoriquement protégées par une convention internationale à laquelle adhère l'Argentine. La population de ces mammifères se reconstitue très lentement et elle s'élèverait seulement à 4 000 spécimens dans le monde.

Chaque année, au début du printemps, les baleines franches australes pénètrent dans le golfe pour s'y reproduire et elles y restent jusqu'à la fin novembre. On peut les observer du rivage mais, en embarquant à bord des bateaux autorisés à les approcher de très près – dont la plupart partent de Puerto Pirámides –, on les verra évoluer et jouer dans la mer, où elles plongent et sautent avec force remous et trombes d'eau.

Punta Norte (à environ 70 km au nord de Puerto Pirámides par la RP 3) regroupe la plus importante colonie d'éléphants

La forêt pétrifiée José Ormachea.

de mer. Mais c'est à **Punta Delgada**, sur la côte orientale (à une soixantaine de kilomètres de Puerto Pirámides) qu'on peut s'approcher très près de ces animaux.

Sur le chemin du retour, peu avant de s'engager sur l'**isthme de Carlos Ameghino**, tourner à droite pour rejoindre la côte et observer les milliers d'oiseaux qui ont donné leur nom à l'**Isla de los Pájaros**, une réserve ornithologique. Non loin, la petite chapelle blanche commémore l'établissement d'une première colonie espagnole en 1774, qui fut contrainte de fuir en 1810 en raison des attaques des Indiens. Enfin, selon l'époque, des centaines de flamants roses évoluent dans le **golfe de San José**.

Le pays de l'or noir

Après avoir quitté Trelew en direction du sud et parcouru 440 km sur la RN 3, on parvient à **Comodoro Rivadavia**. Peuplée de 90 000 habitants, cette localité est reliée par des vols quotidiens aux grandes villes de Patagonie, dont elle est la plus importante. Il est possible de se loger à l'**hôtel Austral**.

Comodoro Rivadavia a été fondée en 1901, après la découverte d'importants gisements pétrolifères faite en sondant le sous-sol pour trouver de l'eau dans la région. Depuis cette époque, la Patagonie satisfait environ 50 % des besoins en pétrole du pays.

Avec un vent permanent, des toits plats, des pêcheries et des fabriques de textile, la ville est typiquement patagone. Après la guerre des Bœrs, elle accueillit un certain nombre de colons néerlandais venus d'Orange et du Transvaal, en Afrique australe. Conduits par Conrad Visser et Martin Venter, les premiers arrivèrent en 1903. Un grand nombre sont retournés en Afrique du Sud ; les autres ont laissé une descendance considérable dans la région.

La fertile **vallée de Colonia Sarmiento** s'étire à 190 km environ à l'ouest de Comodoro Rivadavia. A une vingtaine de kilomètres au sud de Colonia Sarmiento s'étend la forêt pétrifiée **José Ormachea** dont les fossiles sont une précieuse source d'informations sur le passé géologique de la région.

Après avoir parcouru quelque 200 km en direction du sud-ouest, on découvre le gigantesque **lac Buenos Aires** et la ville voisine, **Perito Moreno**.

De Perito Moreno, prendre la RN 40 en direction du sud. A environ 120 km, juste avant d'arriver à **Bajo Caracoles**, tourner à gauche sur la RP 97 en direction du nord-est. Au terme d'une quarantaine de kilomètres, on arrive à la célèbre **Cueva de las Manos**, nichée au cœur du splendide canyon creusé par le Río Pinturas. La grotte abrite les peintures rupestres les plus spectaculaires de Patagonie, voire du pays tout entier. Ces témoignages préhistoriques représentent des chasseurs et des guanacos, mais essentiellement des mains. Les plus anciennes remonteraient à 9000 av. J.-C. Ces mains, qu'on appelle des mains négatives, ont été réalisées selon la méthode du pochoir : la peinture, en poudre ou en pâte liquide, était placée dans la bouche et soufflée autour de la main appliquée sur la paroi.

A gauche, tondeur itinérant à l'œuvre ; à droite, randonneurs tout près du Perito Moreno.

Les forêts pétrifiées

Si l'on décide de poursuivre son périple de Comodoro Rivadavia vers le sud par l'est de la Patagonie, il faut aller voir les **Bosques Petrificados** (classés monument naturel), au nord-est de la province de Santa Cruz. Pour accéder à ce superbe site, on parcourt environ 230 km sur la RN 3, puis quelque 60 km sur la RP 49 en direction de l'ouest. Le parc protège une multitude de troncs d'araucarias géants pétrifiés, dont certains ont plus de 30 m de long et un diamètre qui avoisine les 2 m. Ces arbres, qui comptent parmi les plus grands du monde, datent du crétacé (fin de l'ère secondaire).

La Patagonie méridionale

Le long du littoral de Santa Cruz se succèdent plusieurs ports qui portent des noms célèbres de l'histoire de la navigation mondiale. **Puerto Deseado** (« port désir », à 270 km environ de Comodoro Rivadavia par la RN 3 et la RN 281) doit son nom au vaisseau du corsaire anglais Thomas Cavendish, qui s'appelait *Desire*. De Puerto Deseado, il est possible de faire une excursion dans plusieurs îles peuplées de manchots et de cormorans gris. C'est à **Puerto San Julián** (à 300 km plus au sud) que Magellan aborda, pendant l'hiver de 1520. C'est également là que Drake pendit le mutin Thomas Doughty en 1578.

En poursuivant vers le sud, on parvient à l'un des ports les plus importants du littoral, **Puerto Santa Cruz**, séparé de Puerto San Julián par environ 80 km. On arrive enfin à Río Gallegos, à l'extrême pointe du continent.

La contrée des moutons

Les premiers colons qui s'installèrent dans ce Grand Sud étaient des éleveurs de moutons anglais et écossais. Au début du XIXe siècle, attirés par les terres que le gouverneur de la province distribuait, la plupart de ces Britanniques arrivèrent des Malouines ; d'autres vinrent, plus tard, du Chili.

Autour de **Río Gallegos**, de gigantesques *estancias* virent le jour ; des milliers de tonnes de laine étaient régulièrement expédiées par bateau en Angleterre, au départ de Puerto Deseado, Puerto San Julián et Río Gallegos. Le cheptel ovin d'Argentine a compté jusqu'à 80 millions de têtes et le pays était un des plus gros producteurs de laine du monde. Ce chiffre a chuté de plus de 50 %, et la majeure partie des 30 millions de moutons restants – des mérinos et des corriedales australiens, pour la plupart – se trouve en Patagonie. En 1934, la région de Río Gallegos regroupait 93 *estancias* dont la superficie variait de 2 000 à 200 000 ha, et seules 800 personnes géraient un cheptel de 180 000 têtes.

Au moins deux fois l'an, on rassemble les moutons pour les tondre et les baigner. Le plus gros du travail se fait entre octobre et janvier. La région est alors saisie d'une fébrile activité. Des groupes de tondeurs itinérants, les *comparas*, se louent d'*estancia* en *estancia*. Ils se déplacent avec leur matériel, dorment souvent à la belle étoile et fournissent un travail considérable. La laine est ensuite

A droite, alpiniste contemplant le Fitz Roy.

acheminée vers les ports, non plus dans des wagons à bestiaux comme auparavant, mais dans des camions.

Une vie rude

Quand la saison de la tonte s'achève, le calme recouvre à nouveau les vastes plaines. Les gauchos – ou *paisanos*, comme ils se nomment eux-mêmes dans le Sud – ne quittent pas les exploitations après le départ des *comparas* car ils y travaillent toute l'année ; loin des zones touristiques, surveillant sans cesse les troupeaux et les immenses étendues des terres, ils mènent une vie rude et fatigante, comme l'attestent leurs visages burinés et brûlés par le soleil. En tout et pour tout, le *paisano* possède quatre trésors : son cheval, son *recado* (selle recouverte d'une peau de mouton), son *facón* (« coutelas ») et son poncho.

A Río Gallegos, l'atmosphère britannique d'antan n'est plus. Il y a quelques années à peine, Río Gallegos comptait encore 80 000 habitants ; mais depuis, la population a diminué de moitié. En dépit de son histoire, la ville ne présente guère d'intérêt. Plutôt que de s'y attarder, on visitera une *estancia* des environs. Si nécessaire, on trouve le gîte et le couvert à l'hôtel-restaurant **Comercio** qui sert d'excellents fruits de mer ; à la fin du dîner, les nostalgiques de l'époque britannique peuvent prendre un verre dans le décor désuet du **Club anglais**.

La région des lacs du Sud

El Calafate, ville principale de la région des lacs du Sud, est à 330 km au nord-ouest de Río Gallegos. Seule la petite compagnie aérienne Lade, dont les avions sillonnent la Patagonie, relie les deux villes chaque jour en été et trois fois par semaine le reste de l'année. Le trajet par la route – en partie asphaltée seulement – est superbe et prend environ six heures. Chemin faisant, on croise des nandous, des guanacos ainsi que des *maras* (*cf.* p. 261). A l'arrivée à Bajada de Miguens, on verra se profiler au loin – par temps clair – le superbe Fitz Roy (3 375 m).

L'Antarctique en vue.

A une latitude encore plus australe que la Nouvelle-Zélande, El Calafate bruit de touristes en été. En revanche, pendant les longs et froids mois d'hiver, elle retrouve sa solitude et sa tranquillité. La région regorge d'oiseaux et abrite plusieurs espèces rares, dont des cygnes à col noir et des condors.

Au nord-ouest d'El Calafate, le **parc national de los Glaciares** (« des glaciers ») s'étire parallèlement à la chaîne andine sur plus de 200 km. Il est dominé par les immenses glaciers des hauts sommets qui chevauchent l'Argentine et le Chili sur une superficie de 22 000 km². Cette vaste zone glaciaire fait le bonheur des passionnés de géologie avec ses nombreux nunataks, pointes rocheuses extrêmement dures qui ont résisté à l'assaut de la glace et sont restées à découvert.

La splendeur des glaciers

Le glacier le plus impressionnant du parc est le **Perito Moreno** (à 80 km d'El Calafate par la RP 11), qui surplombe le lac Argentino. Sa fantastique façade est longue de 5 km et haute de 80 m, et sa superficie excède celle de la capitale argentine. Pour s'y rendre, il faut s'inscrire à un circuit organisé ou, plus simplement, prendre l'autocar qui assure en été la liaison entre El Calafate et le glacier (départ du centre-ville).

Le Perito Moreno est l'un des rares glaciers au monde à être en expansion. Gagnant quelques centimètres par mois, son front finit par former un barrage qui isole les eaux du Brazo Rico, un bras du lac Argentino. Ainsi retenues, ces eaux s'élèvent et exercent une forte pression sur le barrage de glace, jusqu'à ce que celui-ci s'effondre. Le flot libéré se rue alors pour rejoindre les eaux du lac. La dislocation de la façade est un spectacle fabuleux : dans un terrible bruit de tonnerre qui retentit jusqu'à El Calafate, de gigantesques blocs se séparent du glacier et s'effondrent dans le lac, où se forment d'énormes vagues qui s'emparent des icebergs.

Depuis 1937, le phénomène survient avec une périodicité de plus en plus courte. Actuellement, le cycle est de quatre ans. Dans la partie septentrionale du lac, il est possible de prendre un bateau pour aller à la rencontre du plus grand glacier du Sud patagon, l'**Upsala**, 50 km de long et 10 km de large. En été, des bateaux partent chaque matin de **Puerto Bandera** (à une quarantaine de kilomètres à l'ouest d'El Calafate par la RP 11 et la RP 8), qu'on peut rejoindre en autocar ; l'excursion dure toute la journée. L'enchantement est garanti : environné de toutes parts par les sommets enneigés et le bleu intense des icebergs, on navigue sur les eaux pures du lac jusqu'à cet extraordinaire monument qu'est l'Upsala. On doit cependant rester à une distance respectueuse, car de nombreux pans de glace s'en détachent régulièrement. Au retour, le bateau s'arrête parfois à l'**Estancia La Anita** ; son gigantesque hangar est l'endroit où l'on tond des moutons.

Les flèches de granite

A la limite nord du parc national de Los Glaciares (à 240 km d'El Calafate) se dressent deux imposants pics granitiques : le **Torre** et le **Fitz Roy**. Ce dernier fut baptisé Chaltén par les Indiens, ce qui signifie « pic bleu ». Pour s'en rapprocher, prendre la RN 40 qui quitte El Calafate en direction du nord ; longer ensuite la rive nord du l**ac Viedma** en direction de l'ouest par la RP 23, qui se termine au petit hameau d'**El Chaltén**. On parvient à un beau point de vue sur les deux pics en faisant quelques pas sur un petit sentier, mais quatre bonnes heures de marche sont nécessaires pour arriver à leur base. Des alpinistes de tous les pays viennent se mesurer à ces deux massifs, notamment à celui du Torre, dont l'ascension est parmi les plus difficiles du monde. Un des petits hôtels de la région organise des randonnées équestres, auxquelles il est prudent de s'inscrire à l'avance ; il est également possible de s'y restaurer. On peut loger au **Kaikén**, au **Kau Yatún**, ou encore au **Michelangelo**, qui possède un excellent restaurant dont la grande spécialité est le mouton. L'agence de voyages locale se nomme **Interlagos**.

Pour retourner dans le sud à partir d'El Calafate, on peut passer par le **parc national de Torres del Paine**, en territoire chilien. Bien que ce site soit tout proche de la frontière, la meilleure façon d'y accéder est de retourner à Río Gallegos, puis de gagner la ville chilienne de **Puerto Natales** en passant la frontière à **Río Turbio**. Río Turbio est le centre d'extraction de charbon le plus important d'Argentine. Le minerai est acheminé par wagonnets jusqu'à Río Gallegos sur un chemin de fer à voie étroite. Au sud de Río Turbio, la frontière continentale australe de l'Argentine se déploie jusqu'à l'Atlantique. Plus au sud, la Terre de Feu s'étend au-delà du détroit de Magellan.

Les Malouines

L'archipel des Malouines (*cf.* p. 49) couvre une superficie de 11 718 km^2, à 550 km de la côte patagone. En y abordant en 1690, le capitaine anglais Strong le baptisa « Falkland » en l'honneur de Lord Antony Cary, vicomte de Falkland. En 1763, parti de Saint-Malo, Bougainville débarquait sur les îles, qu'il baptisa « Malouines ». Les Français prirent possession de l'archipel mais ils durent rapidement le remettre aux Espagnols qui se bornèrent à traduire le nom français en « Malvinas ».

A partir de 1832, après une histoire assez mouvementée, les Malouines ne furent plus habitées que par des Britanniques. En 1982, la junte au pouvoir en Argentine décidait de s'en emparer *manu militari*. Mais les troupes argentines furent contraintes de capituler après quelques semaines de combat. Depuis, le pays devenu démocratique tente de récupérer les *hermanitas perdidas* (« petites sœurs perdues ») par la voie diplomatique. La nouvelle constitution de 1994 réaffirme très clairement la « souveraineté de l'Argentine sur les Malvinas » et l'« objectif permanent » des autorités : récupérer ces terres pacifiquement. Les habitants des Malouines entendent bien rester sujets britanniques.

Avant 1982, la population de l'archipel était d'environ 1 800 personnes, toutes d'ascendance anglaise. Après le conflit, de nombreux soldats britanniques sont venus grossir ses rangs.

Depuis toujours, c'est l'élevage ovin qui constitue la ressource principale des îles. Elles vivent également de la pêche, car leurs eaux sont extrêmement poissonneuses. Leur climat est de type océanique et la température moyenne annuelle y est de 6°.

L'archipel héberge des colonies de manchots empereurs et de manchots de Magellan, ainsi que de nombreux phoques, canards et oies sauvages. On ne pourra cependant leur rendre visite depuis l'Argentine. Seuls des avions au départ de Punta Arenas, au Chili, assurent la liaison entre le continent et les Malouines, où les ressortissants argentins restent interdits de séjour.

L'Antarctique

Le continent gelé de l'Antarctique est à 500 km au sud du cap Horn. Au XVIIIe siècle, tandis qu'il naviguait au large de l'île qu'il baptisa « Géorgie du Sud », James Cook jugeait dans son journal de bord que le danger était si grand que personne ne se hasarderait plus au sud que lui.

Toutefois, divers pays mirent un point d'honneur à participer à la course au pôle, et plusieurs expéditions eurent lieu aux XIXe et XXe siècles. En 1911, le pôle Sud était finalement atteint par le Norvégien Amundsen. Le continent antarctique – grand comme une fois et demie les États-Unis et presque entièrement recouvert d'une calotte de glace qui a par endroits 4 800 m d'épaisseur – était alors loin d'être exploré dans son intégralité. La période de l'entre-deux-guerres se caractérisa par des recherches multiples et des revendications territoriales de diverses nations qui réclamaient chacune une part du gâteau antarctique. L'intérêt était à la fois scientifique, stratégique et économique – l'Antarctique recèlerait de fabuleuses richesses minérales : pétrole, charbon et fer. Du reste, l'Argentine, le Chili et la Grande-Bretagne se disputent la même portion du territoire antarctique depuis 1934. Entre 74° et 25° de longitude ouest, cette portion comprend le bras que le « continent blanc » tend vers le continent sud-américain, dont il est séparé par le détroit de Drake.

En décembre 1959 était signé le traité de l'Antarctique qui fut ratifié en 1961. Il établissait le gel des revendications, la suspension des litiges et la démilitarisation du continent, voué à la science, la paix et la coopération internationale. Il fut également convenu que le sort des richesses naturelles serait réglé par des conventions particulières, ce qui n'exclut pas du tout, dans un avenir proche ou lointain, l'exploitation des ressources minérales. Nombreux sont ceux – dont le commandant Cousteau – qui se battent pour que le dernier continent vierge soit classé réserve naturelle mondiale. Ils considèrent que toute installation humaine massive serait une véritable catastrophe pour ce milieu au plus haut point fragile. Il ne faut pas oublier en effet que la glace de l'Antarctique est la première réserve d'eau douce du monde et qu'elle règle les climats de la planète en réfléchissant une partie des rayons du soleil et en refroidissant la mer et l'atmosphère. De plus, si la température moyenne augmentait de quatre à cinq degrés à cause des activités humaines (chauffages, moteurs, etc.) les masses de glace fondraient peu à peu ; le niveau des océans s'élèverait alors d'une soixantaine de mètres, ce qui serait fatal aux deux tiers de la population du globe. C'est en partie pour ces raisons – mais aussi, et surtout, pour des raisons financières – qu'en septembre 1994, la France a officiellement renoncé à son projet de développement d'une piste d'atterrissage déjà aménagée en Terre-Adélie.

Si l'on est tenté par une croisière (très onéreuse) en Antarctique – où l'on ne peut se rendre que de décembre à février –, se renseigner auprès des Offices du tourisme d'**Ushuaia** et de **Punta Arenas** ou, mieux encore, réserver une place avant le départ pour l'Argentine. Des navires comme l'*Erebus* ou le *Tierra Australis* effectuent un périple hebdomadaire. Quant aux bateaux qui ravitaillent les missions scientifiques, ils voyagent pendant quatre semaines entre différentes bases avant de toucher l'Antarctique. Plus modestement, mais avec tout autant de plaisir, on peut embarquer à bord de voiliers qui organisent des excursions sur diverses îles, et même aller jusqu'à doubler le prestigieux cap Horn.

Sur les sommets du littoral antarctique.

LA TERRE DE FEU

Séparée de l'extrémité sud de l'Amérique continentale par le détroit de Magellan, la Tierra del Fuego (« Terre de Feu ») est un archipel au-delà duquel s'étendent seulement les immensités glaciales de l'Antarctique. Ces îles auraient été baptisées à cause des feux allumés par leurs habitants indiens et que les navigateurs apercevaient quand ils passaient au large pour aller explorer le Pacifique. Des visions d'éléments déchaînés, de naufrages, de désespoir et de solitude se présentent immédiatement à l'esprit dès qu'on prononce le nom de cette terre du bout du monde.

Au temps de la marine à voile, explorateurs et savants n'étaient pas les seuls à pouvoir se vanter d'avoir doublé le cap Horn. Ce passage dangereux a longtemps été sillonné de navires marchands qui transportaient les nitrates du Chili, les épices des Indes orientales et le blé d'Australie. Il a été emprunté par les mineurs et les colons qui gagnaient en bateau la côte ouest des Amériques ou l'Australie. De fréquents naufrages s'y produisirent mais rares furent les rescapés qui décidèrent de s'installer dans la région.

En 1914, l'ouverture du canal de Panamá entraîna une diminution considérable de la navigation dans les parages du cap Horn. A cette époque, la Terre de Feu était peuplée de colons européens mais elle restait d'un accès difficile pour les touristes. Ce n'est que depuis les années 70 que l'archipel est devenu une destination appréciée des voyageurs de tous horizons.

Pages précédentes : force du vent en Terre de Feu ; la centolla *n'a rien à envier au crabe de l'Alaska. A gauche, l'île des États.*

Géographie et climat

Au début de l'ère secondaire, la plaque tectonique sud-américaine s'est séparée de la plaque africaine à laquelle elle était attachée. Elle a dérivé à l'ouest, où sa rencontre avec la plaque du Pacifique a provoqué le début du soulèvement andin. Celui-ci s'est poursuivi jusqu'à l'ère tertiaire, où les sommets les plus hauts du continent sud-américain et les Andes patagones et fuégiennes se sont formés. L'orogénèse (phase d'édification des reliefs de l'écorce terrestre) des ères secondaire et tertiaire s'est accompagnée de mouvements qui ont provoqué l'émergence des plateaux de Patagonie. Puis, les grandes glaciations du quaternaire se sont succédé et, à leur apogée, ces plateaux – qui constituent à présent la zone continentale de la Patagonie – se sont retrouvés totalement émergés. Enfin, il y a environ dix mille ans, à la fin de la dernière glaciation, les eaux se sont frayé un chemin à travers la pointe du continent, isolant la Terre de Feu de la Patagonie par le détroit de Magellan.

La Terre de Feu est un archipel qui comprend l'ensemble des terres disséminées entre le sud du détroit de Magellan et le nord du passage de Drake, dont l'Isla Grande de Tierra del Fuego (la Terre de Feu proprement dite) est la plus importante. Les côtes occidentale et méridionale de l'Isla – comme on l'appelle dans la région – sont environnées d'une multitude d'îles et d'îlots séparés par des passages étroits et d'innombrables canaux. Traversé par des courants violents et des vents impétueux, ce dédale est truffé de grottes, qui n'ont pas encore toutes été explorées.

Situé entre 52 ° 30' et 56 ° de latitude sud, l'archipel fuégien est dans la zone subantarctique ; il est baigné à l'ouest par le Pacifique Sud et à l'est par l'Atlantique Sud – qui se rencontrent au cap Horn. Son climat frais se caractérise par de violents vents de sud-ouest qui soufflent du Pacifique. De véritables tempêtes peuvent se lever à n'importe quelle époque de l'année, mais c'est entre la fin d'août et mars, c'est-à-dire au début du printemps et à la fin de l'été, qu'elles sont particulièrement redoutables.

Les Andes fuégiennes s'incurvent sur un axe nord-ouest - sud-est. Les îles et îlots de l'ouest et du sud de la Terre de Feu reçoivent donc d'abondantes précipitations, tandis que les plaines du Nord-Est sont beaucoup moins arrosées. Le long du canal de Beagle, les températures peuvent monter jusqu'à 30 ° en été, et descendre jusqu'à -14 ° en hiver. Dans les plaines, l'amplitude peut être encore plus grande. L'archipel est célèbre pour le perpétuel « printemps frais » dont il jouit.

Les premiers habitants

Dans ce climat subantarctique, la faune et la flore sont abondantes bien que le nombre des espèces, comparé à la grande variété qui existe dans les contrées plus chaudes, soit assez réduit. L'archipel ne compte, par exemple, que six espèces d'arbres, dont les trois plus répandues sont des variétés de hêtre *Nothofagus*, ou hêtre austral. Deux de ces espèces sont à feuilles caduques – le *ñire* et le *lenga* ; les quatre autres sont à feuilles persistantes – le *coihué*, le *Drimys winteri*, la *leña dura* et le cyprès. Cette dernière espèce ne pousse que dans la partie chilienne de l'archipel, le long des canaux.

Certains arbustes produisent de belles fleurs ainsi que des baies comestibles ; le plus célèbre est le *calafate*. Doté de fleurs jaunes et de jolies feuilles persistantes d'un vert intense, cet arbuste est un cousin de l'épine-vinette. Les fleurs dont se couvre l'*Embothrium coccineum* vers la fin du printemps sont d'un rouge éclatant. La plupart des fleurs sauvages sont de petite taille. Au total, il existe sur l'archipel environ 500 variétés de plantes à fleurs et de fougères, dont environ 150 ont été importées et acclimatées.

La faune terrestre indigène est peu nombreuse : guanacos, renards fuégiens (loups des Andes), chauve-souris, souris et *tuco-tucos* (petits rongeurs à la fourrure grise et aux incisives rouges). En revanche, les animaux importés abondent : castors, rats musqués, lapins et renards de Patagonie. Des quelque 200 espèces d'oiseaux que l'archipel abrite, certaines y vivent en permanence et d'autres sont migratrices. Enfin, il est étonnant d'y voir des oiseaux qui vivent normalement sous des climats plus cléments, tels les perroquets, les flamants roses et les colibris.

Très riche en algues, l'océan recèle notamment deux variétés de varech géant. Les poissons y abondent ainsi que les *centollas* (crabes géants australs ou crabes royaux), les moules, les coquilles Saint-Jacques, les oursins et autres invertébrés. Enfin, l'archipel est régulièrement visité par 27 espèces de cétacés, six espèces de phoques et d'otaries, deux espèces de loutres ainsi que par des ragondins.

A gauche, figure de proue dans le musée du Bout du Monde ; à droite, avant la tonte.

Les traces de présence humaine les plus anciennes (environ 8400 av. J.-C.) ont été découvertes à Bahía Inútil. Avant la formation du détroit de Magellan, des hommes, venus à pied de ce qui est le continent, s'établirent sur ce site. D'autres arrivèrent par l'océan sur des embarcations primitives, avant de migrer vers l'est par les canaux. Les traces humaines livrées par le site de Túnel, sur le canal de Beagle, remontent à environ 4000 av. J.-C.

Lorsque les Européens ont débarqué sur l'archipel, ils ont découvert quatre peuples indiens. Deux étaient chasseurs : les Onas (ou Shelknams), dans les plaines du Nord, et les Haush à l'est. Des pêcheurs, les Yamanas (ou Yaghans) vivaient au bord du canal de Beagle qui leur fournissait les poissons et les mollusques dont ils se nourrissaient. Le quatrième groupe était celui des Alakalufs (ou Guaycurus). Excellents marins, les Alakalufs menaient une existence nomade parmi les différentes îles de l'actuelle partie chilienne de l'archipel.

Les maladies apportées par les Européens contribuèrent largement à décimer ces peuples dont aucun descendant direct ne subsiste. Le groupe des Onas s'est ainsi éteint en 1960, année où disparut son dernier représentant. Les métis d'Indiens sont en revanche nombreux.

Exploration et colonisation

Depuis sa découverte par Magellan, en 1520, la Terre de Feu n'a cessé d'être une terre mythique. Et tous ceux qui suivirent les traces de l'illustre Portugais – pirates, explorateurs, collectionneurs, savants, chasseurs de phoques et de baleines, missionnaires, chercheurs d'or et marchands – ont contribué à lui conférer cette aura. Aujourd'hui, certains viennent en Terre de Feu pour y retrouver le souvenir des extraordinaires aventures de Drake ou de Cook qui les ont passionnés dans leur enfance ; d'autres veulent voir les mers parcourues par les prestigieux navires qui avaient pour nom *Unity*, *Hoorn*, *Golden Hind*, *Resolution*, *Endeavour*, *Beagle*, *Pamir* et *Cutty Sark*... D'autres encore ont été marqués par des travaux scientifiques, comme le *Journal de recherches sur l'histoire naturelle et la géologie* de Darwin, ou la *Narration d'un voyage de découverte accompli de 1826 à 1836* des capitaines Fitzroy et King, tous deux navigateurs britanniques et savants distingués. Mais le livre d'aventures écrit par E. Lucas Bridges – *Uttermost Part of the Earth* (« Aux confins de la terre ») – est certainement l'un de ceux qui ont le plus frappé les imaginations. Né en Terre de Feu, Bridges eut toute sa vie une âme de pionnier qui le mena aux quatre coins du monde. *Uttermost Part of the Earth* est dédié à son père, le révérend Thomas Bridges, qui fonda une mission anglicane à Ushuaia en 1870, explora des parties de l'Isla inconnues et, surtout, entretint des rapports étroits avec les Yamanas. D'ailleurs, si la langue yamana a survécu à l'extinction de l'ethnie, c'est grâce à l'extraordinaire travail accompli par Thomas Bridges, qui rédigea un dictionnaire anglais-yamana.

Après la tonte.

Il construisit la première maison européenne en Terre de Feu – l'*estancia* Haberton, le long du canal de Beagle –, à présent plus que centenaire. Après les missionnaires vinrent les représentants du gouvernement, les chercheurs d'or, les éleveurs de moutons, les petits commerçants, les ouvriers de l'industrie pétrolière et des usines de matériel électronique.

La traversée du détroit

Le Chili et l'Argentine se partagent l'archipel de la Terre de Feu. La partie argentine est rattachée au *Territorio Nacional de Tierra del Fuego, Antártida e Islas del Atlántico Sur* (« Territoire national de la Terre de Feu, de l'Antarctique et des îles de l'Atlantique Sud »), dont la capitale est Ushuaia. Le triangle que dessine grossièrement la partie argentine de l'Isla couvre 21 340 km², 970 km de côtes à l'est et au sud et 240 km de frontière avec le Chili à l'ouest. Les villes sont au nombre de trois : Ushuaia, construite en 1869 sur le canal de Beagle et officiellement fondée en 1884 ; Río Grande, construite en 1893 dans les plaines du Nord et officiellement fondée en 1921 ; et enfin Tolhuín, fondée en 1972 sur la rive orientale du lac Fagnano.

Le principal axe routier est la RN 3 qui relie le cap Espíritu Santo (à l'embouchure orientale du détroit de Magellan) à Ushuaia et s'achève à Bahía Lapataia (près de la frontière chilienne), point le plus austral de la Panaméricaine. Si l'on arrive par la route, on traverse en transbordeur le **détroit de Magellan** entre **Punta Delgada** et **Punta Espora** (vingt à trente minutes) ou entre **Punta Arenas** et **Porvenir** (trois heures). Aucune compagnie d'autocars n'assure de liaison régulière entre le continent et l'Isla.

Aerolíneas Argentinas et Austral proposent plusieurs vols quotidiens au départ de Buenos Aires et à destination de Río Grande et d'Ushuaia. Entre la capitale et Ushuaia, le trajet dure quatre heures.

Certains paquebots font de brèves escales à Ushuaia au cours de longues croisières entre Rio de Janeiro ou Buenos

Élevage de moutons près de Río Grande.

Aires et la côte occidentale de l'Amérique du Sud. Comme Punta Arenas au Chili, Ushuaia est le point de départ de croisières vers l'Antarctique.

L'infrastructure hôtelière de l'Isla ne s'étant pas développée aussi rapidement que le tourisme, il faut donc réserver longtemps à l'avance. Ce conseil vaut également pour les lignes aériennes. Plusieurs localités disposent de terrains de camping, mais la plupart sont dénués d'installations sanitaires. Attention, les prix sont plus élevés en Terre de Feu que sur le continent, la production locale étant quasi inexistante. Mais on peut se procurer certains produits détaxés – cigarettes, alcools et parfums – à Ushuaia, zone franche depuis les années 70.

Or, pétrole et moutons

Du Chili, on débarque en Terre de Feu à Porvenir, fondée par des colons yougoslaves : un panneau indique que Belgrade est à... 18 662 km. On parcourt ensuite 160 km avant de parvenir au poste frontière de **San Sebastián**, dans la partie argentine de la Terre de Feu. D'immenses marécages s'étendent dans la partie ouest de la baie de San Sebastián, que des marées d'une dizaine de mètres recouvrent régulièrement. L'élevage ovin et l'exploitation pétrolière constituent les deux principales activités économiques de la région. Les oléoducs des puits de pétrole sillonnent les prairies et les collines de l'intérieur sans perturber le moins du monde les bovins, les moutons, les guanacos et les oies sauvages qui y vivent.

Si l'on désire tout spécialement voir des guanacos, il faut longer la baie au nord de San Sebastián. On en rencontre des troupeaux dans les marais salants bien avant d'atteindre la **presqu'île de Páramo** (à environ trois quarts d'heure de route). De 1887 à 1898, cette avancée rocailleuse et désertique a été le théâtre d'une véritable ruée vers l'or. Un certain Julius Popper y aménagea des installations minières et régna en dictateur sur les plaines du Nord.

La Terre de Feu et les Malouines

Sur les falaises qui flanquent le **cap Espíritu Santo** ou sur les pistes des environs de San Sebastián, du bois silicifié et de nombreux fossiles marins témoignent du passé géologique de la région. Les collines de grès, plus au sud sont, elles aussi, jonchées de coquillages et de crabes fossilisés.

Les plaines brunes et jaunes qui forment les meilleures terres d'élevage de l'île n'hébergent pas que des moutons. Avec un peu d'attention, on se rend compte qu'elles abritent une multitude d'oiseaux et quantité de fleurs sauvages animées par ce compagnon de tous les instants qu'est le vent.

L'**Estancia Sara**, à une dizaine de kilomètres au sud de San Sébastián, est la plus grande exploitation d'élevage ovin de l'île. Entre l'époque de la ruée vers l'or et les premiers forages pétroliers, l'élevage ovin était la principale activité économique du nord de l'île, où les propriétaires fonciers étaient extrêmement prospères. Des milliers de moutons, pour la plupart des corriedales, paissaient dans les plaines. Les *cabañas* («bergeries» et, par extension, «pâturages à moutons») des grands élevages étaient – et sont toujours – réputées dans le monde entier pour la qualité de leur cheptel, fréquemment distingué par des prix. Autrefois, les propriétés de la taille de l'Estancia Sara employaient jusqu'à 75 personnes, mais la chute du prix de la laine et la hausse des salaires ont réduit les effectifs à une vingtaine de salariés.

Après avoir traversé l'Estancia Sara, la RN 3 longe les plages de l'Atlantique en direction du sud-est. Au loin, le **cap Domingo** est très apprécié des amateurs de fossiles. A une dizaine de kilomètres avant Río Grande, on parviendra à la hauteur de l'**École agrotechnique salésienne,** qui occupe l'emplacement d'une mission fondée en 1897 par des moines appartenant à l'ordre de saint François de Sales dans le but de christianiser les Onas. Édifiée à cette époque, l'église abrite aujourd'hui un petit **musée** où l'on admirera des objets d'artisanat et des oiseaux empaillés.

Les ravages d'un barrage de castors.

Autour de Río Grande

La ville de **Río Grande**, qui compte environ 39 000 habitants, accueille des entreprises qui fabriquent des téléviseurs, des postes de radio et divers produits synthétiques dont les composants sont importés du continent. Dans les années 70, le gouvernement accorda de nombreux avantages aux entreprises locales afin de développer et de peupler ces lointains confins de la république. A l'instar d'Ushuaia, Río Grande connut alors un formidable développement dû à l'implantation d'entreprises, l'explosion démographique et l'essor de l'industrie du bâtiment. Mais, depuis, la récession économique a sévi et, après le départ de nombreuses personnes vers des cieux plus cléments, la population de Río Grande s'est stabilisée. La ville s'étale sur la rive septentrionale du Río Grande, dans le lit duquel la vase s'est accumulée, rendant pratiquement impossible toute espèce de navigation. Ses larges rues, qui débouchent sur l'Atlantique, sont en permanence balayées par le vent. Ce centre industriel et pétrolier qui n'offre guère d'attraits.

Cependant, pour les pêcheurs, la région de Río Grande présente un grand intérêt: c'est le haut lieu de la pêche de la truite en Terre de Feu. Dans les années 30, diverses variétés de truites y furent introduites, ainsi que le saumon de l'Atlantique. Le club de pêche John Goodall et certaines *estancias* organisent régulièrement des parties de pêche. Ce sport se pratique dans les affluents du Río Grande qui, la plupart du temps, irriguent les terres d'*estancias*; il faut donc avoir l'autorisation d'y pêcher.

A l'ouest de la ville, près de l'aéroport, une piste (la route C) part en direction de l'**Estancia María Behety** qui est un pittoresque village. Son hangar à tonte, qui peut accueillir une quarantaine d'ouvriers à la fois, serait le plus grand du monde. La piste longe deux autres *estancias* et s'achève aux abords de la frontière chilienne. Certaines sections du chemin, d'un brun rouge, regorgent de fossiles.

La RN 3 relie Río Grande à Ushuaia sur 220 km. A la sortie de la ville, on traverse le fleuve sur un premier pont, non loin duquel se dresse le **Freezer**, une grande usine moderne de congélation de viande. Avant la chute de la production, cette usine exportait de la viande d'agneau en Europe, où elle était fort appréciée. La route décrit ensuite une courbe vers le sud-ouest et traverse un autre pont avant de mettre le cap sur Ushuaia.

De ce pont, on aperçoit l'**Estancia José Menéndez**, dans le lointain, sur la rive sud du Río Grande. Entourée de douces collines herbeuses, cette ravissante demeure a été la première construite en Terre de Feu septentrionale. Elle s'appelait alors *La Primera Argentina* (« la première Argentine »). L'exploitation d'origine, qui était immense, comme toutes celles de l'époque de la colonisation, a été divisée en cinq *estancias* de taille plus modeste.

En Patagonie et en Terre de Feu, il existait jadis une tradition selon laquelle quiconque arrivait dans une *estancia* à l'heure d'un repas était convié à le partager. Mais la construction de routes carrossables et le déferlement de centaines de voitures et de milliers de touristes – en certains endroits, il est même nécessaire de patrouiller afin de protéger les troupeaux – ont mis fin à cette tradition.

On retrouve cependant cet ancien sens de l'hospitalité à l'Estancia José Menéndez qui fait table et chambres d'hôtes pour 8 à 10 personnes. On peut y découvrir les environs au cours de randonnées équestres et participer à la vie de l'exploitation.

Forêt et montagne

Non loin de l'Estancia José Menéndez, les routes B, D, E et F, toutes très pittoresques, s'échappent vers les montagnes de l'ouest et du sud-ouest. Elles traversent des paysages très variés – collines abruptes, plaines, forêts et *vegas* (prairies humides) – ainsi qu'un certain nombre d'*estancias*.

La **route B** (non asphaltée) s'enfonce vers l'ouest en suivant plus ou moins le cours du Río Grande et longe successivement les *estancias* Cauchicol, Despedida, Aurelia, San José et San Justo, près de la frontière chilienne. Chemin faisant, on voit de nombreux troupeaux de moutons et de bovins qui paissent dans les *vegas* et des rivières où les truites abondent.

Le **gîte de Kau-tapen** (« maison de pêche », en ona) accueille les pêcheurs de truites sur les terres de l'Estancia Despedida. Construit près du Río Grande, il peut héberger huit personnes. La meilleure saison pour pratiquer la pêche va de janvier à début avril.

La **route D** (qui se sépare de la route B) et la **route E** (parallèle à la D) se dirigent toutes deux vers le sud-ouest et offrent de très beaux paysages. La **route F** serpente vers le sud, pratiquement jusqu'au cœur de la Terre de Feu, et traverse des moraines glaciaires, véritables montagnes russes, avant de parvenir au **lac Yehuin**.

Tout comme le Río Claro, qui coule un peu plus à l'ouest, ce lac est très poissonneux. Sa rive est équipée d'une rampe de mise à l'eau pour les bateaux. A l'est du lac Yéhuin, la **route H** rejoint la RN 3 à la hauteur de l'Estancia Indiana à travers un paysage de collines, où l'on trouve de nombreuses scieries. Entre Río Grande et Ushuaia, la **RN 3** n'est qu'en partie asphaltée. De chaque côté se succèdent des paysages à la végétation très diversifiée. On passe du littoral à un paysage de plaines et de *vegas* herbeuses parsemées de collines ; peu à peu, les buissons bas cèdent la place aux *ñires* puis, à mesure qu'on s'enfonce dans les terres, aux *lengas* qui poussent jusqu'à la lisière de la forêt. On redescend ensuite sur le versant sud de la montagne pour pénétrer dans un bois touffu de *coihués* (ou *guindos*) avant d'atteindre des vallées marécageuses où croissent les sphaignes.

Peu après avoir quitté le littoral, on rencontre, sur la gauche, la **route A**, qui traverse de hautes collines et des vallées herbeuses pour s'achever au **cap San Pablo**. Il est possible de poursuivre au-delà de San Pablo si l'on dispose d'un véhicule tout terrain. La pointe orientale de la Terre de Feu est en effet une région sauvage de montagnes, de forêts et de marécages, à laquelle on peut accéder seulement à pied, à cheval ou en hélicoptère.

La RN 3 serpente ensuite vers le sud et, après avoir suivi la vallée du Río Ewan,

Vallée glaciaire de l'Isla.

elle s'élève doucement vers une ligne de partage des eaux. Certaines eaux coulent à l'est, vers l'Atlantique, tandis que celles du lac Fagnano vont rejoindre le Río Azopardo, qui débouche à l'ouest – du côté chilien – dans le détroit de l'Amirauté (Seno Almirantazgo).

La ville nouvelle de **Tolhuín**, au cœur de l'île, juste au nord du **lac Fagnano**, a une centaine de kilomètres de long. Elle a été baptisée Tolhuín parce que les Onas avaient appelé ainsi une colline en forme de cœur qui se dresse aux environs.

On peut faire le plein d'essence et se restaurer à l'**hôtel Kaikén**, d'où l'on jouit d'une vue magnifique sur le lac et les lointaines montagnes chiliennes. La couleur du lac varie radicalement en fonction du temps et, à tout moment, le vent peut se lever en quelques secondes et y déchaîner d'énormes vagues.

Au sud-est de l'hôtel se dresse une montagne solitaire, le **Heuhupen,** où l'on prétend qu'une sorcière a installé son antre. Pour en savoir davantage sur ce mystère, on se reportera au livre d'E. Lucas Bridges. L'auteur a donné son nom à un sentier qui traverse ce massif, reliant l'Estancia Haberton (au bord du canal de Beagle) à Viamonte (sur le littoral atlantique). Il a été remis en état et balisé à l'intention des touristes. De nombreuses pistes forestières sillonnent également la région depuis qu'une usine de contreplaqué a été construite au nord de Tolhuín.

Lors du tremblement de terre de 1949, de nombreuses petites baies se sont formées sur la rive méridionale du lac Fagnano. De l'une d'elles, nommée à tort « lac » **Kosobo**, on peut prendre un bateau pour gagner le relais de pêche de Los Renos (« des rennes »), sur la rive ouest du lac Fagnano, tout près de la frontière chilienne. Ces excursions sont organisées par l'agence Yaganes Turismo de Río Grande.

Après avoir dépassé le lac Fagnano, on déniche sur la droite le lac Escondido, dont la taille est beaucoup plus modeste. Si l'on aspire à un peu de repos, une halte dans le petit **hôtel Petrel**, sur la rive méridionale, sera sans doute la bienvenue.

Casiers et bateaux utilisés pour la pêche des crabes au bord du canal de Beagle.

Le paysage des alentours fera le bonheur des amateurs de randonnée et d'escalade.

La RN 3 s'élance ensuite à l'assaut des Andes. Avant de grimper en lacets vers le **col Garibaldi**, elle longe plusieurs scieries. Ces usines étaient autrefois fort prospères, comme toutes celles de la région – les forêts sont rares en Argentine – mais le pin chilien, meilleur marché que le bois local et également employé comme bois de charpente, s'est révélé un redoutable concurrent. Au sommet du col, ne pas manquer de faire une halte au belvédère d'où l'on peut embrasser du regard le lac Fagnano et le lac Escondido ; on rejoint ensuite l'autre versant des Andes.

Le canal de Beagle

Au sud du col, descendre la RN 3 vers le **Rancho Hambre**, puis suivre ses ondulations en direction de l'ouest, jusqu'au Valle de la Tierra Mayor (la « vallée de la grande terre »). On pénètre ensuite dans la vallée du Río Olivia avant de se diriger vers le sud, où s'étendent Ushuaia et le canal de Beagle.

Au pied de la montagne, on peut éventuellement bifurquer à gauche pour suivre la **route J**, qui longe les méandres du Lasifashaj à travers la Tierra Mayor. La route s'achève à **Bahía Brown**, sur le canal de Beagle, où se niche la petite préfecture d'**Almanza**. Jadis, les Yamanas dressaient leurs huttes rondes et basses sur la plage. Les coquilles des moules dont ils s'alimentaient forment toujours des cercles à l'emplacement de cet habitat disparu. De l'autre côté du canal s'est installée la base navale chilienne de **Puerto Williams**.

Pour se rendre à la ferme du révérend Thomas Bridges, prendre à gauche (quelques kilomètres avant d'arriver à Almanza) une route qui traverse les collines surplombant le canal. Habitée par le petit-fils du pasteur, l'**Estancia Haberton** accueille les touristes et organise des visites guidées en anglais et en espagnol. Du haut de la colline qui domine ses bâtiments, on a une belle vue sur le canal, la baie et les îles que se disputent le Chili et l'Argentine. Un sentier permet de parcourir un petit bois qui est la réserve naturelle la plus ancienne de Terre de Feu. On y découvre d'autres débris alimentaires des Yamanas, une hutte indienne reconstituée à l'identique et toute la flore locale. Après le hangar à tonte, l'atelier du charpentier, le plus vieux des bateaux fuégiens et le jardin qui s'étend devant l'*estancia*, on peut prendre le thé dans la maison principale – la doyenne des constructions non indiennes de l'île – qui domine la baie de Haberton.

La route s'éloigne ensuite de l'Estancia Haberton et longe le canal en direction de l'est sur une trentaine de kilomètres. Sur cette Ruta del Atlántico (« route de l'Atlantique »), le trajet est superbe. Après de multiples virages, on atteint enfin l'**Estancia Moat**. De nombreux oiseaux peuplent cette région : canards-vapeur ou brassemers, cormorans, huîtriers-pics, aigles et condors, sans oublier la petite colonie de manchots de Magellan sur l'**île Yecapasela**, dans la baie de Haberton.

De retour sur la RN 3, on arrive à la station de **Valle Tierra Mayor**. Deux hôtels y accueillent les amateurs de ski de fond, de promenades en motoneige et de sports d'hiver. Des *asados* fuégiens (barbecues d'agneau, de bœuf ou de poulet) sont servis toute l'année au restaurant **Las Cotorras**, aménagé dans un chalet en bois local. On peut également déguster une bonne fondue à l'hôtel **Tierra Mayor**, un peu plus à l'ouest. C'est dans cet établissement que sont logés les participants aux compétitions de ski de fond organisées sur les marécages gelés et recouverts de neige. Il offre une vue imprenable sur la vallée flanquée des hauteurs des chaînes du Sorondo et de l'Alvear.

A l'ouest, entre de hautes montagnes dont les perspectives sur le Chili sont époustouflantes, s'ouvre la **vallée de Carbajal**. Au nord s'échappe un sentier qui est depuis longtemps laissé à l'abandon : le **Paso Bebán**. La RN 3 longe ensuite le Río Olivia qui coule au pied du versant occidental de l'Olivia, superbe massif dont les vallées marécageuses produisent de la tourbe. Si l'on aime la solitude, on sera tenté par un séjour dans un des petits cabanons à l'embouchure du Río Olivia. Un sentier longe le canal à l'est et se poursuit, au-delà de l'*estancia*, jusqu'à Haberton, permettant de gagner à pied l'**Estancia Túnel**.

La RN 3 file vers l'ouest et parvient finalement sur les hauteurs d'Ushuaia. Mais il est préférable d'arriver par le littoral, que longe une piste côtière fort pittoresque. C'est ainsi qu'on aura la vue la plus belle sur la ville enchâssée dans son écrin de montagnes.

Ushuaia

Ushuaia, qui compte environ 30 000 habitants, se niche dans une cuvette montagneuse ouverte sur la **baie d'Ushuaia**, le **canal de Beagle** et les **îles Navarín** et **Hoste** (ces dernières sont des territoires chiliens). A l'est se dressent la cime majestueuse de l'Olivia et le massif de Los Cinco Hermanos (« des cinq frères »). La ville abrite une importante base navale, des bâtiments administratifs, des entrepôts, des scieries, des conserveries de crabes et plusieurs usines d'assemblage de postes de télévision et de radio.

Sur la presqu'île qui s'étire non loin de l'aéroport, un monument triangulaire célèbre le souvenir de la **mission anglicane** dont l'installation en Terre de Feu commença en 1869 pour s'achever en 1907. Toutefois, la fondation officielle d'Ushuaia ne remonte qu'à 1884, date à laquelle le gouvernement y installa une préfecture.

On visitera le célèbre **bagne** qui a fonctionné de 1906 à 1940. Ses bâtiments en forme de pieuvre sont compris dans l'enceinte de la base navale et ouverts au public trois après-midi par semaine. En parcourant la ville, on repère çà et là les maisons aux corniches travaillées construites par les prisonniers.

Du point de vue architectural, Ushuaia est tout ce qu'il y a de plus hétérogène. Les maisons de bois du début du siècle ont un petit air scandinave : toits dont la tôle ondulée est censée réduire les risques d'incendie, murs peints de couleurs vives et ornements contournés. Ces pionnières se marient avec plus ou moins de bonheur aux constructions modernes en béton, aux préfabriqués importés de Suède et aux

Petit matin sur Ushuaia.

centaines de petites bicoques en bois qui ont surgi au cours des vingt dernières années. Comme celle de Río Grande, la population de la ville a considérablement augmenté dans les années 70, au moment où de nombreux avantages fiscaux étaient accordés aux entreprises locales. Il y eut alors pénurie de logements et multiplication des constructions ; des bidonvilles sortirent de terre sur les hauteurs. Compte tenu du climat, la vie des habitants de ces *villas miserias* était particulièrement difficile, d'autant plus que la récession économique n'a pas épargné la ville.

Ushuaia étant beaucoup plus touristique que Río Grande, l'infrastructure hôtelière s'y développe considérablement. On a le choix entre un grand nombre d'hôtels dont les meilleurs sont l'**Albatros**, le **Cabo de Hornos** et le **Malvinas**.

Les agences de tourisme (Padín, Rumbo Sur, Tiempo Libre, Tolkeyén, Everest et Onas) proposent des excursions, les services de guides et de spécialistes de la faune et de la flore. On se procurera dépliants et informations à l'Office du tourisme (Avenida San Martín, 638).

Les restaurants de la ville (entre autres, **Tante Elvira**, **Canal Beagle**, **Mostacchio**, **Los Gringos** et **Los Canelos**) proposent des fruits de mer, le *robalo* (« bar ») et les *centollas* qui abondent dans le canal de Beagle. Les *centollas* n'ont plus la taille qu'elles avaient auparavant, car elles ont été pêchées de façon beaucoup trop intensive. Si l'on préfère l'*asado* aux poissons et aux fruits de mer, le **Tolkeyen** ou **Las Cotorras** sont tous deux un peu en dehors de la ville.

Le **Museo del Fin del Mundo** (« musée du Bout du Monde ») édifié à l'angle des Calles Maipú et Rivadavia expose divers objets des premiers temps de la colonisation (notamment, des figures de proue), des reliques indiennes ainsi que des spécimens de la faune et de la flore régionales.

Le centre de recherches le plus austral du monde, le **CADIC** (*Centro Austral de Investigaciones Científicas*), occupe plusieurs bâtiments modernes construits dans la partie sud-est de la baie intérieure. S'il n'accueille pas le grand public, il ouvre

La grande route Panaméricaine ne va pas plus loin.

toutefois ses portes aux scientifiques de passage. Les chercheurs qui y travaillent étudient la végétation, la vie sous-marine, la géologie, l'hydrologie, la sociologie, l'anthropologie et l'archéologie de la Terre de Feu. Quant à la ville de Río Grande, elle abrite un petit centre d'études de la haute atmosphère associé à un centre d'astronomie.

Une croisière entre les glaces

En empruntant la route qui grimpe en lacets derrière la ville, on parvient après 7 km aux pentes du **Martial**. Un télésiège permet d'accéder à la vallée nichée au pied du petit glacier suspendu qui porte le même nom que le mont. En hiver, on s'y adonne aux joies du ski et, en été, à celles de la randonnée. Dans la cuvette glaciaire où s'achève le voyage en télésiège, on aura peut-être la chance de découvrir quelques fleurs andines, comme la *Nassauvia*, au parfum chocolaté, ou même une espèce très rare nommée thinocose de montagne. D'Ushuaia, on peut également prendre un autocar jusqu'au départ du télésiège et déjeuner ou prendre un thé dans le petit restaurant qui se cache parmi les hêtres à feuillage persistant.

La longue piste de ski de fond croise la route. Elle mène au faîte d'une pente boisée que balafre une piste de ski alpin très raide, sur laquelle la plupart des enfants d'Ushuaia apprennent à skier.

En été, des croisières en catamaran sont organisées chaque jour sur le canal de Beagle et mènent à l'Estancia Haberton. Les plus courtes durent une demi-journée et les plus longues une journée. Au cours de ces excursions, on longe de petits îlots où s'abritent des otaries et d'innombrables oiseaux, dont des cormorans.

Si l'on souhaite descendre encore plus au sud, l'Office du tourisme donne la liste des bateaux qui organisent différentes croisières à la demande. Il est ainsi possible de naviguer dans les canaux de l'archipel ou de se rendre sur l'**Isla de los Estados** (« île des États »), seule terre de la région qui ne soit pas source de litiges ou, mieux encore, doubler le mythique **cap Horn** ou carrément mettre le cap sur l'**Antarctique**.

Enfin, ne pas quitter la Terre de Feu sans visiter son **parc national**, qui s'étend le long de la frontière chilienne (à une quinzaine de kilomètres d'Ushuaia par la RN 3). Couvrant 63 000 ha de lacs, de torrents et de marécages entre les Andes et le canal de Beagle, ce site naturel est absolument splendide. Deux terrains de camping au confort assez rudimentaire y sont aménagés. En le parcourant, on rencontrera très probablement certains des nombreux animaux qu'il abrite : guanacos, renards, castors, mais aussi condors, perroquets australs, oies des hauts plateaux, canards-vapeur, ibis à cou de buffle et peut-être même canards des torrents (*cf.* p. 261).

Après la superbe **baie de Lapataia**, on découvre le panneau qui indique que la RN 3 – dernier segment de la Panaméricaine – s'achève là et que Buenos Aires se trouve à 3 242 km. On a alors la certitude d'être bel et bien au bout du monde.

*A gauche, fleur d'*Embothrium coccineum *; à droite, frondaisons automnales.*

L'ARGENTINE SAUVAGE : LA FAUNE ET LA FLORE

Dans cet immense pays, l'éventail des latitudes et des longitudes est tel qu'on est assuré d'y trouver une grande diversité de climats, de milieux, de plantes, d'oiseaux et de mammifères, sans parler de tous les organismes inférieurs vivants. Et l'impressionnante dénivellation entre les Andes et le niveau de la mer ne fait qu'accroître cette extraordinaire variété. De plus, l'évolution toute particulière du continent sud-américain, fort différente de celle qu'a connue le reste du globe terrestre, a donné naissance à des espèces inconnues hors de cette immense région zoogéographique qu'on appelle les néotropiques (zone tropicale du Nouveau Monde).

Par ailleurs, la population essentiellement urbaine et relativement réduite du pays n'avait jusque-là guère eu d'impact sur l'environnement naturel qui s'était donc maintenu, pour l'essentiel, tel qu'il était à l'origine. Cependant, cet équilibre se modifie peu à peu avec la modernisation du pays ; l'élément humain, qui a pénétré dans certaines régions jusqu'alors vierges de toute espèce d'exploitation, a mis en danger la faune et la flore de ces milieux.

Compétition et survie

L'Argentine s'étend de la zone tropicale aux régions subantarctiques, et son altitude varie de 6 959 m (Aconcagua) à environ 40 m au-dessous du niveau de la mer (Grandes Salines de la péninsule de Valdés). Certaines régions sont très sèches, d'autres très humides mais en hiver, les températures les plus basses des climats continentaux classiques ne sont jamais atteintes en raison de l'effet modérateur de l'océan.

Le pays est peuplé de quantité d'animaux de toutes sortes, dont la plupart n'appartiennent pas à des espèces migratrices. Venus d'Amérique du Nord, les cerfs, les renards, les félins ainsi que certaines espèces de loutres et de belettes ont été parmi les premiers animaux à s'établir dans cet éden des néotropiques qu'était le continent sud-américain. Ils ont été confrontés à la faune indigène, jusqu'alors isolée et en équilibre, qu'ils ont concurrencée. Présent dans la région depuis environ 11 000 ans, l'homme, prédateur suprême, a eu un impact certain sur la faune.

Si les gros mammifères préhistoriques ont été nombreux à disparaître, leurs descendants abondent. Ce sont souvent de petits animaux nocturnes et farouches. Les paresseux géants qui vivaient au sol (mammifère édenté, à mouvements très lents) ont été remplacés par de nonchalants paresseux qui grimpent aux arbres. Les petites variétés de tatous (petit mammifère édenté au corps recouvert d'une carapace) et de tamanoirs (mammifère dont la

bouche sans dents est munie d'une langue effilée qui lui sert à capturer les fourmis) sont les seuls survivants des énormes mammifères cuirassés qui hantaient les lieux. Les ancêtres des timides petits marsupiaux (mammifère à poche ventrale, dont le kangourou est l'exemple le plus connu) étaient des animaux impressionnants, des prédateurs aussi redoutables que le smilodon. Si un grand nombre d'espèces se sont éteintes, le très large éventail qui a subsisté reste absolument unique au monde. De nombreuses espèces animales sont aujourd'hui protégées en Argentine, comme le tapir (herbivore dont le nez se prolonge en une courte trompe préhensible), le jaguar (carnivore qui n'existe qu'en

Pages précédentes : éléphant de mer femelle ; éléphants de mer et baleine australe. À gauche, éléphant de mer mâle ; à droite, nandou.

Amérique du Sud) ou le nandou (grand oiseau coureur voisin de l'autruche).

Plaines, lacs et bois de « tala »

La ville de Buenos Aires, à l'ouest de laquelle s'étend la pampa, s'impose tout naturellement comme point de départ. La plupart des vastes plaines fertiles ont été clôturées, beaucoup ont été labourées et toutes accueillent des troupeaux mais, dans l'ensemble, l'habitat n'a guère été modifié. Certes, plus d'un siècle d'exploitation agricole a entraîné des changements qui ont perturbé quelques gros mammifères, mais les oiseaux sont toujours là et les marais, les bois, les rivages et les estuaires des basses terres côtières ont très peu changé.

A environ 95 km au sud de Buenos Aires (par la RN 3), la petite ville de San Miguel del Monte est léchée par les eaux des lacs du Monte et de las Perdices (« des perdrix »). En s'éloignant un peu des sentiers battus, on découvre de très nombreuses variétés d'oiseaux sur leurs berges.

Au départ de Buenos Aires, une autre excursion d'une journée dans la pampa peut avoir pour but les bois de *tala* qui couvrent le littoral méridional de Magdalena, à 65 km environ au sud de La Plata. Ces arbres sont en quelque sorte une anomalie dans la pampa, où ils créent un habitat très particulier. A Punta Indio et Magdalena, les propriétaires des *estancias* El Destino et San Isidro accueillent les visiteurs, à condition que ceux-ci soient respectueux de l'environnement.

Les raids nocturnes

En empruntant la RN 9 puis la RN 14, deux jours sont nécessaires pour aller de Buenos Aires au parc national d'El Palmar, dans la province d'Entre Ríos. Cette palmeraie de 8 500 ha abrite de nombreux mammifères et plus d'une centaine d'espèces d'oiseaux, dont des échassiers. Les plaines sont truffées de terriers de viscaches (petit rongeur à la fourrure estimée) extrêmement familières ; les campeurs devront se montrer vigilants, car toute nourriture laissée à l'extérieur des tentes pendant la nuit est systématiquement dérobée par ces rongeurs. De plus, on ne peut échapper à leurs concerts nocturnes, aux sonorités parfois assez déconcertantes, et au répertoire très étendu.

En parcourant les sentiers balisés du parc, on peut rencontrer des renards gris de la pampa, des renards mangeurs de crabes et des cabiais qui sont les plus gros rongeurs herbivores aquatiques du monde et dont la taille et l'aspect leur ont valu le surnom de « cochons d'eau ». On peut également apercevoir des lièvres européens, des sangliers

– introduits dans le pays au siècle dernier – ou encore croiser un nandou.

La pampa primitive

C'est probablement dans les environs de General Lavalle et au sud de Madariaga, où la terre n'est pas labourée, que la pampa a été le mieux préservée. De nombreux animaux évoluent aux abords de la RN 2, tout au long des quelque 200 km qui séparent Buenos Aires de Dolores, dans la région de Mar y Sierras. De part et d'autre de la RP 11, on peut, par endroits, embrasser du regard de vastes plaines dénudées et se faire ainsi une idée de ce à quoi la pampa ressemblait avant que les Européens ne débarquent avec leurs clôtures, leurs éoliennes et leurs haies d'arbres.

La Fundación Vida Silvestre Argentina (organisme de protection de la faune argentine) a aménagé une réserve entre Lavalle et San Clemente del Tuyú, où évoluent en liberté les derniers cerfs de la pampa (*Cervus campestris*), qui foisonnaient autrefois. La fondation gère également une réserve et un observatoire ornithologique à Punta Rosa. De nombreux oiseaux migrateurs du littoral nord américain y passent leurs « hivers » en compagnie des espèces indigènes.

La région présente une grande concentration d'habitats différents : dunes, plages de sable, marigots, lagunes, marais saumâtres, cours d'eau envahis par les herbes et les joncs, sans oublier les arbres qui ont été plantés et qui servent de refuge. La faune y est donc abondante et variée.

On gagne facilement ce petit paradis animal à partir de San Clemente del Tuyú. Mais attention, il est situé en zone militaire, la marine nationale veillant sur le phare local. Le seul mot *aves* (« oiseaux »), agrémenté de quelques sourires et d'un peu de diplomatie est, la plupart du temps, un sésame tout à fait suffisant.

A gauche, puma flairant une trace ; ci-dessus, un chat sauvage monte la garde.

Excursions dans les marais

Deux excursions s'imposent dans la région. Suivre le canal 2 sur environ 30 km au sud-ouest de San Clemente, d'où l'on jouit d'une extraordinaire vue d'ensemble sur les marais. Emprunter également le chemin vicinal de l'Estancia El Palenque qui dessert les bâtiments agricoles situés plus bas. De cette piste envahie d'herbes, qui saute d'île en île, on a aussi une vue panoramique sur les marais. Mais les pistes sont praticables uniquement s'il n'a pas plu les jours précédents. Au sud, jusqu'à Madariaga, la plupart des pistes de la région permettent, si l'on est muni d'une bonne carte routière de l'ACA, une exploration des marais sur deux ou trois jours. On partira à la découverte de la pampa du littoral au printemps de préférence, c'est-à-dire entre septembre et décembre.

On peut boucler le circuit en retournant à Buenos Aires par la RP 11 qui suit la côte et traverse Punta Indio et Magdalena.

Randonnées dans les collines

Seules quelques rares éminences émergent de l'océan herbeux de la pampa. Entre Tandil et Tornquist, une chaîne de collines calcaires et granitiques s'élève doucement en direction du sud-ouest. Ses deux plus hauts massifs, les Tres Picos et la Sierra de la Ventana, culminent à environ 1 200 m. Si l'on aime la randonnée, on pourra parcourir le parc naturel provincial de Tornquist (3 500 ha), qui couvre une partie de ces collines sauvages. Il abrite de nombreux animaux, dont les guanacos (lama à l'état sauvage).

Forêt et embruns

C'est dans le parc national d'Iguazú que l'on peut découvrir la jungle subtropicale et la forêt tropicale humide. Les chutes qui ont fait la renommée du site n'ont pas d'équivalent ; le parc d'Iguazú a été créé pour assurer leur protection ainsi que celle des 54 000 ha de forêts qui les entourent.

Comme toutes les contrées boisées du monde, la région est grignotée par la déforestation. Les arbres sont abattus au profit de cultures d'un rapport plus immédiat, telles les cultures à cycle annuel, ou bien par des pâturages. Par endroits, la forêt vierge a cédé la place à des pins, destinés à répondre aux besoins de l'industrie de la pâte à papier qui se développe dans le pays.

Les cataractes de l'Iguazú offrent un spectacle unique au monde. Dans un bruit assourdissant, sur près de 3 km, 275 chutes déversent des millions de m^3 d'eau, d'une hauteur qui peut atteindre 80 m. Cette eau bouillonnante retrouve plus bas le lit rétréci de l'Iguazú, où elle se transforme en rapides. Ces derniers doivent encore parcourir quelques kilomètres pour aller grossir un fleuve dix fois plus vaste, le Paraná.

Après avoir marché environ 1 km sur des pontons de bois à partir de Puerto Canoas, on parvient au bord du gouffre le plus impressionnant, celui de la Gorge du Diable. C'est l'après-midi que la lumière est la plus belle sur les chutes, mais le crépuscule est également un moment privilégié. C'est en effet l'heure où les petits vencejos reviennent se percher par milliers sur les parois de basalte masquées par les cascades.

Les toucans

Le toucan est sans doute le plus connu des oiseaux qu'abrite la forêt vierge sud-américaine. Le toucan toco qui orne les brochures publicitaires est le plus grand et le moins sauvage de l'espèce. On le reconnaît à son croassement rauque et à son bec orange. Du haut des chutes comme de la pelouse qui s'étend devant le centre d'accueil, on le voit battre rapidement des ailes pour prendre son envol et planer ensuite d'arbre en arbre.

Dans le parc, de nombreux chemins et sentiers incitent à partir à la découverte des merveilles que recèle la forêt. On y a recensé plus de 2 000 espèces de plantes, autant d'espèces de papillons, une centaine d'espèces de mammifères – dont le plus gros est le jaguar –, 400 espèces d'oiseaux – dont les plus petits sont les minuscules colibris, ou oiseaux-mouches –, sans oublier d'innombrables insectes, araignées, reptiles, grenouilles et poissons.

Ces animaux ne sont guère visibles aux moments les plus chauds de la journée. Ils sortent plus volontiers, pendant deux ou trois heures, peu avant le lever du soleil. On aura également des chances de les rencontrer le soir, juste avant le crépuscule.

A gauche, flamants roses sur le littoral patagon ; ci-dessus, groupe de vigognes aux aguets.

La patience du randonneur

On peut également faire le guet dans l'observatoire camouflé qui est érigé sur l'un des marais. Les plus patients seront récompensés par le passage d'un ou plusieurs hôtes des lieux : caïmans (crocodile inféodé au continent sud-américain), coypus (rongeur brun aux incisives rouge vif), furtifs onorés (héron nocturne ou crépusculaire), canards musqués (ancêtre de notre canard de Barbarie), et bien d'autres encore.

Les sentiers et les pistes à explorer à pied ou en voiture ne manquent pas. Des informations pourront être obtenues au bureau d'accueil qui distribue également des nomenclatures sur la faune et la flore du parc.

Le Chaco

Le Chaco couvre une partie de la Bolivie et du Paraguay, ainsi que le nord de l'Argentine. On y distingue deux régions : le Chaco sec – traversé par quelques routes en très mauvais état et qui ne possède aucune infrastructure touristique – et le Chaco humide.

Depuis une vingtaine d'années, l'exploitation agricole s'est considérablement développée dans le Chaco humide et d'importantes superficies ont été défrichées. Cependant, de belles forêts parsemées de marécages subsistent. A l'ouest de Corrientes et de Resistencia, il faut explorer la RN 16, au moins jusqu'au parc national du Chaco (une centaine de kilomètres jusqu'à Presidencia de la Plaza, d'où l'on suit une piste sur environ 10 km). Il est préférable de ne pas se rendre dans cette région pendant la saison humide, c'est-à-dire en été, car les routes sont souvent impraticables et les températures élevées. Pour visiter ce parc de 15 000 ha et partir à la rencontre des singes hurleurs (grâce à son larynx particulièrement développé qui fait caisse de résonance, le mâle peut pousser des cris perceptibles à 3 km à la ronde), des guans et des chachalacas (qui appartiennent à la famille des faisans, mais dont le plumage est plus terne et le cri plus faible), la meilleure saison va d'avril à novembre. Dans les marais, la faune est également nombreuse et variée : hérons siffleurs, jabirus d'Amérique (échassier proche des cigognes), jacanas à barbillons (grâce à ses doigts extrêmement longs, il peut marcher sur les nénuphars) et canards en abondance.

D'exubérantes forêts percées de vastes clairières et ponctuées de gigantesques marais s'étendent à l'est et au sud de Corrientes. La RN 12 dessine un angle droit à Corrientes, et c'est en empruntant les pistes transversales non asphaltées – en particulier celles qui passent à Mburucuya et à San Luis del Palmar – qu'on traverse les habitats les plus intéressants. Une réserve naturelle, royaume des singes hurleurs, a été aménagée sur l'île de Cerrito, au confluent du Paraná et du Paraguay. On s'y rend en bateau à partir de Resistencia ou de Corrientes.

Les marécages de l'Ibera, au cœur de la province de Corrientes, couvrent une immense superficie. Les 12 000 km² du parc régional, où ont été aménagés un jardin botanique, un aquarium et un musée zoogéographique, abritent de nombreuses espèces d'oiseaux aquatiques.

A la source des cours d'eau qui alimentent les marais, l'herbe s'étend à perte de vue. On peut y croiser un animal fort rare : le loup à crinière, haut sur pattes et à museau allongé ; solitaire, il est surtout actif de nuit. La région en abrite de nombreux spécimens, particulièrement sauvages. Elle compte également quelques cerfs des marécages et, sur les grandes *estancias* dont les propriétaires se soucient de préserver la faune, il n'est pas impossible de rencontrer les derniers représentants du cerf de la pampa ainsi que de nombreux cabiais.

Le Noroeste

Les provinces de Jujuy, Salta et Tucumán offrent quantité de paysages somptueux où vit une faune abondante. Dans la Puna, la vallée de Humahuaca est l'une des deux seules zones vraiment fertiles de la province de Jujuy. Les routes secondaires sont agréables, telle celle qui mène au petit village de Puramarca. Dans cette région, où l'on ne cesse de prendre de l'altitude, on doit procéder par paliers, sur plusieurs jours, afin de ne pas trop malmener l'organisme. Il n'existe pas de meilleure façon de prévenir l'*apunamiento*, mal de montagne dû à la raréfaction de l'oxygène.

En passant la crête à l'ouest d'Abra Pampa et en redescendant vers l'immense vallée de Pozuelos, on aperçoit en général des troupeaux de vigognes (espèce menacée de la famille des lamas). Des milliers de flamants roses (de trois espèces différentes), auxquels se mêlent gibier d'eau et échassiers, tapissent la surface du lac de Pozuelos, classé parmi les sites naturels protégés. On guettera tout spécialement la sarcelle de la Puna (canard barboteur), l'avocette des Andes (petit échassier au bec recourbé), la foulque géante, la foulque cornue et la foulque andine (la foulque est proche des poules d'eau). A l'ouest du lac, à Lagunillas, un autre plan d'eau de taille plus modeste s'étend à quelques kilomètres de la route. On s'y rend à pied ou en voiture, pour observer tout à loisir les mêmes oiseaux et le nandou de la Puna qui hante la région de Pozuelos.

A gauche, l'insaisissable condor des Andes ; ci-dessus, le bruyant toucan toco.

Une végétation variée

Il n'est possible de visiter le parc national de Calilegua – à l'est de la Quebrada de Humahuaca – que pendant la saison sèche, c'est-à-dire entre juin et novembre ; il s'étage entre 600 et 4 500 m d'altitude sur le versant oriental des Andes. Le reste de l'année, les pluies rendent les routes impraticables. Différents types de végétation se succèdent à mesure que l'altitude croît.

Aux environs de 600 m, la flore est semblable à celle du Chaco et se compose de *palos borrachos* qui ont la forme de bouteilles renflées à la base, de jacarandas ou de tabebuias, aux couleurs jaunes et roses. Puis, après une zone de transition, la jungle voit dominer le tipa. Au sommet, la forêt des cimes est constituée de *podocarpus* et d'aulnes.

La faune varie en fonction de la végétation. La région abrite de grands félins, jaguars, pumas, ocelots et jaguarondis, qui ont l'embarras du choix pour se nourrir : cerfs à cornes, tapirs, pécaris, agoutis, écureuils, capucins et oiseaux de toutes sortes. Un camping est aménagé à la base du parc, à Aguas Negras, et les sentiers à explorer ne manquent pas.

Córdoba

Córdoba est le point de départ de nombreuses excursions dans les collines qui la surplombent au nord et à l'ouest. Les condors de la Pampa de Achala ne sont pas loin, pas plus que les extraordinaires comètes à queue rouge – qui appartiennent à la famille des colibris, ou oiseaux-mouches – des Sierras Chicas.

Dans le sud de la province de La Pampa s'étend le parc national de Lihuel Calel (au sud-ouest de Santa Rosa par la RN 35 et la RN 152) où l'on peut rencontrer de très nombreux animaux : des guanacos, des viscaches, des nandous, des sangliers européens, ainsi que des oiseaux très particuliers, tels le cardinal jaune ou le petit faucon tacheté, qui sont tous deux indigènes. A l'entrée du parc, un motel de l'ACA permet de passer une ou plusieurs nuits sur place.

La chaîne des Andes

Les Andes de Patagonie s'étirent de la province de Neuquén à la province de Santa Cruz en passant par celles du Río Negro et du Chubut. En fonction de la latitude, elles offrent quantité de sites magnifiques et sont d'une grande diversité. Compte tenu des nombreuses activités de plein air qui s'y pratiquent – ski, pêche, chasse, canoë et camping –, elles constituent l'un des principaux espaces de loisirs du pays. Le chapelet des villes s'égrène le long des contreforts où la steppe rencontre la forêt et la montagne.

De Neuquén, suivre la RN 22 jusqu'à Zapala, puis la RN 40 et la RP 46 jusqu'au parc national de Laguna Blanca. Les 11 250 ha de cette vaste steppe de montagne abritent des milliers d'oiseaux aquatiques dont le plus majestueux est sans conteste le cygne à col noir.

Pour parvenir au parc national de Lanín, rejoindre la RN 40, que l'on suivra vers le sud, puis prendre la RN 234 qui cesse d'être asphaltée à San Martín de los Andes. Des araucarias primitifs et des hêtres du Sud, du genre *Nothophagus*, poussent sur ses 378 000 ha. L'équipement en télécommunications et en infrastructures routières et hôtelières n'a d'équivalent qu'au parc national de Nahuel Huapí, qui le jouxte au sud. Les deux plus grandes villes de la région sont San Martín de los Andes et San Carlos de Bariloche.

Le taux des précipitations annuelles augmente de façon considérable à mesure qu'on s'enfonce vers l'ouest de la région. En conséquence, la flore se fait de plus en plus riche tout au long des 30 à 60 km qui séparent la steppe de la frontière chilienne. En revanche, le nombre d'espèces animales – mammifères et oiseaux – est stable, probablement parce qu'il ne dépend pas de l'abondance de nourriture à la belle saison, mais plutôt de la rigueur de l'hiver. Parmi les espèces qui vivent dans les forêts de la région, seules quelques-unes sont migratrices.

Condors et perroquets

La steppe et les zones de transition abritent une plus grande variété d'oiseaux que la région frontalière, car les températures y sont plus clémentes. On peut admirer de gigantesques troupeaux d'oies des hauts plateaux dans les vallées verdoyantes, ainsi que des oies à tête cendrée dans les clairières ou près des lacs et des rivières. Les bruyants ibis à cou de buffle sont omniprésents.

Dans ce cadre démesuré, le condor des Andes paraît presque chétif. Néanmoins, ce n'est pas sans émotion qu'on observera ce superbe rapace tournoyant lentement dans le ciel. Les forêts sont habitées de perroquets australs ainsi que des petits colibris du Chili. Ces deux espèces, qui vivent d'ordinaire dans des climats plus doux, se sont adaptées aux températures de la région. L'hôte le plus spectaculaire de la forêt reste cependant le géant de la famille des pics, le pic de Magellan. Le mâle arbore une tête écarlate surmontée d'une petite crête, tandis que la femelle, dont le plumage est tout noir, est dotée d'une très longue crête flottante qui s'incurve sur le devant.

La région est aussi celle du canard des torrents. Comme son nom l'indique, cet oiseau au plumage zébré de noir et de blanc et au bec rouge feu passe le plus clair de son temps dans les eaux bouillonnantes des rapides, aussi décontracté que s'il évoluait sur une simple mare.

Les parcs nationaux des montagnes

Le long de la chaîne andine, les parcs nationaux se succèdent en direction du sud. A une trentaine de kilomètres au sud d'El Bolsón (par la RP 16) s'étend le parc national de Lago Puelo (23 700 ha). On peut y camper, y pêcher la truite, y faire du bateau, et peut-être aura-t-on la chance d'y apercevoir une espèce rare, le pigeon du Chili.

Pour se rendre dans le parc national de Los Alerces, on peut choisir, à quelques kilomètres après Epuyén, de passer par Esquel ou de prendre la RP 71, qui n'est pas asphaltée. Traduit littéralement, *alerces* signifie «mélèzes». C'est l'appellation impropre qu'on donne dans la région au *Fitzroya cupressoides*, arbre gigantesque à feuilles persistantes qui correspond au séquoia de Californie. Il pousse également dans plusieurs autres sites naturels, mais les spécimens les plus hauts croissent dans le parc de Los Alerces. Sur les hauteurs qui dominent la zone de forêts, le huemul andin, espèce rare et peu farouche de cerf, attend tranquillement les randonneurs intrépides.

Une journée peut suffire pour couvrir les 530 km qui séparent Esquel du parc national du Perito Moreno. Penser à des réserves d'essence et au matériel de camping car, tout comme les stations-service, les hôtels ne sont pas nombreux sur le trajet. La partie orientale du parc est une vaste steppe dont l'altitude avoisine les 900 m. Elle abrite deux variétés de la thinocore (petit échassier terrestre ressemblant à une caille) ainsi que quantité d'oies des hauts plateaux, des cerfs huemuls et quelques caracaras des montagnes (rapaces diurnes). Des guanacos ont trouvé refuge sur la presqu'île du lac Belgrano, compris dans l'enceinte du parc.

Toujours plus au sud, le parc national de Los Glaciares abrite les plus beaux glaciers du pays. Ils sont accessibles par voie terrestre ou par voie lacustre. Le seul glacier que l'on peut rejoindre en voiture, le Moreno – un extraordinaire édifice de glace sans cesse en expansion –, se dresse à environ 80 km à l'ouest de la ville de Calafate, sur la rive du lac Argentino.

Pour parvenir à Puerto Bandera, d'où partent les croisières lacustres en direction de l'Upsala, suivre la rive du lac où évoluent gibier d'eau et cygnes à col noir. Les bateaux lèvent l'ancre tôt le matin et l'excursion dure toute la journée. On navigue entre de sauvages parois rocheuses surnommées *elefantes* («éléphants»), où les buses aguias ont fait leurs nids, ainsi que les condors, plus bas, sur les falaises qui surplombent l'océan. Trois fois

Ci-dessus, lions de mer dans la péninsule de Valdés.

plus important que le Moreno, l'Upsala présente une façade environnée d'icebergs, le tout baignant dans un extraordinaire camaïeu de bleus.

La Terre de Feu

La faune de la Terre de Feu et de son parc national (à environ 15 km d'Ushuaia) est pratiquement similaire à celle des Andes. L'environnement s'est fait de plus en plus rude, mais seules quelques espèces ont déclaré forfait. La berge nord du canal de Beagle – situé pourtant dans l'extrême Sud – est loin d'être dénuée de vie : on y rencontre des oies marines

dont les mâles arborent un splendide plumage immaculé qui tranche sur le noir des parois rocheuses ainsi que des canards qui, lorsqu'ils veulent pourchasser un rival ou le fuir, ont sur les flots la même action que celle des roues d'un bateau à aubes – ce qui leur a valu leurs noms de canards-vapeur, ou brassemers. On y croise également des perroquets australs, des ibis à cou de buffle et des condors. En revanche, sous cette latitude, le canard des torrents est très rare.

Les castors et les rats musqués, dont l'introduction remonte aux alentours de 1940, endommagent considérablement les forêts : ils détruisent les arbres, construisent des barrages et provoquent des inondations. Quant aux lapins qui prolifèrent en Terre de Feu, ils ont été introduits par les premiers navigateurs qui ont abordé ces rivages. Les croisières organisées sur le canal de Beagle permettent d'observer des cormorans, des lions de mer, des phoques à fourrure et des manchots de Magellan.

La Terre de Feu est, hélas, ponctuée de cicatrices : travaux routiers, tranchées d'oléoducs, forages pétroliers, incendies de forêt non maîtrisés, coupes sombres dans la forêt d'origine. Les feuillages du parc national sont particulièrement beaux en automne – qui, en Argentine, commence en mars.

La péninsule de Valdés

Les paysages que l'on traverse en remontant vers Buenos Aires et les pampas environnantes sont essentiellement ceux de la steppe patagone et du littoral. La province du Chubut, qui cumule steppe et littoral, est particulièrement active en matière de protection de la nature. A tout moment de l'année, on peut y observer des mammifères marins folâtrant à terre ou dans les golfes abrités qui flanquent la péninsule de Valdés au nord et au sud.

Le calendrier de la faune de la presqu'île est chargé, notamment en été et en automne. De janvier à mars : reproduction des colonies de lions de mer australs à Punta Norte et Pirámides ; de mars à mai : attaques des orques dans les colonies de ces mêmes lions de mer pour y dévorer les jeunes ; en juin : arrivée des premières baleines franches australes dans les deux golfes de la presqu'île ; en septembre : début du cycle de reproduction des éléphants de mer (il s'achève vers le 15 octobre) et arrivée des premiers manchots de Magellan qui viennent nidifier à Tombo et ne migreront qu'au mois de mars ; en décembre : départ des dernières baleines vers le sud où elles vont chercher leur nourriture.

La faune de la steppe est également bien représentée dans la presqu'île : le guanaco, le nandou de Darwin, le mara (rongeur à très hautes pattes), le tinamou élégant qu'on appelle également « perdrix des pampas », le tatou velu ou encore son parent de taille plus modeste, le tatou pichi.

En continuant vers le nord, on rejoint Buenos Aires et la boucle sera bouclée.

A gauche, le renard pose pour la photo ; à droite, manchots de Magellan à Punta Tombo.

SOLITARIO
BUENOS AIRES

LA PASSION DU SPORT

Si le football est le sport préféré des Argentins, il est loin d'être le seul pratiqué dans le pays. L'Argentine jouit en effet d'un climat qui, conjugué à l'infinie variété de ses paysages, permet aux sportifs de s'adonner à leur passion – quelle qu'elle soit – en toute saison.

Le football argentin est aujourd'hui internationalement reconnu, notamment après les victoires en Coupe du monde de 1978 et 1986, ou grâce à des vedettes comme Maradona. Il a pourtant été introduit en Argentine vers 1860, par des marins britanniques qui, dans leurs moments de loisir, le pratiquaient sur les quais devant des badauds médusés. En 1891, l'importante communauté britannique de Buenos Aires fit venir d'Europe des ballons, des buts et des filets, que les autorités douanières qualifièrent de « sottises pour Anglais dérangés ».

Au tournant du siècle, l'Argentine formait ses premières équipes : le Club athlétique de Quilmes, fondé en 1897, suivi du Rosario Central en 1899, du River Plate en 1901, de l'Independiente en 1904 et des Boca Juniors en 1905. En 1925, ces derniers effectuèrent une tournée en Europe, faisant ainsi découvrir au vieux continent la qualité du football argentin.

L'équipe nationale progressa rapidement, comme l'ont montré ses prouesses lors de la première Coupe du monde organisée par l'Uruguay en 1930. Bien que composée d'amateurs, elle parvint à battre des équipes aussi reconnues que celles de la France et du Chili, et se hissa en finale contre l'Uruguay, qui remporta la coupe par quatre buts à deux.

C'est en 1931, après que le football a accédé au statut de sport professionnel en Argentine, que les championnats se sont mis à drainer un public nombreux et enthousiaste. Très vite, les River Plate et les Boca Juniors, deux équipes du quartier italien de La Boca, se partagèrent les faveurs du public.

Dix-neuf équipes s'affrontent chaque année, de septembre à juin, lors des 36 matches de première division. De plus, parmi les équipes principales, nombreuses sont celles qui participent à des tournois internationaux comme la Coupe mondiale des clubs ou la coupe des Libertadores.

Pages précédentes : rencontre de polo. A gauche, voilier naviguant sur les eaux du delta ; à droite, les vents forts et le climat tempéré font de la côte atlantique un paradis pour les véliplanchistes.

Un héros national

Comme la plupart des Latino-Américains, les Argentins sont particulièrement doués pour le football. Parmi les noms de leurs grands joueurs, celui de Diego Maradona est bien sûr particulièrement symbolique. Avant de devenir mondialement célèbre pendant la Coupe du monde de 1986, Maradona était déjà une

gloire nationale en Argentine. Né en 1960 à Lanus, dans la banlieue de Buenos Aires, il a fait ses débuts professionnels chez les Argentina Juniors en 1976. Un an plus tard, il intégrait l'équipe nationale qui l'avait « prêté » en 1981 aux Boca Juniors. En 1982, lorsqu'il déclara son intention de quitter cette équipe, le gouvernement tenta de conjurer le sort en le déclarant partie intégrante du patrimoine national.

Mais, comme de nombreux joueurs argentins de très haut niveau, Maradona prit le chemin de l'exil. Incapables de renchérir sur les offres mirobolantes des grands dirigeants sportifs européens, les équipes argentines se sont habituées à voir leurs vedettes aller vers les équipes italiennes, anglaises et espagnoles qui disposent de moyens – financiers et humains – plus efficaces. Certains pays latino-américains eux-mêmes – tels le Brésil ou le Mexique – viennent régulièrement débaucher les joueurs argentins.

En 1982, Maradona signa donc avec le football club de Barcelone et, en 1984, avec le football club de Naples. Sa carrière napolitaine fut brillante mais plus courte que prévu : convaincu de dopage à la cocaïne lors des championnats d'Italie, le joueur fit l'objet d'une suspension de quinze mois qui mit fin à son contrat. Après un crochet par Séville en 1992, il retourna enfin à la mère patrie en

1993 dans les Newell's Old Boys de Rosario. En 1994, lors de la Coupe du monde organisée aux États-Unis, Maradona réapparut sur le terrain, jusqu'à ce qu'une accusation de dopage provoque son exclusion, le 30 juin. Maradona, qui a toujours déclaré ignorer la composition du médicament absorbé, envisage depuis d'abandonner le football pour se consacrer à la course automobile.

Le polo

Dès leur arrivée en Argentine, de nombreux touristes demandent où ils peuvent assister à une rencontre de polo. C'est en effet l'un des principaux sports argentin. La plupart des grands champions sont originaires du pays, qui possède par ailleurs des chevaux extraordinaires, spécialement dressés à la pratique de cette discipline.

Comme le football, le polo a été introduit en Argentine par les Anglais qui l'avaient découvert aux Indes. Le jeu avait sans doute été élaboré à partir du *bouzkachi* pakistanais, dans lequel la dépouille d'un bouc tient lieu de balle. Les qualités équestres des Argentins et les grands espaces dont ils disposent favorisèrent le développement du jeu. L'Argentine compte aujourd'hui plus de 6000 licenciés.

Dans l'ensemble du pays, les matches se disputent toute l'année, mais ils se concentrent surtout au printemps et à l'automne. A Buenos Aires, les meilleures équipes s'affrontent en novembre lors des championnats open d'Argentine, dont la création remonte à 1893.

Dans le monde du polo argentin, la distinction entre amateurisme et professionnalisme n'existe pas. Parmi les meilleurs joueurs, nombreux sont ceux qui se joignent aux équipes étrangères si elles leur proposent des conditions satisfaisantes. En vertu de quoi, dans un tournoi, l'équipe favorite est celle qui compte le plus grand nombre de joueurs argentins.

Outre ses joueurs, l'Argentine exporte également ses montures. Entraînés par des *petiseros* (« salariés ») dans les *estancias* où se pratique le polo, ces chevaux trapus sont appréciés pour leur rapidité, leur force et leur capacité à comprendre les moindres intentions de leur cavalier.

Le « pato »

Le *pato*, que d'aucuns décrivent comme un basket-ball équestre, est un des rares sports qui soient nés en Argentine. Apparemment, il était déjà fort ancien en 1610, année où les chroniqueurs mentionnent son existence pour la première fois. En espagnol, *pato* signifie « canard ». A l'origine, ce volatile était enfermé dans un sac de cuir d'où seule dépassait la tête et que se disputaient deux équipes de cavaliers. Lorsqu'ils s'étaient emparés du sac, les joueurs tentaient de regagner leur *estancia* au galop. Un nombre illimité de participants pouvait concourir et tous les coups étaient permis : on pouvait désarçonner son adversaire en le prenant au lasso ou taillader les sangles de la selle afin qu'il tombe de lui-même.

La règle n'imposait qu'une chose au cavalier qui détenait le *pato* : le tenir à bout de bras – le bras droit – afin qu'un adversaire parvenu à sa hauteur puisse le lui arracher. Les rencontres s'achevaient inévitablement en féroces combats, au cours desquels des cavaliers étaient jetés à bas de leur monture et piétinés par celle de leurs concurrents.

En 1822, les autorités interdirent la pratique de ce jeu jugé trop violent. Il fallut attendre 1937 pour qu'une poignée d'ardents défenseurs du *pato* œuvrent à son renouveau : on établit un règlement, on adoucit le jeu et on fonda une fédération en 1938.

Désormais, le *pato* voit s'affronter des équipes de quatre cavaliers ; à chaque extrémité du terrain est suspendu un panier similaire à ceux du basket-ball. Le canard a été remplacé par une balle de cuir munie de poignées, que les joueurs doivent faire passer dans le filet du panier pour marquer un point.

Le côté populaire du *pato* est resté intact, bien qu'il ait conquis un public plus large que celui des garçons de ferme. Chaque année, en novembre, un championnat open se tient à Buenos Aires.

Autres sports équestres

Dans un pays où les chevaux sont nombreux et où leur élevage est une véritable industrie, la course et le saut d'obstacles sont aussi des sports très appréciés. La plupart des villes

A gauche, Diego Armando Maradona ou l'étoile déchue ; ci-dessus, rencontre de rugby entre les Pumas et l'équipe de France.

comptent au moins un champ de courses et d'innombrables parieurs clandestins qui concurrencent le monopole gouvernemental. C'est au Jockey Club, dans la banlieue *porteña* de San Isidro, que sont organisées les courses les plus prestigieuses.

Mais les autres clubs de Buenos Aires, comme ceux des grandes villes de province, proposent également des courses quasi hebdomadaires de mars à décembre.

La tradition hippique se manifeste aussi dans les activités de dressage. En fait, seule l'exportation systématique des meilleurs chevaux empêche le pays d'accéder à une dimension internationale.

L'Argentine dispose essentiellement de clubs privés accessibles aux seuls membres ou à leurs invités. Il est donc impossible d'y louer des chevaux. A Buenos Aires, les écuries de Belgrano, qui proposaient ce service, ont fermé et aujourd'hui, la grande majorité des chevaux appartient à des particuliers. Dans les stations balnéaires de Mar y Sierras, on peut toutefois effectuer des randonnées à cheval, éventuellement en compagnie d'instructeurs.

Enfin, pour vivre une expérience équestre inoubliable, un ranch-hôtel des environs de Bariloche organise des randonnées vers les contreforts andins. Une certaine expérience de l'équitation est toutefois conseillée.

Le tennis

Apparu en Argentine à la fin du XIXe siècle, le tennis a longtemps été pratiqué seulement par les classes supérieures. Mais, depuis les années 70, l'ascension fulgurante de Guillermo Vilas, qui remporta les Masters en 1974 et les championnats open des États-Unis en 1977, lui a permis de connaître une véritable explosion.

Du jour au lendemain, tous les adolescents se découvrirent une vocation de « tennisman ». Comme le nombre de joueurs, les ventes de raquettes, de balles et de chaussures grimpèrent en flèche. Les banlieues de la capitale virent fleurir les courts de tennis municipaux ou privés, et un raz-de-marée de joueurs argentins déferla dans le milieu professionnel international.

Gabriela Sabatini est un pur produit de cet engouement. Au milieu des années 80, cette jeune fille fit en effet sensation dans le monde du tennis féminin. Surnommée « la belle Gabrielle », Sabatini se haussa parmi les dix meilleures joueuses mondiales en 1986. Cette année-là, elle parvint en demi-finale du prestigieux tournoi de Wimbledon.

Certes, peu de joueurs argentins peuvent égaler Vilas ou Sabatini, mais le tennis reste extrêmement prisé. Aussi le Tennis Club de Buenos Aires – qui compte 6 500 places – est-il littéralement pris d'assaut à l'occasion des grandes rencontres. Enfin, si l'on veut simplement entretenir son revers, on trouvera facilement des courts à louer.

Le rugby

Autre apport britannique au sport argentin, le rugby stagna assez bizarrement jusqu'au milieu des années 60, époque à laquelle l'équipe d'Argentine – les Pumas – remporta plusieurs victoires internationales. Comme le tennis, le rugby suscita de nombreuses vocations et attira à lui un nombre considérable de jeunes talents.

Actuellement, l'Argentine figure parmi les nations les plus respectées du monde du rugby. Son joueur fétiche, Hugo Porta, passe même pour un des meilleurs joueurs de tous les temps. Chaque province dispose désormais d'une fédération et le public, toujours enthousiaste, ne cesse de croître. A la fin des années 80, on a dénombré 55 000 spectateurs lors d'un match opposant l'Argentine à la France. Comparés aux 15 000 personnes qui avaient assisté aux rencontres internationales de 1960, ces nouveaux passionnés attestent la place prise par ce sport dans le cœur des Argentins. La plupart des rencontres à venir seront organisées dans le Stade monumental de Buenos Aires, qui contient 76 000 places.

Le cricket

On sera surpris d'apprendre que le cricket se pratique en Argentine, où les Britanniques l'ont introduit. Mais, contrairement aux autres sports de même souche, pendant plus d'un siècle, celui-ci n'a guère franchi les limites de l'étroite communauté anglo-saxonne. C'est très récemment que les Argentins de toutes origines se sont intéressés à ce jeu, auquel ils ont donné bon nombre de grands joueurs.

Le golf

Comme d'autres sports, le golf a bénéficié des grands espaces et du climat de l'Argentine. Le pays regorge de clubs, dont les plus prestigieux sont le Jockey Club de Buenos Aires et le Golf Club de Mar del Plata.

A gauche, cheval de dressage et sa cavalière ; ci-dessus, amateurs de parapente sur skis.

La voile

Les amateurs de voile seront comblés par la conjonction de conditions idéales à la pratique de leur sport : un climat tempéré, des vents forts, une multitude de lacs naturels ou artificiels, de nombreux cours d'eau et rien moins qu'un océan...

Le ski

La ferveur des Argentins pour le ski est allée croissant depuis la Coupe du monde de l'hiver 1985-1986. Les deux grandes stations sont celles de Bariloche (à 1 700 km au sud de Buenos Aires, dans la province du Río Negro) et de Las Leñas (à 1 200 km à l'ouest de Buenos Aires, dans la région de Mendoza). Bien que l'enneigement soit très variable, la période idéale pour le ski se situe entre juin et octobre.

Le coût de l'équipement et l'éloignement des stations principales font du ski un sport réservé à l'élite financière. Et, de fait, Bariloche – la Suisse de l'Amérique latine – est digne des stations européennes les plus célèbres. Aussi y trouvera-t-on l'éventail complet des infrastructures touristiques habituelles. Plus récente, Las Leñas est aussi plus développée que sa concurrente. Un séjour individuel est aussi coûteux dans la première station que dans la seconde, il vaut donc mieux choisir un forfait proposé par une agence de voyages.

La pêche

L'Argentine est sillonnée de rivières et de fleuves, émaillée de lacs naturels et de plans d'eau artificiels, et bordée par l'Atlantique sur plus de 4 000 km. Voilà qui fait d'elle un éden pour les pêcheurs de poissons d'eau douce ou d'eau de mer. Selon l'endroit choisi, ils prendront l'anguille, la truite, le piranha, le saumon, l'alose, le poisson-chat, le corbeau de mer, le requin, l'espadon ou la sole.

Dans les stations balnéaires du littoral atlantique, on pratique la pêche à longueur d'année. La plupart de ces ports sont situés de 300 km à 500 km de Buenos Aires. La pêche figure même parmi les activités principales des touristes de Mar del Plata. Dans les stations environnantes (Laguna de los Padres et Laguna Brava), on introduit régulièrement des alevins et l'on peut louer des bateaux pour pratiquer la pêche au large.

Quequén Grande, sur les rives de la Necochea, est très renommée pour ses truites. Avec le saumon, celles-ci abondent également dans les cours d'eau et les lacs des provinces de Neuquén et du Río Negro, au sud de la capitale. Ces deux régions sont placées sous la responsabilité de l'Office des parcs nationaux, et les pêcheurs doivent être titulaires d'un permis qu'on obtient à Buenos Aires, en s'adressant aux Offices du tourisme des régions concernées.

Connue pour ses activités de sports d'hiver, San Carlos de Bariloche se niche sur la rive du lac Nahuel Huapi, qui regorge de truites. Le spécimen le plus volumineux qui y ait été pêché atteignait 16 kg.

Au nord de Bariloche, San Martín de Los Andes dispose d'une infrastructure réservée à la pêche à la mouche. On y trouve non seulement un hébergement, mais encore un équipement complet et des guides compétents.

L'alpinisme

La cordillère des Andes, qui s'étend à l'ouest de l'Argentine et forme sa frontière naturelle avec le Chili, attire depuis longtemps les alpinistes du monde entier. A environ 1 300 km de Buenos Aires, dans la province de Mendoza, l'Aconcagua culmine à 6 959 m, altitude qui en fait le sommet le plus haut des Amériques.

Chaque année, venues d'Allemagne, d'Italie, de Suisse ou des États-Unis, des dizaines d'expéditions s'attaquent à ce géant. Parmi les dix voies d'accès au sommet, la voie nord est la plus fréquentée.

Toutes les ascensions ne sont pourtant pas couronnées de succès. Depuis 1897, année où le Suisse Matias Zurbriggen vint à bout du sommet, plusieurs alpinistes ont trouvé la mort en tentant de renouveler son exploit.

Dans la région de Mendoza, le pic de Tupungato (6 500 m) est également redoutable. L'arrivée à la base n'est possible qu'à dos de mule. D'autres sommets andins sont d'un accès plus facile : le Catedral et le Pan de Azúcar (5 300 m pour chacun), le Tolosa (5 400 m), le Cuerno (5 500 m), l'Almacenes (5 600 m) et le Cúpula (5 700 m).

A 80 km de Mendoza se dresse le Cordón del Plata, une chaîne qui dispose d'accès relativement aisés au Pico Bonito (5 000 m), au Rincón (5 600 m), au Pico Negro et au Vallecitos (5 800 m pour chacun), au Nevada Excelsior (6 000 m) et au pic d'El Plata (6 300 m). Ces cimes sont celles qui attirent la plupart des randonneurs argentins et étrangers.

A gauche, pêche d'un doré, un poisson très recherché ; à droite, alpinistes escaladant une paroi granitique.

LES GAUCHOS, CENTAURES DE LA PAMPA

De tous les symboles culturels de l'Argentine, le personnage du gaucho est sans doute le plus connu. Cousin du cow-boy nord-américain, il incarne à merveille les traits marquants de la mentalité dite *argentinidad* : fierté, courage, sens de l'honneur et amour de la liberté. Élevée à la qualité de mythe, la silhouette solitaire de ce cavalier hante toujours les chansons populaires, les œuvres littéraires et l'imaginaire collectif de la nation.

Les orphelins de la pampa

La classe sociale des gauchos a pris corps au XVIIIe siècle, sans doute dans les territoires de l'actuel Uruguay. Si l'étymologie du mot « gaucho » est encore sujette à controverse – les linguistes vont jusqu'à évoquer des origines française, portugaise, basque, voire arabe –, il semblerait néanmoins que ce terme soit dérivé du mot quechua pour « orphelin ». Nul ne peut en effet s'étonner qu'on ait baptisé ainsi des hommes aussi farouches et indépendants.

Les premiers gauchos étaient des *mestizos* issus d'unions entre Espagnols et Indiens. Mais – comme les cow-boys des États-Unis – ils comptaient aussi dans leur communauté certains membres d'ascendance africaine.

Le cuir et le suif

Les chevaux et les bovins que les premiers colons avaient laissés derrière eux au XVIe siècle s'étaient reproduits au fil du temps. Deux siècles plus tard, avec le bétail échappé des *estancias*, ils constituaient un énorme cheptel sauvage dont n'importe qui pouvait revendiquer la propriété. C'est sur le territoire de ces animaux que se développa la communauté des gauchos. Ils capturèrent les chevaux et, après les avoir apprivoisés et dressés pour faire d'eux des montures fiables, s'attaquèrent aux bovins.

A l'époque, la valeur marchande de la viande de bœuf était pratiquement nulle. Les besoins de la population étaient nettement inférieurs à l'offre et les méthodes de réfrigération nécessaires à l'exportation inexistantes. Le bœuf n'était recherché que pour sa graisse – dont on faisait le suif des chandelles – et pour son cuir, qu'on pouvait tous deux exporter. Les premiers gauchos assuraient leur subsistance en échangeant ces produits contre du tabac, du rhum et du maté. Réduite en poudre et infusée, cette plante stimulante était leur seul apport nutritionnel non carné.

Les gauchos menaient une existence rudimentaire et leurs besoins se limitaient au minimum vital. Ils n'avaient pour seuls biens qu'un coutelas, un poncho, une selle et un cheval mais ils revendiquaient une liberté qu'ils n'auraient troquée contre aucun des prétendus atouts de la civilisation urbaine.

Des cavaliers hors pair

Les gauchos étaient avant tout réputés pour leurs qualités équestres et ce, à juste titre. On prétendait que, privés de leur cheval, ils étaient privés de jambes. Et, de fait, c'est du haut de leur monture qu'ils accomplissaient presque toutes leurs activités quotidiennes : bain, jeu, chasse, etc.

Pour chasser, les premiers gauchos utilisaient des lassos et des *boleadoras*, armes qu'ils avaient empruntées aux Indiens et qui se composaient de cordes solides à l'extrémité desquelles étaient attachées trois bourses de cuir contenant chacune une grosse pierre ou une boule de métal. Lancées avec une extraordinaire dextérité, elles se prenaient dans les pattes de la proie et la faisaient tomber.

Les gauchos, qui mesuraient la valeur d'un homme à ses qualités de cavalier, organisaient fréquemment des concours qui permettaient à chacun de faire montre de sa force, de son courage et de sa vélocité. Dans le jeu nommé *sortija*, on devait faire passer une lance dans un petit anneau accroché à une barre que soutenaient deux fourches plantées en terre. Une autre épreuve d'adresse consistait à se poster sur la barrière d'un enclos dans lequel on lâchait des chevaux sauvages au grand galop, à sauter sur l'un d'eux, à le dompter et à le ramener au point de départ.

A l'origine, ces épreuves étaient destinées à renforcer les qualités dont les gauchos devaient nécessairement être dotés. Ainsi, un cavalier passait entre deux rangées d'hommes qui tentaient de faire tomber sa monture en lançant un lasso dans ses pattes.

Pages précédentes : les pièces d'argent qui ornent la rastra *de ce gaucho sont censées révéler sa fortune. A gauche, à Salta, des gauchos protègent leurs jambes de* guardamontes *en cuir rigide.*

S'il était désarçonné, le cavalier devait retomber sur ses pieds en conservant les rênes en main.

Les étrangers qui cherchaient à imposer l'ordre aux provinces s'attachèrent à contrôler la vie des gauchos et leurs activités. Des restrictions de plus en plus lourdes frappèrent donc ces concours qui furent remplacés par des rodéos aux règles plus strictes.

La sédentarisation des gauchos

L'accroissement de la propriété privée dans la pampa a suscité de profonds changements dans le mode de vie des gauchos, dont on considérait les mœurs anarchiques comme un frein au développement du pays. Dès la fin du XVIIIe siècle, on accorda à de puissants *Porteños* des territoires immenses afin de s'assurer de leur fidélité politique. Avec le temps, on intensifia les mesures destinées à dompter la communauté des gauchos et à la mettre au service des nouveaux propriétaires fonciers.

Avec la terre, les troupeaux de bœufs et de chevaux tombèrent aussi sous la coupe des *estancieros*. Il fut donc impossible aux gauchos d'y prélever leur part comme ils le faisaient auparavant. Brusquement, les cavaliers qui parcouraient librement la pampa furent considérés comme des intrus et des voleurs de bétail. Leur situation devint donc à peu près semblable à celle des Indiens des plaines qui avaient échappé aux massacres, et leur réputation, déjà mauvaise, empira considérablement.

Un ordre nouveau

Les propriétaires fonciers couvrirent peu à peu les prairies de barbelés. Sédentarisés par la force des choses, les gauchos furent affectés à la garde du bétail par les *estancieros*. Leur salaire était dérisoire, ce qui ne les empêchait pas de garder leur fierté intacte. Ainsi, ils refusaient tout travail qui ne nécessitait pas l'utilisation d'un cheval. Les Européens, qui arrivaient en grand nombre, furent donc employés à creuser les fossés, réparer les clôtures et planter des haies. De plus, la croissance des exportations vers le vieux monde s'accompagna d'un essor de l'agriculture et, très vite, les semailles et les moissons furent exclusivement réservées aux immigrés.

Lorsque les terres furent clôturées, le besoin en main-d'œuvre destinée à garder les troupeaux diminua et accéléra la dégradation des conditions de vie des gauchos qui s'opposèrent de plus en plus aux nouveaux arrivants. Parmi les gauchos, nombreux furent ceux qui trouvèrent seulement des emplois temporaires chez les *estancieros*

payés à la journée ou à la tâche. Le travail consistait à tondre les moutons et à acheminer les troupeaux vers d'autres pâturages ou à l'abattoir.

Le XIXe siècle fut marqué par l'émergence d'un ordre nouveau dans les plaines de la pampa. Petit à petit, les gauchos perdirent leur indépendance. Leur statut de garçon de ferme était incompatible avec leur goût de la liberté et leur esprit rebelle. Mais les grands propriétaires bénéficiaient d'appuis considérables dans la capitale et, pour les autorités gouvernementales, l'instauration de l'ordre dans le pays était une priorité absolue. L'Argentine prenait place parmi les nations en voie de développement et le mode de vie traditionnel des gauchos était vu comme une menace sous-jacente.

Les armées privées

Quand les gauchos ne mirent plus l'ordre établi en péril, ils se virent attribuer une autre fonction dans la nouvelle société rurale. Leur « domestication » s'accompagna de la formation de liens d'allégeance qui les plaçait sous la dépendance de leurs employeurs.

A gauche, ancien gaucho retenant un étrier rudimentaire de son pied nu ; ci-dessus, gauchos des temps modernes surveillant le bétail à Corrientes.

Soutenus par leurs gauchos qui formaient de véritables armées privées, les puissants caudillos (gouverneurs provinciaux et, par extension, grands propriétaires) étendaient leur pouvoir sur de vastes territoires de l'intérieur. Bien évidemment, la constitution de ces potentats régionaux allait à contre-courant des mesures centralisatrices des autorités.

La période qui suivit l'indépendance de l'Argentine fut marquée par une guerre civile qui a duré jusqu'à la fin du XIXe siècle, à l'arrivée des unitaires au pouvoir. Les forces fédéralistes furent alors totalement maîtrisées.

Au XIXe siècle, les gauchos furent également sollicités par les autorités gouvernementales pour assurer la défense du pays. Ces cavaliers émérites s'illustrèrent notamment dans les combats qui mirent fin aux offensives britanniques de 1806 et 1807. En dépit de leur incorporation forcée, ils se montrèrent courageux et âpres au combat.

Plus tard, au cours de la guerre d'indépendance, ils prouvèrent à nouveau leur valeur. La campagne du Désert de 1880, qui ouvrit des espaces considérables à la colonisation, les vit se battre une dernière fois dans les rangs de l'armée argentine. Parmi eux, nombreux étaient ceux qui avaient une ascendance indienne ; une tragique ironie du sort a voulu qu'ils se battent contre les autochtones, considérés à l'époque comme un obstacle majeur à l'expansion territoriale. Dans les chansons *gauchescas* de l'époque, on sent combien le fait de devoir compromettre leur honneur dans une tâche aussi monstrueuse fut un véritable drame pour ces hommes.

Les « chinas »

Les gauchos n'ont jamais eu une vie de famille bien stable. A l'origine, les seuls éléments féminins qui vivaient dans leurs camps étaient des captives indiennes. Plus tard, on les accusa d'enlever des femmes qui vivaient dans les

premiers établissements des colons. Et lorsque des femmes vinrent s'installer de leur plein gré en leur compagnie, les couples restèrent assez informels. En effet, les gauchos considéraient le mariage religieux comme une gêne et une dépense inutile et seul le mariage civil officialisait leurs unions.

Ces *chinas*, comme on appelait alors ces femmes, étaient rarement bienvenues dans les *estancias* où leurs conjoints étaient employés. Lorsqu'elles parvenaient à s'y faire engager, elles occupaient les fonctions de servantes, nourrices, lavandières ou cuisinières et elles participaient à la tonte des moutons. Elles vivaient dans de simples huttes de pisé au toit de paille et à l'ameublement rudimentaire. Certains de leurs ustensiles étaient taillés dans des os ou des crânes de bovins. Parfois, l'une d'elles parvenait à travailler comme sage-femme ou guérisseuse en dehors de la ferme.

Gauchos, « paisanos » et « peones »

La disparition progressive du monde *gauchesco* date de la fin du XIXe siècle. Dans les campagnes, la diminution des besoins en main-d'œuvre entraîna la prolétarisation des gauchos, qui se réfugièrent en ville pour y exercer les métiers de policier, pompier, charpentier ou plombier. Pourtant, certains restèrent dans les *estancias* et acceptèrent de s'adapter au nouvel ordre social.

Aujourd'hui encore, l'Argentine conserve de nombreuses traces de cette culture si particulière. Dans chaque élevage, on a toujours besoin d'hommes pour marquer et garder les bêtes. Si la plupart des gauchos des temps modernes sont des salariés permanents, certains préfèrent vivre au jour le jour, proposant leurs services ici ou là pour réparer une clôture ou tondre les moutons.

Selon la région où ils exercent leur activité, ces hommes sont nommés *paisanos* ou *peones* même si leur vrai nom reste gauchos. Certains travaillent dans des entreprises qui consacrent des milliers d'hectares à l'élevage, d'autres dans des structures familiales plus humaines.

Comme il y a un ou deux siècles, la plupart d'entre eux sont des *mestizos*. L'ascendance guarani prédomine au nord-est et l'ascendance araucan en Patagonie. Mais, avec le temps, les métissages se sont diversifiés et il n'est pas rare de trouver des hommes basques ou italiens. Au XIXe siècle, les nombreux cow-boys qui sont venus travailler en Argentine ont également laissé des traces nord-américaines.

Séparés par des costumes, des origines et des noms différents, ces hommes n'en sont pas moins unis par un trait qui fait d'eux des gauchos conformes à la tradition : leurs qualités équestres. Le cheval reste leur seule passion et, comme autrefois, ils possèdent, en dehors de leur monture, seulement une selle, un couteau et un poncho.

Le rodéo

Visiter une *estancia* permet d'observer les gauchos à l'ouvrage et de voir, par exemple, un *domador* dresser un cheval sauvage ou des hommes se lancer au triple galop à la poursuite d'une bête qu'ils attraperont au lasso. Mais le spectacle le plus exaltant reste celui du rodéo. Certains sont de véritables événements socio-culturels, où se mêlent banquets, danses et chants traditionnels, et pour lesquels les paladins déchus revêtent leurs plus beaux atours. Avec un peu de patience, on parviendra à assister à des rodéos moins formels dans les villages reculés. Des gauchos viennent s'y affronter au cours de rudes épreuves d'adresse et de courage. Sous les vivats enthousiastes du public et dans des nuages de poussière, ils se livrent à des courses de tonneaux et des captures de bétail au lasso avec un panache digne de leurs ancêtres.

A l'origine, celles-ci étaient confectionnées à partir d'un seul morceau de cuir prélevé sur une patte de cheval. La peau humide était enroulée sur le pied, dont elle prenait la forme en séchant. L'extrémité du pied restait souvent à l'air libre : entre le premier et le deuxième orteil, le cavalier coinçait une lanière de cuir qui pendait de la selle et se terminait par un nœud servant d'étrier. Avec le temps, cette pratique entraînait une déformation des orteils qui restaient recroquevillés. Les gauchos étaient donc affligés d'une démarche maladroite, accentuée par leurs jambes arquées.

A la taille, ils portaient une large ceinture de laine, la *faja*, sur laquelle ils attachaient une *rastra*, épaisse ceinture de cuir ornée de pièces de monnaie, qui assurait à leurs reins un renfort appréciable. Dans le dos, entre la *faja* et la *rastra*, ils glissaient le *facón*, qui constituait leur plus grand bien après le cheval. Ce couteau leur était aussi indispensable dans le travail, pour dépecer les bêtes et châtrer les mâles, que dans la vie privée, pour manger et se défendre.

La tenue *gauchesca* se complétait d'un mouchoir noué autour du cou, d'un chapeau, d'une paire d'éperons. La veste était réservée aux grandes occasions. Par-dessus le tout, les gauchos enfilaient un poncho qui leur servait de protection dans les combats au couteau et de couverture quand ils dormaient à la belle étoile.

Le costume « gauchesco »

Si les gauchos portaient des vêtements fonctionnels, c'est néanmoins avec une grande recherche qu'ils assemblaient les différents éléments de leur costume.

La *chiripá*, ample pièce de tissu drapée entre les jambes, est idéale pour monter à cheval. Souvent, on portait de longues jambières à franges par-dessus. Cette tenue fut remplacée plus tard par les *bombachas*, pantalons plissés boutonnés aux chevilles, qu'on glissait plus facilement dans les bottes.

A gauche, la sortija *telle qu'elle se pratique à l'heure actuelle ; ci-dessus, exercice de dressage.*

La selle se composait d'une superposition de molletons, de renforts et de cuir travaillé, recouverte d'une peau de mouton qui améliorait le confort du cavalier. Dans les régions où poussent de hauts épineux, les hommes se protégeaient les jambes de pièces de cuir rigide appelées *guardamontes*. Ils ne se séparaient jamais de leur lourde cravache de cuir tressé, nommée *rebenque*.

La littérature « gauchesca »

Le personnage du gaucho a imprégné toute une série d'œuvres qui sont des classiques de la littérature populaire argentine.

Martín Fierro, long poème en octosyllabes écrit par José Hernández (1834-1886), en est l'exemple le plus connu. Dans cet ouvrage paru en 1872, l'auteur a voulu reproduire le style des *payadores*, mi-bardes, mi-gauchos, qui parcouraient la campagne en improvisant des vers chantés au son d'une guitare. Telle que la décrit le poème, la vie fière et misérable du héros véhicule une morale typiquement argentine. L'œuvre se présente comme une défense des mœurs libres du gaucho et comme une diatribe contre les forces qui conspirent à sa perte : *estancieros*, policiers corrompus et hommes politiques. A travers ces strophes, chaque Argentin se sent, aujourd'hui encore, dépositaire de la digne générosité du gaucho.

Errant sans but dans la plaine
au milieu de l'immensité
et de tant d'obscurité,
le gaucho semble une âme en peine,
et ceux qui le poursuivent
le trouvent sur le qui-vive.
Sa gardienne est la prudence,
le courage son espérance,
le salut son canasson ;
et il demeure en éveil,
sans autre toit que le ciel,
son couteau pour compagnon.

On retrouve ce personnage dans le *Faust* d'Estanislao del Campo (1834-1880). Il décrit avec un humour attendri les réactions d'Anastasio El Pollo (Anastase le Poulet) après la représentation de l'opéra de Gounod qui donne son titre à l'œuvre. Dans *Santos Vega*, Rafael Obligado (1851-1919) met en scène la figure traditionnelle d'un vieux *payador* et dans *Juan Moreira*, Eduardo Guttiérez (1853-1890) campe un personnage qui est devenu si populaire qu'on a adapté le roman à la scène.

Mais c'est en la personne de Ricardo Güiraldés (1886-1927) que la vie du gaucho a trouvé son plus grand chantre. Très lié aux écrivains français – notamment à Valery Larbaud – dont il se réclamait dans ses œuvres précédentes, Güiraldés a effectué un véritable retour aux sources de l'*argentinidad* dans *Don Segundo Sombra*, roman achevé un an avant sa mort. La dédicace de l'œuvre est très claire à cet égard : *« Au gaucho que je porte en moi. »*

Le jeune narrateur orphelin et bâtard y décrit son apprentissage de la vie de *resero* (« conducteur de troupeaux »). Pour lui, don Segundo devient un père, un modèle et un maître à penser dont le message lui permettra de construire son identité et de dépasser ses conflits intérieurs. Le rythme de l'ouvrage est calme et majestueux, à l'image du héros éponyme dont l'auteur décrit la disparition avec une intensité bouleversante.

Fortement contestés par certains écrivains argentins contemporains qui leur dénient toute qualité littéraire, ces textes ont élevé le personnage ambigu du gaucho au statut de mythe. Mais ce faisant, elles ont surtout permis à un peuple aux racines multiples et encore peu profondes de s'identifier à une figure idéale.

A gauche et à droite, petits et grands gauchos revêtus du poncho de Güemes, dans le Noroeste.

PATAGONIA
ARGENTINA
ARGENTINA
Z027 862

INFORMATIONS PRATIQUES

PRÉPARATIFS ET FORMALITÉS DE DÉPART

Passeport et visa

Aucun visa requis pour les ressortissants de l'EU, les canadiens et les suisses pour un séjour inférieur à 3 mois. Sur présentation d'un passeport valide 6 mois à compter de leur entrée sur le territoire argentin, les autorités locales délivrent sur place un visa de 3 mois, éventuellement renouvelable.

A Paris, les renseignements sont à prendre auprès du **consulat** :
6, rue Cimarosa, 75016, tél. 01 44 34 22 00
Ouvert du lundi au vendredi de 9 h à 14 h.
www.argentine-en-france.org

• Ambassades

France
6, rue Cimarosa, 75016 Paris
tél. 01 44 05 27 00, fax 01 44 34 22 09
Belgique
225, avenue Louise, 1050 Bruxelles
tél. (2) 647 78 12, fax (2) 647 93 19
Canada
90 Sparks Street, Suite 910, Ottawa
KIP 5B4 Ontario
tél. (613) 236 2351, fax (613) 235 2659
Suisse
Jungfraustrasse 1, 3005 Berne
tél. (41) 3135 64 343, fax (41) 352 0519

Vaccinations et précautions sanitaires

Aucune vaccination n'est obligatoire pour les voyageurs qui pénètrent en territoire argentin.

Toutefois, pour les séjours de courte durée, le conseil supérieur de l'Hygiène publique recommande la mise à jour des vaccinations contre le tétanos, la poliomyélite et l'hépatite A. Pour les séjours de longue durée, il conseille également la mise à jour des vaccinations contre l'hépatite B et la typhoïde. Dans tous les cas, si l'on pratique des activités à risques (chasse, randonnée), il est prudent de se faire également vacciner contre la rage.

De début octobre à fin mai, les provinces de l'extrême Nord présentent des risques des risques de paludisme au-dessous de 1 200 m d'altitude. Dans ces zones, la Nivaquine suffit à combattre la souche active. Le traitement doit commencer au minimum la veille du départ et se poursuivre pendant les trois mois qui suivent le retour.

Dans les régions les plus reculées, consommer uniquement l'eau en bouteille, des fruits pelés et des légumes cuits.

Ce qu'il faut emporter

Si la capitale est étouffante en été, elle peut aussi être glaciale en hiver (*cf.* p. 300 « Climat ») : pour affronter les vents forts et les pluies abondantes, il est bon de prévoir des lainages et des imperméables. Si l'on voyage dans les régions d'altitude ou dans le sud du pays, des vêtements chauds s'imposent également. En revanche, dans le Nord-Est, des vêtements légers suffisent en toute saison.

En général, les Argentins s'habillent de façon classique. A Buenos Aires, ville cosmopolite par excellence, le vêtement joue un rôle social important ; dans leur grande majorité, les *Porteños* suivent la dernière mode de Paris, Milan ou Londres. La coutume veut que l'on s'habille élégamment pour sortir.

Où se renseigner

• Bureau d'information

Le **service culturel** de l'ambassade d'Argentine tient lieu d'office du tourisme.
6, rue Cimarosa, 75016 Paris, tél. 01 47 27 15 11
Site Internet : www.turismo.gov.ar

ALLER EN ARGENTINE

En avion

Les avions en provenance de l'étranger atterrissent à l'aéroport international Ezeiza, à une demi-heure du centre de Buenos Aires. La ville possède un second aéroport, Jorge Newberry, surtout réservé aux vols intérieurs et aux liaisons avec les pays voisins.

Au départ de Paris, certaines compagnies proposent des vols directs à destination de l'Argentine :

Aerolíneas Argentinas
2, rue de l'Observatoire, 75001 Paris
tél. 01 53 29 92 30
www.aerolineas.com.ar (renseignements, réservations, informations touristiques…).
Air France
119, avenue des Champs-Élysées, 75008 Paris
tél. 0820 820 820

D'autres compagnies proposent des vols avec escale :

American Airlines
Tél. 0 810 872 872
www.americanairlines.fr ; www.a.com
Au départ de Paris *via* New York, Dallas, Miami.
Avianca
4, rue Faubourg Montmartre, 75009 Paris
tél. 0 825 869 883

British Airways
Tél. 0 825 825 400 (renseignements, réservations)
Iberia
Tél. 0 820 075 075 (renseignements, réservations)
KLM
Tél. 0 890 710 710 (renseignements, réservations)
Lufthansa
Tél. 0 820 020 030 (renseignements, réservations)

La taxe d'aéroport s'élève à 32,50 $ (95 pesos) pour les vols internationaux, et à 8,05 $ (24 pesos) pour les vols nationaux. Elle peut être prépayée.

Tolérance de poids pour les bagages : 20-23 kg.

EN BATEAU

Si l'on dispose de beaucoup de temps, on peut envisager d'embarquer sur un cargo à destination de Buenos Aires en échange d'une faible participation financière et, parfois, de tâches à effectuer à bord. Pour tout renseignement complémentaire, contacter la **capitainerie des grands ports français** (notamment celle du Havre, au *02 32 74 70 63*).

Certaines compagnies ont équipé leurs cargos de cabines avec salle de bains, de piscines, de saunas, de salles de vidéo et de gymnases. La traversée à bord de ces navires se déroule donc dans des conditions proches de celles dont on peut bénéficier sur les paquebots de croisière.

La compagnie **Dollart Redderei** propose ce type de voyage au départ de Fos-sur-Mer, et la compagnie **Peter Dohle** au départ d'Anvers et du Havre. Pour tout renseignement, contacter :

Mer et Voyages
9, rue Notre-Dame des Victoires, 75002 Paris
tél. 01 49 26 93 33, fax 01 42 96 29 39
www.meretvoyages.cpm ; info@mer-et-voyages.com

Dans le cadre d'un programme intitulé *Silversea Cruises*, cette agence propose des croisières en paquebot à destination de Buenos Aires à partir de Fort Lauderdale (Floride) et de San Francisco (Californie).

Dans le premier cas, le périple, qui dure de 18 à 24 jours, est jalonné d'escales dans les Caraïbes (Saint-Martin, la Martinique et la Barbade), au Brésil (Belém, Recife, Salvador, Rio, Santos et Pôrto Belo) et en Uruguay (Punta del Este). Dans le second cas, la croisière de 45 jours mène des côtes californiennes (Monterey et Los Angeles) au sud du Mexique (Puerto Vallarta, Acapulco et Huatulco), au Costa Rica, au Panamá, à Curaçao, au Venezuela, aux Grenades, à Antigua, en Floride (Fort Lauderdale), dans les Caraïbes (Saint-Martin, Martinique et Barbade), au Brésil (Belem, Recife, Salvador, Rio, Santos et Pôrto Belo) et en Uruguay (Punta del Este).

Enfin, par cette même agence, il est possible de louer un yacht, avec ou sans skipper, pour effectuer la traversée de l'Atlantique et rejoindre Buenos Aires ou un autre port de l'Argentine.

PAR VOIE TERRESTRE

Du Chili, de Bolivie, du Paraguay, d'Uruguay et du Brésil, il est possible de se rendre en Argentine en autocar. Les véhicules sont climatisés et adaptés aux longs trajets. On peut effectuer les mêmes parcours en voiture. La majeure partie des routes est goudronnée, mais il faut se montrer extrêmement prudent et respecter les limitations de vitesse indiquées en bordure de la route. On peut se procurer des cartes routières détaillées et se faire conseiller par l'Automobile Club d'Argentine (*Avenida del Libertador, 1850, Buenos Aires, tél. 4802 0527*).

Seule la Bolivie a établi des liaisons ferroviaires avec l'Argentine. Malgré son faible coût, le voyage en train est confortable en raison de l'excellent service qui prévaut à bord.

A L'ARRIVÉE

DOUANES

En provenance d'un autre continent, les personnes majeures peuvent pénétrer avec 2 l d'alcool, 400 cigarettes et 50 cigares ; en provenance des pays voisins, la tolérance est de moitié. L'importation et l'exportation des devises sont illimitées.

L'introduction d'animaux domestiques est subordonnée à la présentation d'un certificat de vaccination antirabique (le vaccin ou le rappel doivent avoir été faits plus d'un mois et moins d'un an avant le départ) et d'un certificat de bonne santé établi par un vétérinaire dans la semaine précédant le départ.

LIAISONS AVEC L'AÉROPORT

Pour parcourir les 35 km qui séparent l'aéroport Ezeiza du centre de Buenos Aires, le plus simple est de prendre un taxi. La course coûte 30-35 $, à négocier. Le plus sûr est de prendre une *remise* (cf. p. 299), pour la somme fixe de 49 $ (et retour 26 $, si même compagnie) ; les billets sont en vente au guichet de Manuel Tienda Leon, dans le hall de l'aéroport. La solution la moins onéreuse est de prendre les navettes de Manuel Tienda Leon (11 $), qui mènent à côté de l'*Hotel Crillon*, ou d'Ecuador (10 $).

Manuel Tienda Leon
Santa Fe 790, tél. 4315 0489
Tienda Leon
Carlos Calvo 1931, tél. 4942 2339

A SAVOIR UNE FOIS SUR PLACE

MONNAIE ET CHANGE

L'unité monétaire locale est le peso argentin, divisé en 100 centavos. Circulent des billets de 2, 5, 10, 20, 50 et 100 pesos et des pièces de 1 peso et de 1, 5, 10, 25 et 50 centavos. Il est possible de régler la plupart de ses dépenses en dollars américains. Par conséquent, mieux vaut se munir de petites coupures en dollars que d'euros.

Les cartes de crédit sont acceptées partout, mais il est préférable de se renseigner, avant le départ, sur les possibilités de retrait d'espèces. Les *cambios* («bureaux de change») prélèvent une commission sur les opérations de change en chèques de voyage, mais elles changent les devises au cours officiel sans prélever de commission.

A la suite de la crise de 2001-2002, les *arbolitos* (changeurs au noir) ont fait leur apparition dans le centre commerçant de Buenos Aires : attention à la fausse monnaie.

DÉCALAGE HORAIRE

D'octobre à mars – l'été austral –, il y a 4 heures de décalage horaire entre la province de Buenos Aires et la France (quand il est 8 h dans la capitale argentine, midi sonne à Paris), et 5 heures d'avril à septembre. Les autres provinces n'observent pas toutes l'heure d'été.

POIDS ET MESURES

L'Argentine utilise le système métrique. Pour les vêtements et les accessoires, les tailles sont les mêmes qu'en France.

COURANT ÉLECTRIQUE

Le courant électrique est de 220 volts, 50 Htz. Si l'on possède du matériel nord-américain, veiller à se munir d'adaptateurs et de transformateurs. Certains établissements proposent les premiers, mais pas les seconds.

JOURS FÉRIÉS

Les banques et les organismes sous contrôle étatique sont fermés les jours fériés :

1er janvier : jour de l'an
Vendredi saint (précédant Pâques)
1er mai : fête du Travail
25 mai : révolution de 1810, fête nationale
10 juin : Jour des Malouines
20 juin : Jour du drapeau
9 juillet : déclaration d'Indépendance
17 août : anniversaire de la mort de San Martín
12 octobre : découverte de l'Amérique par Christophe Colomb
8 décembre : Annonciation
25 décembre : Noël

HEURES D'OUVERTURE

Les banques ouvrent du lundi au vendredi, de 10 h à 15 h. La majorité des commerces ouvrent de 9 h à 19 h en semaine et de 9 h à 12 h le samedi. En province, ils ouvrent parfois de 9 h à 13 h et de 16 h à 19 h. Les centres commerciaux ferment généralement à 22 h, et les cafés et restaurants vers minuit.

POSTES ET TÉLÉCOMMUNICATIONS

• Courrier

La poste centrale de Buenos Aires (*Avenida Sarmiento, 151*) est ouverte du lundi au vendredi, de 8 h à 20 h. La capitale compte maints autres bureaux de poste. Si l'on tient à ce que le courrier ne soit pas simplement tamponné, comme c'est le cas dans un bureau de poste, s'adresser à la réception de l'hôtel ou à la poste centrale, qui fournissent des timbres.

Il est possible d'envoyer un télégramme de n'importe quel bureau de poste ou par le biais d'un service téléphonique qui fonctionne 24 h sur 24. La plupart des grands hôtels disposent de télécopieurs. A Buenos Aires, on en trouve également dans les agences des principales compagnies de télécommunications, aux adresses suivantes :

Aéroport Ezeiza
Ouvert tous les jours de 9 h à 22 h.
Catedral
Calle Perú, 1
Ouvert du lundi au vendredi de 7 h à 22 h et le samedi de 7 h à 13 h.
Once
Dans la gare ferroviaire du même nom. Ouvert du lundi au vendredi de 9 h à 19 h 30.
República
Avenida Corrientes, 707
Ouvert tous les jours 24 h sur 24.
San Martín
Avenida San Martín, 332
Ouvert du lundi au vendredi de 8 h à 20 h.

• Téléphone

A Buenos Aires, il est plus simple de téléphoner de son hôtel que d'une cabine. Les téléphones publics sont installés sous des abris jaunes ou rouges (dans les rues, les édifices publics, les gares routières, certains cafés et restaurants) et fonctionnent presque tous avec des cartes que l'on peut se procurer en kiosque ou à la caisse des cafés et des restaurants. Les tarifs sont moins élevés en soirée et la nuit.

Les cabines ne permettent pas toutes de téléphoner à l'étranger mais il existe aussi des *locutorios* (centres téléphoniques) d'où l'on peut appeler à l'intérieur comme à l'extérieur du pays.

Pour téléphoner à l'étranger, composer le code international (*00*), puis le code du pays : *33* pour la France, *32* pour la Belgique, *1* pour le Canada et *41* pour la Suisse.

Pour appeler l'Argentine de l'étranger, composer l'indicatif du pays (*54*), puis le préfixe régional (sans le *0* initial), puis le numéro du correspondant (tous les numéros de téléphone de Buenos Aires sont à huit chiffres et commencent par *4*).

Pour appeler à l'intérieur d'une même zone, ne pas composer d'indicatif.

• Principaux indicatifs régionaux

Bahía Blanca : *0291*
Bariloche : *02944*
Buenos Aires : *011*
Córdoba : *0351*
Corrientes : *03783*
El Calafate : 02902
Jujuy : *0388*
La Plata : *0221*
La Rioja : *03822*
Mar del Plata : *0223*
Mendoza : *0261*
Neuquén : *0299*
Posadas : *03752*
Puerto Iguazú : *03757*
Resistencia : *03722*
Río Gallegos : *02966*
Rosario : *0341*
Salta : *0387*
San Juan : *0264*
Tucumán : *0381*
Ushuaia : *02901*
Viedma : *02920*.

• Numéros utiles

Renseignements abonnés : *110*
Accès à l'international par opérateur : *000*
Demande d'appel en PCV (*cobro revertido*) : *000*

• Cyber-cafés

The Internet Centre
Maipú 24, tél. 4343 1500, télécopie 4334 6282
San Martín
San Martín 332
Du lundi au vendredi de 8 h à 20 h.
Aéroport Ezeiza
Tous les jours de 9 h à 22 h.
Once
A côté de la gare ferroviaire. Du lundi au vendredi de 9 h à 19 h 30.
República
Corrientes 707
24 h sur 24.
Catedral
Perú 1
Du lundi au vendredi de 7 h à 22 h, les samedis de 7 h à 13 h.

MÉDIAS

• Presse

A Buenos Aires, on trouve la presse internationale (quotidiens et magazines) dans les kiosques, surtout dans ceux des avenues Florida et Corrientes. Les grands quotidiens nationaux sont *La Nación*, *Clarín*, *La Prensa*, *La Razón* et *Página Doce*. Le *Herald* est un journal argentin rédigé en anglais.

Buenos Aires Herald
www.buenosairesherald.com
Actualités locales et internationales, programme des manifestations culturelles à Buenos Aires.

• Télévision

La télévision argentine compte cinq chaînes et un réseau câblé. La plupart des émissions sont des réalisations nord-américaines et européennes. En revanche, les feuilletons populaires sont souvent argentins et, plus généralement, latino-américains.

• Radios

Parmi les chaînes de radio qui proposent les programmes les plus variés figurent Radio América, Radio Continental, Radio Libertad, Radio Mitre, Radio Municipal, Radio Nacional et Radio Rivadavia. Consulter le site www.medialive.com.ar pour avoir la liste des principales chaînes, etc.

SÉCURITÉ

L'Argentine est un pays où l'on ne court aucun risque particulier. Toutefois, une certaine prudence s'impose à Buenos Aires où l'on assiste à une recrudescence de la délinquance. Il faut éviter de laisser ses bagages sans surveillance dans un lieu public. A l'hôtel, déposer les objets de valeur dans un coffre. Ne jamais se déplacer avec de grosses sommes d'argent, se méfier des pickpockets, notamment dans les rues piétonnières. Quand on règle un achat, éviter de montrer ostensiblement son argent et garder un œil sur sa carte de crédit. En cas de problème, on trouve partout de nombreux policiers en patrouille. A Buenos Aires, il est plus judicieux de ne pas se promener de nuit dans les rues désertes, surtout si l'on est seul. Toujours verrouiller les portières de son véhicule et n'y laisser aucun objet de valeur.

SANTÉ ET URGENCES

Le niveau sanitaire du pays et ses infrastructures médicales sont globalement bons. Les professionnels de la santé reçoivent une excellente formation sur place ou à l'étranger. De nombreux chercheurs et spécialistes argentins participent régulièrement à des congrès internationaux concernant les domaines les plus novateurs de la médecine.

On constate cependant des inégalités dans la répartition des équipements médicaux en province. Si le matériel de certains hôpitaux n'est pas des plus sophistiqués, il permet néanmoins de traiter correctement les urgences.

Les frais médicaux et les frais d'hospitalisation varient énormément et sont extrêmement élevés dans les établissements privés.

Les dépenses médicales sont à régler sur place, en espèces. Conserver les factures si l'on veut se faire rembourser par sa caisse d'assurance maladie au retour.

• Services d'urgences à Buenos Aires

Police: *100*
Pompiers: *100*
Urgences diverses: *107*

• Hôpitaux de Buenos Aires

Hôpital Aleman
Avenida Pueyrredon, 1640, tél. 4821 1700
Hôpital britannique
Calle Perdriel, 74, tél. 4304 1081
Hôpital français
Calle La Rioja, 951, tél. 4866 2546 ou 4931 3507
Hôpital Guemes
Avenida Córdoba, 3933
Hôpital italien
Calle Gascón, 450
Hôpital général Juan Fernández
Calle Cervino, 3356, tél. 4801 5555
Hôpital odontologique
Avenida Pueyrredon, 940, tél. 4805 6407
Hôpital ophtalmologique Santa Lucía
Avenida San Juan, 2021, tél. 4941 5555
Hôpital pédiatrique Pedro de Elizalde
Calle Montes de Oca, 40, tél. 4307 5553

En cas d'urgence et pour tout problème médical en province, s'adresser à la réception de son hôtel.

On peut se procurer la plupart des médicaments en pharmacie sans avoir à présenter d'ordonnance. Certains produits sont toutefois surveillés. La liste des pharmacies de garde est publiée dans la presse locale à la rubrique *Farmacias de turno*. Ne pas hésiter à consulter un pharmacien pour les troubles bénins: grippes, maux de tête et problèmes digestifs.

CULTES

L'Argentine est un pays catholique où les autres cultes sont libres. Les messes sont célébrées le samedi soir et le dimanche matin. Outre de nombreuses églises catholiques, on trouve à Buenos Aires une église anglicane (*Avenida 25 de Mayo, 282*), une église grecque orthodoxe (*Calle Julian Alvarez, 1036*), une église russe orthodoxe (*Calle Nuñez, 3541*) et deux synagogues (*Calle Paso, 423* et *Calle Lavalle, 2449*).

COMMENT SE DÉPLACER

EN AVION

Les compagnies aériennes qui assurent les liaisons intérieures sont: Austral, Aerolíneas Argentinas, Lade et Lapa. A Buenos Aires, les départs ont lieu de l'aéroport Jorge Newberry, également connu sous le nom d'Aeroparque.

Les touristes qui souhaitent se rendre en avion dans plusieurs villes du pays peuvent bénéficier du forfait « Visitez l'Argentine » qui permet de voyager sur les lignes d'Aerolíneas Argentinas et d'Austral.

Cette formule donne droit à 4 coupons, d'une validité de 30 jours, dont chacun correspond à un numéro de vol. Si l'on veut se rendre d'un point A à un point C avec changement d'appareil en un point B, on utilisera donc deux coupons. Le carnet de 4 coupons coûte 450 $ et il est possible d'acheter 8 coupons au total, dont chacun coûte 120 $. Hormis Buenos Aires, chaque ville ne peut être visitée qu'une fois. Compte tenu des prix des vols intérieurs et des distances qui séparent les villes entre elles, cette formule est particulièrement intéressante. Pour tout renseignement complémentaire, contacter Aerolíneas Argentinas.

La taxe d'aéroport, d'environ 8,05 $ (24 pesos), est souvent comprise dans le prix du billet.

EN VOITURE

Tous les grands loueurs internationaux sont représentés en Argentine. Ils disposent de comptoirs à l'aéroport Ezeiza et d'agences dans les plus grandes villes du pays.

• **Buenos Aires**

Avis
Cerrito 1257, tél. 4326 5542
Budget
Santa Fé 869, tél. 4311 9870
Hertz
Dr. R. Rojas 451, tél. 4312 1317

Quelques loueurs argentins de Buenos Aires et de sa proche banlieue :

Localiza
Paraguay 1122, tél. 4816 3999
National
Av. Cordoba 725, 1er étage, tél. 4314 0705
Unirent
Paraguay, tél. 4315 0777
Serra Lima
Avenida Cordoba 3121, tél. 4961 5276

EN AUTOCAR

Chaque ville dispose d'une gare routière. A Buenos Aires, la gare de Retiro (*tél. 4310 0700 ou 4313 9594*) regroupe toutes les compagnies nationales. Certaines couvrent l'ensemble du pays, d'autres se limitent à assurer les liaisons entre la capitale et une province ou une région données.

• **Principales compagnies**

Ablo (province de Córdoba)
Tél. 4313 2995
Anton (station du littoral atlantique)
Tél. 4313 3051
Costera Criolla (station du littoral atlantique)
Tél. 4313 2449
Chevalier (province de Buenos Aires)
Tél. 4314 5555
Chevalier Paraguaya (Paraguay)
Tél. 4313 2349
Expreso Singer (provinces du Nord)
Tél. 4313 3997
Fénix Pullman Norte (Chili)
Tél. 4313 0134
General Urquiza y Sierras de Córdoba (province de Córdoba)
Tél. 4313 2771
La Internacional (Paraguay et Brésil)
Tél. 4313 9167
Micro Mar (station du littoral atlantique)
Tél. 4313 3167
Pluma (Brésil)
Tél. 4313 3901
Tata (provinces du Nord et frontière argentino-bolivienne)
Tél. 4313 3844

EN TRAIN

Le train dessert la plupart des grandes villes. Buenos Aires qui compte quatre gares :

• **Retiro**

Gare : *tél. 4311 8074*
De Retiro partent les lignes :
General Mitre (Córdoba, Tucumán, Santa Fe et Santiago del Estero)
General Belgrano (Córdoba, Salta, Tucumán et Jujuy)
General San Martín (Mendoza, San Juan et San Luis), *tél. 4772 5013*

• **Constitución**

De Constitución part la ligne :
General Roca (La Plata, Bahía Blanca, Neuquén et Bariloche), *tél. 4304 0021*

• **Federico Lacroze**

De Federico Lacroze part la ligne :
General Urquiza (Paraná, Posadas et Corrientes), *tél. 4553 5213*

• **Once**

D'Once part la ligne :
Sarmiento (vers Santa Rosa), *tél. 4861 0041*

En Argentine, les trains se composent de wagons de quatre classes différentes : la *coche cama* (luxe), la *pullman* (très confortable), la *primera* (comme la pullman, mais non climatisée) et la *turista* (bas de gamme).

EN BATEAU

Une ligne permet de remonter le Paraná jusqu'à l'extrême Nord-Est, et un service de transbordeurs, sur la rive nord du Río de la Plata, relie l'Argentine à l'Uruguay. Renseignements à Buenos Aires :

Buquebus
Avenida Córdoba, 867, tél. 4311 1159
Ferrylines
Avenida Cordoba et Maipu, tél. 4315 6800

TRANSPORTS URBAINS

• **Remises**

Ce sont des voitures particulières, souvent luxueuses, qui se louent à l'heure (en fonction du trajet choisi) ou à la journée. On trouve les coordonnées des agences qui proposent ce type de service dans l'annuaire ou à la réception des hôtels.

• **Taxis**

Ils se reconnaissent à leurs couleurs noir et jaune. Dans les grandes villes, on les trouve sans aucune difficulté, de jour comme de nuit. Le compteur marque un certain nombre d'unités qui correspondent à un montant indiqué sur une affichette. La loi oblige le chauffeur à montrer le tout à son passager et l'usage veut qu'on laisse un pourboire équivalant à 10 % du prix de la course.

• **Autobus**

Nombreux, rapides et très bon marché, ils permettent de visiter l'ensemble de Buenos Aires car ils desservent les quartiers les plus reculés. Éviter cependant les heures d'affluence où l'on risque de perdre un certain temps dans la file d'attente. Le numéro de la ligne et la direction prise par le véhicule figurent sur les nombreux arrêts d'autobus.

• **Métro**

Le métro de Buenos Aires (SUBTE) est plus efficace et encore moins onéreux que l'autobus. Quatre lignes (A, B, C et D) relient l'est de la ville, aux abords du Río de la Plata, aux quartiers reculés de l'ouest. La cinquième ligne, orientée nord-sud, relie la gare de Retiro à celle de Constitución. Le décor des stations vaut parfois le coup d'œil : la plupart des céramiques proviennent d'Espagne et de France et datent des années 1930.

CARTES ET PLANS

Sur place, les meilleures cartes sont distribuées par l'**Automobile Club d'Argentine** :
Avenida dèl Libertador, 1850, Buenos Aires
tél. 4802 0527

Attention, la plupart des plans que l'on peut se procurer en ville sont mal orientés. Ainsi, sur ceux de Buenos Aires, le Río de la Plata, situé dans l'est de la ville, devrait figurer sur la partie droite du plan.

POUR MIEUX CONNAÎTRE L'ARGENTINE

GÉOGRAPHIE ET CLIMAT

L'Argentine, qui s'étend sur près de 4 000 km du nord au sud, est le huitième pays du monde par sa superficie. Elle est située dans l'hémisphère sud entre le tropique du Capricorne et le 50° parallèle, ce qui correspond exactement, dans l'hémisphère nord, à la situation des États-Unis.

La majeure partie du territoire se trouve dans la zone tempérée de l'hémisphère sud. Le climat du Nord-Est est subtropical, donc très chaud et humide. Celui du Nord-Ouest est de type continental ; ses hivers restent cependant assez doux. Les pampas jouissent d'un climat tempéré. Entre l'est et l'ouest de la pampa humide (qui couvre les provinces de Buenos Aires, de La Pampa et la partie orientale de la province de Córdoba), les précipitations varient de 500 à 1 000 mm.

Dans le Sud, les températures sont basses et les précipitations abondantes presque toute l'année. En été, il règne une chaleur torride à Buenos Aires et, après les fêtes de fin d'année, la plupart des habitants se réfugient sur les plages de l'Atlantique ou dans les sierras. La capitale est donc presque déserte en janvier et en février, quand la chaleur et l'humidité sont les moins supportables. Les températures hivernales y restent assez douces, même si une humidité persistante et des vents violents contribuent à glacer l'atmosphère.

GOUVERNEMENT, DÉMOGRAPHIE ET ÉCONOMIE

L'Argentine est une république fédérale dirigée par un président et dotée d'un Congrès composé de deux assemblées législatives : un Sénat et une Chambre des députés.

Nom officiel : république Argentine
Superficie : 2 736 690 km²
Capitale : Buenos Aires
Langue officielle : espagnol
Religion officielle : catholicisme
Population (2003) : 38,7 millions d'habitants
Densité (2003) : 13,7 habitants/km²
Répartition ville/campagne (2003) : population urbaine : 89,6 % ; population rurale : 10,4 %
Composition ethnique (2003) : Européens : 97 % ; métis, Amérindiens et autres : 3 %
Indice de fécondité (ISF) (1995-2000) : 2,62
Croissance annuelle (1995-2000) : 1,3 %
Taux de mortalité infantile (entre 1995 et 2000) : 21,8 ‰
Espérance de vie (entre 1995 et 2000) : 72,9 ans
Taux d'analphabétisme (2003) : 2,9 %
PIB (2002) : 403,8 millions de $
PIB par habitant (2002) : 10 500 $
Croissance annuelle du PIB (2002) : -10,9 %
Principales sources des importations (2003) : États-Unis : 18,3 % ; Union européenne : 21,8 % ; Amérique Latine: 41,3 %
Principales destinations des exportations (2003) : Union Européenne : 16,3 % ; Amérique Latine : 48,9 % ; Asie : 18,2 %

SHOPPING

Buenos Aires compte deux artères commerçantes où l'on peut se procurer des articles de qualité à des prix raisonnables. La première, qui est aussi la plus touristique, est l'avenue Florida, et la seconde est l'avenue Santa Fe, sur laquelle débouchent des galeries marchandes assez élégantes. C'est dans le quartier de Recoleta, dans les avenues Alvear, Quintana et Ayacucho ainsi que dans les rues avoisinantes, que sont réunies les boutiques les plus luxueuses. Les meilleurs bijoutiers sont établis au début de l'avenue Florida et dans l'avenue Alvear. Le magasin Stern est dans la galerie marchande du Sheraton. Once, le quartier du vêtement, est assez distant du centre de Buenos Aires. Un taxi est nécessaire pour s'y rendre. Les *Porteños* ont l'habitude de faire leurs achats dans des entrepôts – souvent en grande banlieue –, plutôt que dans les boutiques. Les articles qu'on y vend sont variés, de qualité et très bon marché.

• Cuir

Belt Factory (ceintures et divers)
Fco Acuna de Figueroa, 454
Casa Bariloche (divers)
Calle Uruguay, 318
Coalpe (sacs)
Calle México, 3325
Colicuer (sacs)
Avenida Presidente General Perón, 1615, 1er étage
Kerguelen (articles traditionnels)
Calle Santander, 747
La Mia Scarpa (souliers traditionnels)
Calle Thames, 1617
Le Fauve (vêtements de cuir à des prix très compétitifs)
Calle Sarandi, 1226
Maximilian Klein (sacs)
Avenida Humberto I, 3135
Viel (sacs et souliers)
Calle Viel, 1550

• Fourrure

Dennis Furs (représentant YSL)
Avenida Alvear, 628
Hipólito Yrigoyen
Calle Vicente López, 1428
Pieles Wendall
Avenida Córdoba, 2762

• Bijoux

Antoniazzi-Chiappe
Avenida Alvear, 1895
Koltai Joyeria (bijoux anciens)
Calle Esmeralda, 616
Lovasi Joyeria
Avenida Rodríguez Pena, 419
Ricciardi
Avenida Florida, 1001
Stern
Hôtel Sheraton
Avenida San Martín, 1225-1275

• Artisanat

Tuyunti
Avenida Florida, 971

• Antiquités et brocante

C'est dans le quartier de **San Telmo** – l'un des plus anciens de Buenos Aires – que sont réunis les plus beaux magasins d'antiquités. Tous les dimanches, un marché se tient sur la **Plaza Dorrego**, où l'on trouve des objets anciens et modernes, curieux et ordinaires, à des prix dérisoires ou exorbitants. Là, seul un œil exercé peut séparer le bon grain de l'ivraie. La place est bordée de boutiques très réputées, où prix élevés et objets superbes vont de pair.

Les amateurs de bonnes affaires ne manqueront pas les ventes aux enchères. Parmi les salles des ventes les plus célèbres :

Banco de la Ciudad
Calle Esmeralda, 660
Naon y Cia
Calle Guido, 1785
Roldan y Cia
Avenida Rodríguez Pena, 1673

La ville regorge de petits magasins de brocante où l'on peut marchander, notamment au niveau de la *cuadra* de l'avenue Rivadavia qui porte le n° 4000. De plus, comme ces magasins ne sont guère connus, les prix et l'accueil y sont très sympathiques. L'avenue du Libertador en compte aussi plusieurs, à la hauteur de San Isidro et de Martínez. Toutefois, il faut disposer d'un peu de temps et de quelques connaissances en la matière pour tomber sur une affaire en or.

La Baulera (*Avenida Monroe, 2753*) est un véritable paradis pour collectionneurs. Pour connaître d'autres bonnes adresses, ne pas hésiter à interroger la réception des hôtels.

Dans la capitale, des marchés artisanaux sont organisés tous les dimanches, notamment sur la Plaza de Francia (quartier de Recoleta), la Plaza Manuel Belgrano (à la hauteur du 2200 de la Calle Juramento) et la Plaza Mitre (quartier de San Isidro). Dans les environs, le plus célèbre est celui de Tigre (Puerto de los Frutos), le samedi et le dimanche.

ACTIVITÉS CULTURELLES

FÊTES ET FESTIVALS

• Córdoba

Tout au long de l'année, plusieurs fêtes folkloriques sont organisées dans cette vénérable cité du centre. La fête de Cosquín, la plus belle, s'y tient chaque année à des dates différentes. Se renseigner auprès de l'**office du tourisme** (*tél. 4145 1105*).

• Mendoza

C'est en mars, à la fin des vendanges, et au cœur de la région vinicole, que se déroule le festival de la Vendimia. Dans un amphithéâtre niché au pied des Andes, trois jours de liesse s'achèvent par une débauche de lumière, de musique et de danse.

• San Antonio de Arequo

En novembre, cette bourgade pampéenne (à 115 km au nord-ouest de la capitale) organise une Semaine de la tradition, durant laquelle des gauchos viennent faire assaut d'adresse au cours de fameux rodéos. Le restant de l'année, San Antonio reste marquée par la vie *gauchesca* : son musée est consacré aux centaures de la pampa et au romancier Ricardo Güiraldés. Le week-end, les artisans des environs investissent la place du marché.

• Villa General Belgrano

Cette petite ville des environs de Córdoba, où vit une forte communauté allemande, est réputée pour deux manifestations : la fête du Chocolat alpin, en hiver, et la fête de la Bière, en octobre.

MUSÉES

Les musées les plus riches sont ceux de Buenos Aires. Pour obtenir les adresses des musées de province, s'adresser aux offices du tourisme.

• Buenos Aires

Musée d'Art moderne
Avenida Corrientes, 1530 et *Calle San Juan, 350*
tél. 4361 1129
Corrientes est ouvert du mardi au vendredi de 10 h à 20 h, les samedis, dimanches et vacances de 11 h à 20 h. San Juan est ouvert tous les jours sauf le lundi, de 10 h à 20 h. Les deux sont fermés en janvier. L'ensemble regroupe une impressionnante collection de toiles d'Utrillo, Matisse, Picasso et Dalí.

Musée d'art populaire argentin José-Hernández
Avenida del Libertador, 2373
tél. 4802 9967
Ouvert du lundi au vendredi, de 8 h à 20 h, et le week-end, de 15 h à 19 h. Fermé en février.
Ce musée rassemble la plus belle collection d'art populaire du pays. On y admirera de nombreux objets *gauchescos* en terre et en argent ainsi que des instruments de musique anciens.

Musée des Arts décoratifs
Avenida del Libertador, 1902
tél. 4806 8306
Ouvert du lundi au vendredi de 14 h à 20 h, les samedis et dimanches de 11 h à 19 h. Fermé en janvier.
Aménagé dans une belle demeure baroque, il présente des œuvres allant du XVe au XIXe siècle.

Musée historique du Cabildo et de la Révolution de mai
Avenida Bolívar, 65
tél. 4334 1782
Ouvert du mardi au vendredi de 12 h 30 à 19 h, le dimanche de 15 h à 17 h.
Véritable symbole de l'indépendance du pays, l'hôtel de ville de Buenos Aires comporte un petit musée où sont présentés de nombreux objets ayant appartenu aux grands hommes d'État argentins.

Musée national des Beaux-Arts
Avenida del Libertador, 1437
tél. 4803 0802
Ouvert tous les jours de 12 h 30 (9 h 30 le samedi) à 19 h 30. Fermé du 1er janvier au 15 février.
Œuvres des grands artistes argentins, mais aussi toiles de Manet, Rodin, Renoir, Van Gogh et Picasso.

GALERIES D'ART

La capitale concentre les galeries d'art les plus brillantes :
Galería Palatina
Calle Arroyo, 821
Galería Praxis
Calle Arenales, 1311
Galería Ruth Benzacar
Avenida Florida, 1000

OPÉRA, BALLETS, CONCERTS ET THÉÂTRE

• Le théâtre Colón

Depuis sa création, cette magnifique scène a accueilli la plupart des grands noms de la musique classique et de l'art lyrique. L'architecture du théâtre est un mélange de Renaissance italienne, de style français et de néo-classicisme. La salle contient 2 500 spectateurs assis et un millier debout. Son acoustique est proche de la perfection. C'est l'opéra qui draine le public le plus vaste, notamment lorsque de grands chanteurs se produisent ; viennent ensuite le ballet et les concerts. Dans ces deux domaines, il faut souligner la qualité des formations locales. Les billets sont en vente au guichet de la Calle Libertad.

Guichet
Calle Libertad 621
tél. 4382 0554

Le Colón abrite aussi un superbe musée qui retrace son histoire. On peut visiter le théâtre et le musée en compagnie d'un guide en prenant rendez-vous au *4382 6632*.

• Le théâtre San Martín

Cette salle présente de nombreuses pièces et comédies musicales. Le détail des programmes est donné dans les journaux locaux.

A Buenos Aires, la saison théâtrale débute au mois de mars. Les Argentins sont de grands amateurs d'art dramatique et, par conséquent, des critiques impitoyables. Les journaux et les réceptions d'hôtel renseignent sur les spectacles à ne pas manquer.

Le ministère de la Culture subventionne les récitals et les concerts, dans un bel effort de promotion d'un art vraiment populaire. Cette politique culturelle est couronnée de succès, comme l'attestent les foules qui se pressent à ces manifestations. En été, les concerts organisés dans tous les parcs de la ville attirent un vaste auditoire.

CINÉMA

Depuis une quinzaine d'années, le cinéma argentin renaît de ses cendres en dépit d'énormes difficultés d'ordre économique plus qu'artistique. C'est ainsi que les cinéphiles étrangers ont pu couronner les œuvres de Solanas ou de Puenzo. Mais le public argentin est aussi très friand de cinéma de qualité. Le prix d'une place de cinéma est nettement moins élevé en Argentine qu'ailleurs. Pour connaître les programmes, consulter la presse locale.

SPORTS

Pour avoir un aperçu plus complet des sports pratiqués en Argentine, *cf.* p. 275. Ci-dessous figurent quelques informations complémentaires :

CHASSE AU CANARD

Les amateurs de chasse au canard et à la perdrix peuvent se retrouver sur les terres marécageuses d'une vaste *estancia* de la province de Santa Fe, à environ 800 km de Buenos Aires. Des groupes de 6 personnes peuvent y être hébergés dans d'excellentes conditions.

CHEVAUX FALABELLA

Si l'on souhaite s'évader quelque temps de Buenos Aires, on peut visiter l'**Estancia El Peludo** (65 km de la capitale), qui se consacre à l'élevage des célèbres petits chevaux Falabella, que s'arrachent les amateurs du monde entier. Parmi leurs propriétaires les plus célèbres figurent les Kennedy, les Carter et Juan Carlos d'Espagne.
Pour tout renseignement :
Tél. 5050 1404

COURSES HIPPIQUES

Les pistes du **Jockey Club** (quartier de San Isidro) et de **Palermo** (*idem*) sont les deux plus célèbres de la capitale. Des courses y sont organisées environ quatre fois par semaine. En province, chaque ville importante compte au moins un petit hippodrome.

« PATO »

Dans les *estancias* des environs de Buenos Aires, il est parfois possible d'assister à une rencontre de *pato*, un jeu typiquement argentin. Les agences de voyages de la capitale renseigneront les amateurs.
Club Campo Hipico y de Pato Barracas al Sur
Buenos Aires
Tél. 4201 5196

PÊCHE

L'Argentine est un haut lieu de la pêche. Pour pratiquer ce sport, on a le choix entre le littoral atlantique, les torrents des Andes ou les innombrables cours d'eau et lacs situés entre les deux. Les agences de voyages fournissent tous les renseignements et enregistrent les réservations.

• Pêche à la truite

Les passionnés de pêche à la truite peuvent passer des vacances de rêve au bord des lacs et des torrents andins. En plus de l'hébergement, ils disposent d'un équipement et des services de guides. Contacter :

Caleufu River SRL
M. Moreno, 1185
San Martín de Los Andes 8370, Neuquén
tél. 47 199
Cosmopolitan Travel
Avenida L. Alem, 986, 7e étage, Buenos Aires 1001
tél. 4311 7880 ou 4311 6695

• Autres types de pêche

A environ 125 km au sud de Buenos Aires, **Chascomus** est une bourgade qu'on rejoint facilement en voiture ou en train. Dans les eaux saumâtres de son lac, on pêche principalement le *pejerrey* et un poisson très combatif qui se nomme *tararira*. Le club de pêche de la ville loue le matériel adéquat.

Polo

Si l'on souhaite assister à une rencontre de polo à Buenos Aires, rendez-vous au stade de **Palermo**. C'est là que se déroulent les championnats les plus prestigieux, en novembre. Les billets sont en vente aux guichets du stade (situés entre avenue del Libertador et Dorrego).

Randonnées équestres

Aux alentours de Bariloche, au pied des contreforts des Andes, il est possible de faire des randonnées équestres dont la durée varie d'une demi-journée à une semaine. Les conditions de confort sont rudimentaires : on dort à la belle étoile. Pour tout renseignement complémentaire, contacter l'une des adresses suivantes :

La Cascada
Av. Avellaneda 673
Tél. 427 725

Randonnées pédestres

Pour de superbes randonnées dans les Andes, dont une mini-expédition de 8 jours vers l'Aconcagua, contacter :

Opta Tours
Hosteria Puente del Inca, Mendoza
Tél. 438 0480
Club Andino
Dean Funes 2100, Cordoba
Clafucara
Calle Garibaldi 215
Tél. 424 450

Séjour dans une « estancia »

Dans la petite ville de **San Antonio de Areco**, à 115 km de Buenos Aires, le visiteur stressé par la capitale pourra se ressourcer quelques jours. Dans cet endroit paisible et fort beau, la famille Aldao a transformé l'Estancia La Bamba en auberge. Tout y est réuni pour faire d'un séjour – si court soit-il – une expérience inoubliable.

Pour tout renseignement, composer le *4392 9707*.

Ski

Les stations de sports d'hiver les plus réputées du pays sont le complexe du Cerro Catedral (près de Bariloche), Valle de Las Leñas (dans le sud de la province de Mendoza) et Los Penitentes (non loin de Mendoza).

Dans les provinces méridionales, il existe également des stations, plus modestes, dont une en Terre de Feu et une autre près d'Esquel. Pour tout renseignement et pour réserver, contacter une agence de voyages sur place qui peut également proposer des forfaits intéressants.

OÙ SE RESTAURER

Même en mangeant chaque jour de l'année dans un établissement différent, il serait impossible de faire le tour des bonnes tables de Buenos Aires. En règle générale, la cuisine, les vins et le service font d'un dîner dans la capitale un moment des plus agréables. D'emblée, la plupart des touristes préféreront tester la gastronomie argentine et voir si le bœuf est réellement à la hauteur de sa réputation.

Le repas classique débute par quelques entrées : *empanadas*, *chorizos*, *morcillas* et assortiment d'*achuras*. Le plat principal se compose d'un bon *bife de chorizo*, d'une *tira de asado* ou de *lomo* (« aloyau ») accompagnés de différentes salades. En dessert, un flan nappé de *dulce de leche* et de crème fouettée.

Certes, cette cuisine est riche en calories, mais plus encore en saveurs.

Il serait présomptueux de vouloir dresser une liste exhaustive des restaurants de la capitale. La majorité des touristes se limitent aux établissements qui bordent les artères piétonnières (Florida et Lavalle).

• Cuisine argentine

El Ce'bal
Güemes 3402
Tél. 4823 5807
La Payanca
Suipacha 1015
Tél. 4312 5209

• Cuisine française

Au Bec Fin
Calle Vicente López, 1825
tél. 4801 6894
Catalinas
Calle Reconquista, 875
tél. 4313 0182

El Aljibe (Hôtel Sheraton)
San Martin 1225
tél. 4318 9329
Le Trianon
Avenida del Liberador
tél. 4806 60058
Lola
Roberto M. Ortiz 1805
tél. 4804 3410
Mora X
Vicente Lopez 2152
tél. 4803 0261

• Cuisine internationale

Café de Los Angeles
Chile 318
tél. 4361 3633
Gato Dumas
Calle Junin 1745
tél. 4804 5828
El Pulpo
Calle Junín, 1745
tél. 4804 5828
Fernandoxoc
Guardia Vieja et Billinghurst
tél. 4866 4129
Soul Café
Baez 248
tél. 4778 3115
Te Mataré Ramirez
Paraguay 4062
tél. 4831 9156

• Cuisine italienne

A Mamma Liberata
Calle Medrano, 974
A Nonna Immacolata
Costanera Norte
Cosa Nostra
Calle Cabrera, 4300
La Fabbrica
Calle Potosi, 4465
Robertino
Calle Vicente López, 2158
Subito
Calle Paraguay, 640,
1er étage

• Cuisine mexicaine

Cielito Lindo
El Salvador 499, Palermo Viejo
Tél. 4832 8054
Sarkis
Palermo Viejo
Tél. 4772 4911

OÙ LOGER

• Buenos Aires

*** Luxe
** Très confortable
* Assez confortable

Buenos Aires Sheraton (***)
Avenida San Martín, 1225-75
tél. 4318 9000, télécopie 4312 9353
Sur une des rares élévations de la capitale, face à la tour des Anglais et à la gare ferroviaire de Retiro, cet immeuble domine le Río de la Plata et les installations portuaires. Sur 24 étages, il regroupe 800 chambres, une piscine chauffée, des courts de tennis, un sauna, un bar panoramique et plusieurs grands restaurants de cuisine internationale. C'est l'endroit préféré des hommes d'affaires.

Hôtel Libertador (***)
Angle de la Calle Maipú et de l'Avenida de Córdoba
tél. 4322 6622, télécopie 4322 9703
Ce bel édifice de verre est également connu pour sa salle de conférences et ses deux excellents restaurants : El Portal et la Pérgola.

Mariott Plaza Hôtel (***)
Avenida Florida, 1005
tél. 4318 3000, télécopie 4318 3008
C'est là que descendent les têtes couronnées et les chefs d'État. Il y règne une ambiance très formelle, à la française. Le service est au-dessus de tout éloge. Le restaurant dispose d'une cave fort riche dans laquelle les plus exigeants trouveront leur bonheur. Le rez-de-chaussée regroupe des bijouteries, des magasins de fourrures, des banques et des agences de voyages.

Claridge Hôtel (***)
Calle Tucumán, 535
tél. 4314 7700
A deux pas de la partie de l'avenue Florida qui concentre les boutiques les plus élégantes, ce superbe établissement comporte 180 chambres et un restaurant des plus renommés.

Continental (**)
Avenida Roque Sáenz Peña, 725
tél. 4326 1700, télécopie 4322 9703
A quelques *cuadras* de l'avenue de Mayo, sur une belle artère ornée de jacarandas, cet imposant hôtel propose un gîte de qualité et un couvert raffiné.

Dans les ** qui suivent, on retrouve les mêmes caractéristiques.

Grand Hôtel Dorá (**)
Calle Maipú, 963
tél. 4312 7391
Grand Hôtel Colón (**)
Calle Carlos Pellegrini, 507
tél. 4320 3500, télécopie 4320 3507
Hôtel Bisonte (**)
Calle Paraguay, 1207
tél. 4816 5770, télécopie 4816 5776
Ayacucho Palace Hôtel (*)
Avenida Ayacucho, 1408
tél. 4806 0611, télécopie 4806 1815
Gran Hôtel Hispano (*)
Avenida de Mayo, 861
tél. 4345 2020
Hôtel San Antonio
Paraguay 372
tél. 4312 5381
Hôtel Promenade
M. T. Alvear 444
tél. 4312 5681, télécopie 4311 5761
Hôtel Crillon
Santa Fé 796
tél. 4310 2000, télécopie 4310 2020

Pour obtenir des adresses d'hôtels en province qui compléteront celles indiquées ci-dessous, s'adresser aux offices régionaux du tourisme qui délivrent également la liste complète des motels, des terrains de camping et des hébergements pour étudiants. Ils se chargent de vérifier les disponibilités et les tarifs, en fonction de la saison. Certains font aussi des réservations, impératives en haute saison (du 15 décembre au 15 mars et du 5 juillet au 15 août).

• Bariloche

Edelweiss Hôtel
Calle San Martín, 232
tél. 434 462, télécopie 426 165
télex 80711 EDEL AR
Au centre de la station et à proximité de toutes les infrastructures sportives, cet hôtel de luxe comporte environ 90 chambres et plusieurs suites.

El Casco Hôtel
Casilla de Correo, 436
Sur la rive d'un lac, au milieu d'un paysage splendide, cet établissement compte parmi les plus luxueux de la station. Ses chambres décorées de meubles anciens et son restaurant de réputation internationale justifient, entre autres choses, les tarifs qui s'y pratiquent.

Hôtel Tronador
Ruta 237, Km 19
tél. 468 127
Cette bonne adresse se caractérise par ses petits bungalows, très originaux dans la région, sa situation dans un paysage magnifique (face au lac Mascardi, au sud-ouest de Bariloche), son excellente cuisine et ses activités de pêche et de randonnées (équestres ou pédestres). Ouvert de novembre à avril.

• Calafate

Hôtel La Loma
Tél. 491 0016
Dans le parc national des Glaciers, cet établissement possède 27 chambres d'où l'on découvre le site dans toute sa splendeur. Ouvert d'octobre à avril.

Posada Los Alamos
Calle Gobernador Moyano y Bustillo, 94
tél. 491 186
Cet hôtel récent organise des activités de loisirs pour les enfants et des projections de films sur les curiosités de la région. Bons restaurants.

• Carlos Paz (Córdoba)

Hôtel Avenida
Calle General Paz, 549
Cet hôtel de 50 chambres dispose d'une piscine et d'autres équipements qui constituent un « plus » fort appréciable.
Hôtel Ciervo de Oro
Les ravissants bungalows construits au bord du lac, la cuisine raffinée et la piscine font de cet endroit rare une excellente adresse.

• Iguazú

Hôtel International de Iguazú
Tél. 420 296
Construit dans l'enceinte du parc national, cet hôtel moderne et confortable propose des chambres d'où la vue est féerique.

• Jujuy

Hôtel Termas de Reyes
Route 4, km 19, tél. 423 0433
Chaque chambre est équipée de bains thermaux. De plus, l'établissement est pourvu d'une piscine chauffée.

• Mar del Plata

Grand Hôtel Provincial
Marítimo, 2500, tél. 420 4455
Aujourd'hui encore, cet hôtel – le plus ancien et le plus traditionnel de la ville – est auréolé d'un halo de luxe. Le restaurant mérite une mention spéciale.

- **Mendoza**

Hôtel Aconcagua
Calle San Lorenzo, 545, tél. 420 4455
A quelques *cuadras* du centre commercial, cet établissement moderne dispose d'un très bon restaurant, d'une piscine chaufée et de chambres climatisées.

Plaza Hôtel
Calle Chile, 1124, tél. 423 3000
Plus traditionnel que les établissements précédents, ce palace est édifié sur une belle place. Les chambres sont décorées de meubles et de bibelots anciens.

- **Salta**

Hôtel Salta
Calle Buenos Aires, 1
tél. 421 1011, télécopie 431 0470

- **Ushuaia**

Cabo de Hornos Hôtel
Angle des Avenidas San Martín et Triunvirato
tél. 422 187
Malvinas Hotel
Calle Deloquí, 615, tél. 422 296

- **Villa General Belgrano (Córdoba)**

Hôtel Edelweiss
Le cadre et le climat exquis de ces régions d'altitude confèrent son charme à cet hôtel. En outre, la direction de l'établissement a tout prévu : piscine, courts de tennis, activités de loisirs pour les enfants. L'endroit est idéal si on souhaite assister à la fête de la Bière ou se relaxer quelques jours en été. Des circuits sont organisés vers La Cumbrecita et les nombreux lacs des environs.

VIE NOCTURNE

La vie nocturne de Buenos Aires est aussi intense que celle des grandes capitales du monde. A minuit, l'avenue Florida et la Calle Lavalle sont presque aussi peuplées qu'à midi. Dans les cinémas, les dernières séances ne s'achèvent jamais avant 23 h et, dans certains restaurants, on peut souper jusqu'à l'aube.

BOÎTES DE NUIT, CABARETS ET BARS

Si l'on souhaite danser jusqu'au petit matin sur les derniers succès internationaux :

Cemento
Calle Estados Unidos, 7000
Le Club 111
Avenida Quintana
Hippopotamus
Calle Junín, 1787
Africa
Avenida Alvear, 1885
Club 100
Avenida Florida, 165
Contramano
Avenida Rodríguez Pena, 1082
Maú-Maú
Calle Arroyo, 866
New York City
Avenida Alvarez Thomas, 1391
Puerto Pirata
Calle Libertad, 1163
Snob
Avenida Ayacucho, 2038

Certaines boîtes de nuit réservées aux jeunes gens ouvrent tous les soirs.

En règle générale, les Argentins aiment vivre la nuit. Si les restaurants de Buenos Aires ouvrent vers 20 h, ceux de province n'ouvrent guère avant 21 h. Dans les capitales provinciales (Córdoba, Mendoza ou Salta) et les stations touristiques (Bariloche), la vie nocturne est également fort riche. Les théâtres de province présentent des spectacles moins nombreux mais aussi divers que les grandes salles de Buenos Aires.

Même si chaque ville compte au moins un cabaret de tango, la palme du genre revient à la capitale, d'où cette musique est originaire.

OÙ ÉCOUTER DU TANGO À BUENOS AIRES

Il est fortement conseillé de réserver.

Cano 14
Calle Talcahuano, 975
tél. 4393 4626
Casa Rosada
Calle Chile, 318
tél. 4361 8222
El Viejo Almacén
Angle des Calles Independencia et Balcarce
tél. 4362 3602
El Castello
Avenida Don Pedro de Mendoza, 1455
tél. 4428 5270
Michelangelo
Calle Balcarce, 4332
tél. 4331 5292
Bar Sur
Estados Unidos 299
tél. 4362 6086

Les cafés

On trouvera dans toutes les villes d'Argentine des bars, des cafés et des *confiterías* qui servent cafés, thés, boissons alcoolisées ou non, et divers en-cas.

Le café **La Biela** (*Avenida Quintana, 600*, en plein cœur de Recoleta) est l'un des plus connus de la capitale. Ne pas manquer non plus le **Tortoni** (*Avenida de Mayo, 800*), l'**Ideal** (*angle de la Calle Suipacha et de l'Avenida Corrientes*) ni le **Molino** (*angle des avenues Rivadavia et Callao*, non loin du Congrès ; on le repère à son moulin géant). Ces lieux de rendez-vous classiques de la capitale datent tous de son époque dorée. Si l'on préfère baigner dans une atmosphère plus jeune et plus bohème, aller plutôt au **Café La Paz** (*angle de l'Avenida Corrientes et de la Calle Montevideo*).

ADRESSES UTILES

Offices du tourisme

Les différents offices du tourisme établis dans la capitale peuvent fournir tous les renseignements sur le pays et chacune de ses provinces.

- **Offices du tourisme nationaux**

Direction nationale du tourisme
Avenida Santa Fe, 883, BP
tél. 4312 2232
Direction du tourisme de Buenos Aires
Avenida Sarmiento, 1551, 4e étage

L'avenue Florida regroupe un certain nombre de centres d'informations touristiques où l'on peut se procurer des plans de la ville et *The Buenos Aires Times*, journal bilingue (espagnol-anglais) qui contient de nombreux renseignements utiles et pertinents. Dans la plupart des hôtels, on trouve également une brochure intitulée *Where*, où figure la liste complète des boutiques, restaurants et spectacles de la capitale.

- **Offices du tourisme provinciaux**

Chaque province est représentée à Buenos Aires par un office du tourisme qui propose dépliants et brochures. Ils se concentrent tous dans le même secteur.

Buenos Aires (province de)
Avenida Callao, 237
tél. 4373 2636 ou 4371 7045
Catamarca
Avenida Córdoba, 2080
tél. 4374 6891
Córdoba
Avenida Callao, 332
tél. 4373 2596 ou 4373 2538
Corrientes
Avenida San Martín, 333, 4e étage
tél. 4394 7432
Chaco
Avenida Callao, 322, 1er étage
tél. 4476 0961
Chubut
Sarmiento, 1172
tél. 4382 8126 ou 4382 0822
Entre Ríos
Calle Suipacha, 844
Tél. 4328 2284 ou 4328 5985
Formosa
Hipolito Yrigoven, 1429
tél. 4381 7048 ou 4381 2037
Jujuy
Avenida Santa Fe, 967
tél. 4393 1295 ou 4393 6096
La Pampa
Calle Suipacha, 346
tél. 4326 1769 ou 4326 0511
La Rioja
Avenida Callao, 745
tél. 4815 1929
Mendoza
Avenida Callao, 445
tél. 4371 7301 ou 4371 0835
Misiones
Avenida Santa Fe, 989
tél. 4393 1211 ou 4393 1812
Neuquén
Avenida Presidente General Perón, 687
tél. 4326 1188 ou 4326 0560
Río Negro
Calle Tucumán, 1916
tél. 4371 7066
Salta
Avenida Presidente Sáenz Peña, 933
tél. 4326 0321
San Juan
Avenida Sarmiento, 1251
tél. 4382 5580 ou 4382 9241
San Luis
Calle Azucénaga, 1083
tél. 4822 3641 ou 4822 0426
Santa Cruz
25 de mayo, 277
tél. 4343 8478
Santa Fe
Calle Montevideo, 373
tél. 4375 4570
Santiago del Estero
Avenida Florida, 274
tél. 4326 9418 ou 4326 7739

Tierra del Fuego
Avenida Sarmiento, 745, 5e étage
tél. 4325 1791
Tucumán
Suipacha, 140
tél. 4322 0564 ou 4322 0010

AGENCES DE VOYAGES À BUENOS AIRES

Cosmopolitan Travel
Avenida L. Alem, 986, 7e étage
tél.4311 6684 ou 4311 6695
Eurotur
Viamonte 486
tél. 4312 6070, télécopie 4311 9010
Eves Turismo
Tucumán 702
tél. 4393 6151
Kalipa Tours
Roque Saez Pena 811, 5e étage
tél.4394 1830 ou 4394 1860, télécopie 4326 6371

REPRÉSENTATIONS DIPLOMATIQUES À BUENOS AIRES

France
Santa Fé 846, 3e étage
tél. 4312 2409
Belgique
Calle Defensa, 113
tél. 4331 0066, télécopie 4331 0814
Canada
Tagle 2828
tél. 4805 3032
Suisse
Avenida Santa Fe, 846
tél. 4311 6491

TÉLÉPHONES DES PRINCIPALES COMPAGNIES AÉRIENNES À BUENOS AIRES

Aerolíneas Argentinas
Tél. 4317 3000
Air France
Tél. 4317 4700
American Airlines
- en ville : tél. 4318 1100
- à l'aéroport : tél. 4480 0366
Avianca
- en ville : tél. 4394 5990
- à l'aéroport : tél. 5480 2748
British Airways
Tél. 4320 6600
Iberia
Tél. 4372 7298
KLM
Tél. 4326 9422
Lufthansa
Tél. 4319 0600

BIBLIOGRAPHIE

Ne figurent ici que les œuvres traduites en français dont les citations sont reprises dans le texte *.

Borges (Jorge Luis), *Le Livre de sable*, traduit de l'espagnol par Françoise Rosset, «Folio bilingue», Éditions Gallimard, Paris, 1990.
Clemenceau (Georges), *Notes de voyages dans l'Amérique du Sud, Argentine-Uruguay-Brésil, 1911*, Éditions Utz, Paris, 1991.
Darwin (Charles), *Voyage d'un naturaliste autour du monde fait à bord du navire le* Beagle *de 1831 à 1836*, traduit de l'anglais par Ed. Barbier, La Découverte, Éditions François Maspero, Paris, 1979.
Donnet (Gaston), *De l'Amazone au Pacifique par la pampa et les Andes*, Librairie Charles Delagrave, Paris, 1906.
Ebelot (Alfred), *La Pampa, 1890, Hors Barrière*, Éditions Zulma, Paris, 1992.
Guinnard (Auguste), *Trois ans d'esclavage chez les Patagons (1856-1859)*, Éditions Aubier-Montaigne, Paris, 1979.
Güiraldes (Ricardo), *Don Segundo Sombra*, traduit de l'espagnol par Marcelle Auclair, traduction revue par Jules Supervielle et Jean Prévost, Éditions Phébus, Paris, 1994.
Hernándes (José), *Martín Fierro*, traduit de l'espagnol par Paul Verdevoye, Éditions Nagel, Paris, 1955.
Hudson (William Henry), *Un flâneur en Patagonie*, traduit de l'anglais par Victor Llona, « Petite Bibliothèque Payot-Voyageurs », Éditions Payot & Rivages, Paris, 1994.
Isabelle (Arsène), *Voyage à Buenos-Ayres et à Porto-Alègre, par la Banda-Oriental, les Missions d'Uruguay et la province de Rio-Grande-Do-Sul (1830-1834)*, Éditions du Havre, Le Havre, 1835.
Morand (Paul), *Air indien, 1932*, « Les Cahiers rouges », Éditions Grasset, Paris, 1988.
Orléans-Bragance (Louis, prince d'), *Sous la Croix-du-Sud, Brésil, Argentine, Chili, Bolivie, Paraguay, Uruguay*, Librairie Plon, Paris, 1912.
Thouar (Arthur), *A travers le Gran Chaco, chez les Indiens coupeurs de têtes (1883-1887)*, Éditions Phébus, Paris, 1991.
Ursel (Charles, comte d'), *Sud-Amérique, séjours et voyages au Brésil, à la Plata, au Chili, en Bolivie et au Pérou*, Éditions Plon & Cie, Paris, 1879.

* *Les Relations de voyage autour du monde* de **James Cook** ont été publiées en français (éditions La Découverte, 1991), mais il ne s'agit que d'un choix de textes, dans lequel ne figure pas l'extrait inclus au chapitre « Le pays du vent, la Patagonie ».

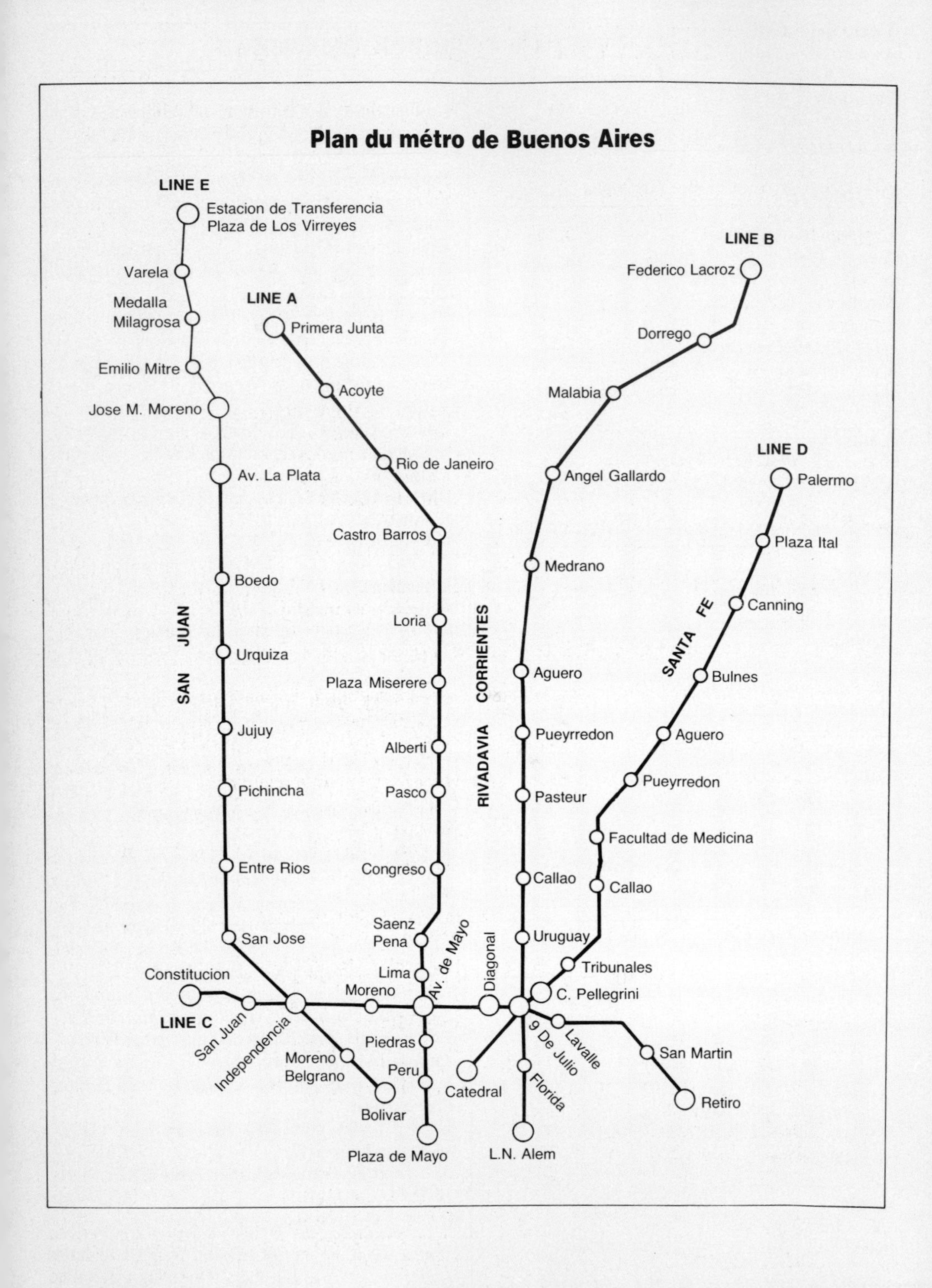
Plan du métro de Buenos Aires
LINE E
Estacion de Transferencia
Plaza de Los Virreyes
Varela
Medalla
Milagrosa
Emilio Mitre
Jose M. Moreno
Av. La Plata
Boedo
Urquiza
Jujuy
Pichincha
Entre Rios
San Jose
SAN JUAN
LINE A
Primera Junta
Acoyte
Rio de Janeiro
Castro Barros
Loria
Plaza Miserere
Alberti
Pasco
Congreso
Saenz
Pena
Lima
Av. de Mayo
Piedras
Peru
Plaza de Mayo
RIVADAVIA
LINE B
Federico Lacroz
Dorrego
Malabia
Angel Gallardo
Medrano
Aguero
Pueyrredon
Pasteur
Callao
Uruguay
C. Pellegrini
L.N. Alem
Florida
CORRIENTES
LINE D
Palermo
Plaza Ital
Canning
Bulnes
Aguero
Pueyrredon
Facultad de Medicina
Callao
Tribunales
9 De Julio
Catedral
SANTA FE
Constitucion
LINE C
San Juan
Independencia
Moreno
Moreno
Belgrano
Bolivar
Diagonal
Lavalle
San Martin
Retiro

CRÉDITS PHOTOGRAPHIQUES

Illustration de couverture	**Gaucho argentin devant la cathédrale de Salta nordeste, Argentine. © Patrick Escudero/Hoa Qui**
53	**Associated Press/Topham**
3, 30, 33, 34 d, 36, 37, 38, 39, 40-41, 42, 43, 45, 47 g et d, 49, 56-57, 60, 61, 65 g et d, 70-71, 72, 74, 75, 76, 77, 79, 93, 95, 99, 110, 111, 118, 119, 122, 194, 212, 286	**Fiora Bemporad**
218	**Gabriel Bendersky**
59, 69, 102, 123, 155, 158, 219, 238, 239	**Don Boroughs**
114, 137, 195, 213, 292	**Marcelo Brodsky/Focus**
8-9, 10-11, 62 d, 121, 129, 136, 138, 139 153, 164, 166, 175, 182, 184, 192, 197, 198, 199, 200, 232, 235, 274	**Roberto Bunge/PW**
14-15, 140	**Gustavo Calligaris/Focus**
287	**Marcelo Canevari**
277	**Carlos Carrio/PW**
18, 134, 181, 225, 278	**Maria Cassinelli/Focus**
6-7, 16, 19, 20, 21, 28, 160, 163, 165, 167 174, 176, 177, 180, 185, 188-189, 214, 217, 221, 222, 224, 230, 245, 247, 252, 255, 261, 262, 263, 266, 267, 270,	**Roberto Cinti/PW**
204-205, 210-211, 220, 226, 231, 281, 288	**Pablo Rafael Cottescu**
161	**Mauricio Dolinsky/Focus**
66, 67, 279	**Arturo Encinas/Focus**
64, 112, 183, 190-191, 289	**Carlos Fadigati/Focus**
105	**Fariña/Focus**
280	**Sindo Fariña/Focus**
253	**Domingo Galussio**
82-83, 104 d, 127, 282, 283	**Eduardo Gil**
223	**Carlos Goldin/Focus**
63	**German Gonzalez/Le Fauve**
240, 243, 249	**Rae Goodall**
236-237	**R. N. Goodall**
242, 244, 254	**Thomas Goodall**
276	**Rex Gowar**
206-207	**Joseph Hooper**
130	**Migone Izquierdo/Focus**
162, 187, 290, 291	**Marcos Joly/Focus**
186, 265	**Federico B. Kirbus**
48, 109, 132-133, 275	**Eduardo Lerke/Focus**
125	**Hans Lindner/Focus**
27	**Luis Martín/Focus**
12	**Julio Menajovsky/Focus**
25, 62 g, 88-89, 90, 215, 228, 269	**Arlette Neyens**
31, 50, 51, 94, 98 g et d, 103, 104 g, 107, 108 113, 115, 116, 117, 120, 124, 126, 128, 131, 142-143, 144, 147, 149, 150, 151, 152, 272-273	**Alex Ocampo/PW**
17, 208, 227, 246, 250, 256-257, 258-259, 260, 264, 271	**Carlos A. Passera/Ph**
141	**Javier Pierini/Focus**
84-85	**Rudolfo Rüst/Focus**
58, 156-157	**Alfredo Sanchez/Focus**
5, 22-23, 24, 26, 29, 80-81, 92, 168-169, 170-171, 172, 178, 179, 284	**Jorge Schulte**
68	**Don Boroughs**
Avec la collaboration de :	**V. Barl**

INDEX

A

B

C

D

E

Q

R

S

T

U

V-W

Y

Z